EMILY i EINSTEIN

Tej autorki

DIABLICA W KLUBIE KOBIET

DIABLICA NA BALU DEBIUTANTEK

EMILY I EINSTEIN

LINDA FRANCIS LEE

EMILY i EINSTEIN

Z angielskiego przełożyła
ANNA DOBRZAŃSKA

ALBATROS

Wydawnictwo
A. Kuryłowicz

Tytuł oryginału:
EMILY AND EINSTEIN

Redakcja: Beata Słama

Zdjęcia na okładce: conrado/Shutterstock

Projekt graficzny okładki i serii: Andrzej Kuryłowicz

Skład: Laguna

ISBN 978-83-7885-664-1

Książka dostępna także jako e-book

Dystrybutor
Firma Księgarska Olesiejuk sp. z o.o. sp. j.
Poznańska 91, 05-850 Ożarów Maz.
t./f. 22.535.0557, 22.721.3011/7007/7009
www.olesiejuk.pl

Sprzedaż wysyłkowa – księgarnie internetowe
www.merlin.pl
www.fabryka.pl
www.empik.com

Wydawca
WYDAWNICTWO ALBATROS A. KURYŁOWICZ
Hlonda 2A/25, 02-972 Warszawa
www.wydawnictwoalbatros.com

2014. Wydanie I
Druk: Abedik S.A., Poznań

Dla staruszka w dziwacznych ubraniach,
który wiele lat temu niespodziewanie pojawił się w moim życiu.
Dziękuję Ci, gdziekolwiek jesteś...

Podziękowania

Pisanie tej książki było niczym podróż, za którą pragnę podziękować wielu osobom...

Moim rodzicom, Marilyn i Larry'emu Francisom.

Moim braciom i siostrom, oraz ich rodzinom: Rickowi i Ginger Francisom, Brianowi i Andrii Francisom, Carilyn i Timowi Johnsonom.

Najlepszym siostrzenicom i bratankom — Lauren, Tylerowi, Grantowi, Spencerowi, Cameronowi i Haley Grace.

Moim przyjaciołom: Glorii Skinner, Jessice Bird, Maxine Bird, Sairze Rao, Johnowi Resi, Jill Stockwell, Johnowi Caputo, Jimowi Farah, Kenowi Laughramowi, Parkerowi Thompsonowi i Augustowi Nazarethowi.

Jak zwykle...

Amy Berkower i Genevieve Gagne-Hawes, Liz Usuriello, Alecovi Shane'owi, Mai Nicolic i Jennifer Kelaher.

Jennifer Weis i całemu zespołowi St. Martin's, w tym Lisie Senz, oraz Scottowi Harshbargerowi.

Tony'emu Lee za cudownego syna.

I temuż synowi, Michaelowi Lee, dzięki któremu to wszystko jest warte zachodu.

Prolog

Minął tydzień, zanim pojąłem, jak beznadziejna jest moja sytuacja, tydzień, zanim uświadomiłem sobie, że jestem martwy.

Był mroźny lutowy dzień, a wiszące nad Nowym Jorkiem stalowoszare niebo sprawiało, że nawet najbardziej sielankowy północno-wschodni sen o słońcu, piasku i plaży wydawał się dziwnie odległy i nierzeczywisty. Ubrany w wełniany garnitur, jedwabny krawat i płaszcz wszedłem do swojego gabinetu na trzydziestym czwartym piętrze z widokiem na Dolny Manhattan, przesłoniętym przez lecące z nieba grube płatki śniegu. Moja sekretarka rozmawiała przez telefon. Jej silny brooklyński akcent i poliestrowe ubrania kontrastowały ze staromodnym drewnianym wystrojem recepcji. Warknęła coś do swojego rozmówcy, ostrzegając, że jeśli chce porozmawiać ze mną, będzie musiał „przejść przez jej ręce". Oto, dlaczego zatrudniłem tę rzeczową starszą kobietę, która nikogo się nie bała.

W końcu fuknęła i rzuciła słuchawką.

— Arogancja i bezczelność!

Musiałem uważać, żeby się nie uśmiechnąć.

Kiedy mnie zobaczyła, nawet nie mrugnęła.

— Panie Portman, jest pan. — Wręczyła mi plik służbowych notatek, informując pokrótce, kto dzwonił. — Była tu pańska matka i twierdziła, że musi się z panem zobaczyć.

Moja matka, piękna, wymagająca Althea Portman, żyła w przekonaniu, że moim jedynym obowiązkiem jest zajmowanie się nią i jej sprawami.

Przeglądając notatki, skierowałem się do gabinetu, nawet na chwilę nie podnosząc wzroku.

— Jeśli zajrzy tu jeszcze raz, powiedz jej, że rzuciłem tę pracę. Że mnie wylali. Albo jeszcze lepiej, powiedz, że przeprowadziłem się do

9

Mongolii albo do Australii, gdzieś daleko, gdzie z całą pewnością nie ma zasięgu.

— No, no, to było naprawdę złośliwe. To przecież pańska matka.

— Pani Carmichael, moja matka zasługuje na złośliwości. — Nie zatrzymałem się, próbując zapamiętać, które z notatek wymagają szczególnej uwagi. — Prawdę mówiąc, każda kobieta pokroju mojej matki zasługuje na złośliwości.

— Jak na kogoś, kto ma nie więcej niż trzydzieści pięć, czterdzieści lat, jest pan wyjątkowym zrzędą! — zawołała za mną.

Tym razem stanąłem w drzwiach, podniosłem wzrok i uraczyłem ją przemiłym uśmiechem.

— Ja? Zrzędą?

Znów fuknęła i odwróciła się, jednak na tyle wolno, że zdążyłem zauważyć uśmiech, jakim skwitowała moje słowa.

— O siódmej będzie mi potrzebny samochód — rzuciłem.

Cisnąłem notatki do kosza i zatrzasnąłem drzwi gabinetu.

✠

Godzinę później opuściłem mój gabinet w firmie inwestycyjnej Regal Bay. Jechałem do kliniki weterynaryjnej na Upper West Side, gdzie w piątki po pracy moja żona pracowała jako wolontariuszka.

Gdy po raz pierwszy zobaczyłem Emily, mógłbym przysiąc, że urodziła się i wychowała gdzieś w Minneapolis albo Milwaukee. Jak się okazało, dorastała na Manhattanie pod okiem kobiety, której miałem szczęście nigdy nie poznać. W swoich najlepszych czasach Lillian Barlow była znaną i głośno wyrażającą opinie feministką, kobietą, która otwarcie sprzeciwiała się „bandzie mizoginów mających w życiu jeden cel — gnębienie kobiet".

Po pierwsze, uważam jej postawę za dość pochopne — żeby nie powiedzieć melodramatyczne — uogólnienie. Po drugie, to cud, że kobieta, która paliła biustonosze i została aresztowana za udział w manifestacji przeciwko wojnie w Wietnamie, wychowała kogoś tak otwartego i ufnego jak Emily. Najdziwniejsze w tym wszystkim było to, że poślubiłem córkę tej kobiety. Jednak kiedy Emily i ja poznaliśmy się prawie cztery lata temu, dochodziłem do siebie po niefortunnym wypadku narciarskim i skomplikowanym złamaniu nogi, którą lekarze poskładali do kupy, używając śrub i metalowych płytek.

Nie powinienem był tak bardzo tego przeżywać, ale cóż mogę powiedzieć? Od lat chciałem wziąć udział w Maratonie Nowojorskim. Marzyłem o tym. Poniekąd na to liczyłem. Po wszystkim zostałem poinformowany, że muszę odpuścić sobie wszelkie ćwiczenia, które w jakikolwiek sposób mogłyby nadwyrężyć strzaskaną kończynę, nie mówiąc o tym, że nie było mowy, żebym wziął udział w maratonie.

Krótko mówiąc, w efektownie melodramatycznej chwili mojego życia, kiedy poznałem Emily i — jak nigdy — zapragnąłem sobie dogadzać, po raz pierwszy posmakowałem śmiertelności i poczułem nieodpartą chęć zostania kimś więcej niż facetem, którym byłem dotychczas.

Naturalnie Emily nie miała o niczym pojęcia. W dniu, w którym ją poznałem, siedziałem w sali konferencyjnej wydawnictwa Caldecote Press w towarzystwie prezesa, wydawcy, redaktora, prawnika i doradcy Regal Bay — przerażał nawet mnie, a nie należę do osób, które łatwo wystraszyć. Zebraliśmy się tam w związku ze śliską sprawą pewnej książki. Jej premierę wydawnictwo zaplanowało na jesień. Dotyczyła Regal Bay i działań firmy rzekomo budzących wątpliwości. Victor Harken i ja mieliśmy dopilnować, żeby książka nie ujrzała światła dziennego. Jednak zamiast od razu uciekać się do kruczków prawnych, Victor zamierzał spróbować „przekonać" wydawcę, by spojrzał na całą sprawę naszymi oczami.

Tuż przed rozpoczęciem spotkania Emily wpadła do sali niczym nieśmiertelna bogini, a jasne włosy powiewały za nią jak flaga. Była delikatna, niezbyt wysoka, jednak natychmiast wypełniła swoją obecnością całe pomieszczenie. Przysłuchiwałem się błahym pogaduszkom Victora, ale w chwili, gdy się pojawiła, zapomniałem o bożym świecie.

Uważałem się za znawcę kobiet — to dobrze lub źle, w zależności od tego, jak na to spojrzeć — i w moich oczach Emily wydawała się pełna sprzeczności. Była piękna jak modelki, z którymi się spotykałem, miała długie blond włosy i oczy w kolorze indygo. Tamtego dnia włożyła prostą kremową sukienkę kończącą się tuż powyżej kolan, kontrastującą z jej energią i charakterem. Nie była to niebieska sukienka podkreślająca kolor jej oczu, nie była też wystarczająco krótka, by odsłonić cudowne nogi — była jak stała w algebrze, którą dodaje się, by zrównoważyć równanie. Jednak w matematyce chodzi o to, żeby określić wartość X, tymczasem nijak nie potrafiłem określić Emily.

Byłem zaintrygowany.

— O, Emily — powiedział prezes. — Miałem nadzieję, że do nas dołączysz.

Zostaliśmy sobie przedstawieni i z tego, co udało mi się ustalić, wynikało, że podczas gdy ja wciąż jeszcze byłem nowicjuszem, Emily miała reputację osoby, która doskonale radzi sobie z rozwiązywaniem problemów. Już sama myśl, że prezes liczył na to, iż dzięki niej on i Victor dojdą do porozumienia, sprawiła, że miałem ochotę się roześmiać. Choć teraz, gdy spoglądam na to z perspektywy czasu, wydaje mi się, że mimo tej sprzeczności, a może właśnie dzięki niej, z chwilą, gdy pojawiła się Emily, atmosfera w pokoju uległa zmianie.

Victor machnął ręką w moim kierunku i oznajmił:

— To jest...

— Sandy Portman — dokończyłem z kpiącym uśmieszkiem. — Kolejny trybik w korporacyjnej machinie.

Victor spojrzał na mnie, jakbym postradał zmysły, i może naprawdę je postradałem. W rzeczywistości nazywam się Alexander „Sandy" Vandermeer Regal Portman i wywodzę się w prostej linii od Vandermeerów i Regalów, założycieli Regal Bay, jednej z najstarszych i najbardziej prestiżowych firm inwestycyjnych na Wall Street. Nie mam pojęcia, co tak na mnie podziałało: stanowiąca przeciwwagę elegancja Emily czy pewność siebie charakterystyczna dla ludzi, którzy nie czują potrzeby imponowania innym. Wiedziałem tylko, że pierwszy raz w życiu nie chcę, by ktoś wiedział, kim naprawdę jestem.

Przeszliśmy do rzeczy. Victor robił, co mógł, by zastraszyć słuchaczy, przez co prezes wyglądał jak ktoś, kto obawia się, że pewnego dnia znajdzie w łóżku odciętą końską głowę. Jednak kobiety w ogóle nie zwracały uwagi na groźby Victora. Zamiast tego ukradkiem zerkały w moją stronę, oceniając mnie i swoje szanse. To znaczy wszystkie kobiety z wyjątkiem Emily, która w ogóle mnie nie nie zauważała.

Nie muszę chyba mówić, że nie byłem przyzwyczajony do braku zainteresowania, jednak tu chodziło o coś więcej. Patrząc na nią, człowiek miał wrażenie, że dostrzegała wyłącznie tego, kto właśnie zabierał głos, i poświęcała mu całą uwagę.

Kiedy wszystkie pomysły zostały przedstawione i odrzucone przez jedną lub drugą stronę, prezes spojrzał na Emily.

— A co ty o tym sądzisz? — spytał.

Minęła chwila, zanim podniosła wzrok na Victora. Była niczym niebieskooki Dawid walczący z Goliatem, który przyszedł na świat w nowojorskim Bronksie.

— Nie jestem pewna, w czym właściwie tkwi problem. Ma pan dość środków, by na długie miesiące zasypać Caldecote papierkową robotą, jednak to, co staracie się ukryć, w końcu i tak wyjdzie na jaw. — Mówiąc to, cmoknęła z dezaprobatą, jakby rozmawiała ze szkolnym chuliganem, którego przyłapano, jak znęcał się na dziedzińcu nad słabszymi.

Wątpię, by ktokolwiek potraktował Victora w taki sposób.

— A co pan powie na kompromis? — Posłała mu promienny uśmiech. Była albo szalona, albo nieustraszona. A może i to, i to. Wiedziałem, że choć Victor nie miał w zwyczaju podrzucania ludziom do łóżek odciętych końskich głów, słynął z niekonwencjonalnych sposobów stawiania na swoim. Mój stryjeczny dziadek, Silas Regal, zatrudnił go właśnie z tego powodu. Jednak tym razem doradca Regal Bay — podobnie jak ja — dał się zaskoczyć młodej kobiecie, która najwyraźniej żyła w przekonaniu, że ona i jej mały wydawca wygrają sprawę.

— Tak czy siak — ciągnęła — nawet jeśli zasypiecie nas dokumentacją prawną, zarówno Regal Bay, jak i Caldecote trafią na strony internetowych biuletynów, blogów finansowych, a nawet do tradycyjnej prasy. Dla nas to dobrze, dla was niekoniecznie. — Wzruszyła ramionami i skrzywiła się, jakby naprawdę było jej przykro.

Victor zaniemówił, a ja miałem ochotę się roześmiać.

Zanim Emily skończyła przedstawiać swój plan, Victor zgodził się, że nie tylko nie będziemy trwonili pieniędzy „na bezsensowne procesy", ale umożliwimy szmatławemu dziennikarzowi autorzynie dostęp do zwierzchników Regal Bay, by — jak to określiła Emily — „zaprezentowali swoją wersję wydarzeń".

Po czymś takim stryjeczny dziadek Silas z pewnością zażąda głowy Victora. Cała ta sytuacja zaczynała mnie bawić, jednak wtedy Emily na mnie spojrzała — nareszcie — i wszystko się zmieniło. Świat zwolnił, gdy patrzyła na mnie przez chwilę, która wydawała mi się wiecznością. W końcu się uśmiechnęła. Może zabrzmi to głupio i banalnie, ale kiedy ujrzałem jej uśmiech, poczułem, że mogę wszystko. W jej oczach zobaczyłem człowieka z wielkim potencjałem. Zapomniałem o połamanych nogach i niespełnionych marzeniach i skupiłem się na tym, że oto mam przed sobą kobietę, która mnie uzdrowi. Było to głębokie, prymitywne uczucie, pobożne życzenie, a przez to jeszcze bardziej niepokojące.

Właśnie wtedy postanowiłem, że ją zdobędę.

✠

Powszechnie wiadomo, że większość mężczyzn dąży do wielkości. Czyż nie dlatego podziwiamy superbohaterów, kiedy jesteśmy dzieciakami, i potentatów, gdy stajemy się mężczyznami?

W tej kwestii nie należałem do wyjątków.

Gdy byłem chłopcem, chciałem zostać koszykarzem, i choć nikt nigdy nie nazwał mnie kurduplem, wiedziałem, że nie jestem wystarczająco wysoki. Moim przeznaczeniem było grzanie ławy, więc szybko przestałem się łudzić. Kilka lat później postawiłem na wioślarstwo. Byłem bystry i silny, a trener w prywatnym liceum, do którego uczęszczałem, przygotowywał mnie do ważnej roli szlakowego. Jednak po kilku miesiącach ciężkich treningów uznałem, że więcej z tego kłopotów niż pożytku.

Nieco później, w college'u, postanowiłem zostać artystą, kimś pokroju Picassa albo Salvadora Dalego, jedną z wybitnych jednostek z wilczym apetytem na życie. Jednak tym razem moja matka, znana jako wielki mecenas sztuki, oznajmiła, że Portmanowie sponsorują artystów. A w naszej rodzinie artystów nie było.

Większość ludzi nie wie, a być może nie pamięta, że moja matka nie zawsze była hojną patronką sztuki. Tak naprawdę Althea Portman dla wielu, którzy ją znali, stanowiła zagadkę, układankę, którą przez lata starali się ułożyć. W końcu jednak zapomniano o pytaniach dotyczących jej przeszłości i wiedziałem, że tego właśnie pragnęła. Sam rzadko się nad tym zastanawiałem, a fragmenty układanki nie były czymś, czym zaprzątałbym sobie głowę.

Mimo to od czasu do czasu patrzyliśmy na siebie i widziałem w jej oczach pytanie: „Pamiętasz?".

Nie byłem głupcem. Podobnie jak ona, zawsze odwracałem wzrok, pozwalając, by pytanie zawisło w powietrzu, niewypowiedziane.

Niestety w innych kwestiach moja matka niechętnie trzymała język za zębami. Tamtego pechowego zimowego wieczoru, kiedy opuściłem budynek Regal Bay i gdy wszystko się zaczęło, odbyliśmy krótką rozmowę. Tym razem na temat mojej żony.

Wyprowadzony z równowagi przez matkę usiadłem na tylnej kanapie mercedesa sedana i siedziałem w milczeniu, podczas gdy kierowca wiózł mnie Ósmą Aleją przez sypiący śnieg, prosto na spotkanie z Emily.

Jechaliśmy bez końca. Pięć pasów ruchu, morze taksówek, wynajęte sedany i ludzie z New Jersey udający się na północ w SUV-ach, ośnieżone ulice, pozostałości po mniej wystawnych manhattańskich nieruchomościach, a pośród nich zbudowane ze stali i szkła wytworne siedziby firm. Godzinę później dotarliśmy na Zachodnią Siedemdziesiątą Szóstą, wąską uliczkę, jeszcze węższą z powodu zaparkowanych po obu stronach samochodów. Kierowca stanął po drugiej stronie ulicy, tuż za pick-upem.

Widząc, że nie wysiadam, odwrócił się i zapytał:

— Czy pod ten adres mieliśmy przyjechać?

— Tak, tak. Wszystko w porządku.

Zwykle nie bywam roztargniony, jednak tamtego wieczoru poczułem coś, czego nie potrafiłem zrozumieć. Tłumaczyłem sobie, że to tylko

14

zdenerwowanie po długiej męczącej podróży. Teraz wiem, że było to coś innego, coś bardziej złożonego, trudniejszego do zdefiniowania, przekorna i bezwzględna poza wobec... czego? Bogów? Bez względu na wszystko pędziłem na złamanie karku ku zgubie. I zgubie Emily.

Wysiadłem z samochodu i zapiąłem płaszcz, by ochronić się przed zimnem. Przeszedłem na przód mercedesa, kiedy drogę zagrodził mi mały biały psiak. Próbowałem go ominąć, jednak poślizgnąłem się na oblodzonym chodniku.

Opierając się o maskę samochodu, przegoniłem psa i podjąłem wędrówkę. Podmuchy lodowatego wiatru kąsały moje policzki i wciskały mi do oczu śnieg z deszczem, który z każdą chwilą padał coraz bardziej. Doszedłem do drzwi od strony kierowcy, gdy na ulicy pojawił się samochód. Reflektory podskakiwały za każdym razem, kiedy wjeżdżał w zamarznięte koleiny.

Dopiero po chwili zorientowałem się, że to taksówka, której właściciel najwyraźniej nie zwracał uwagi na fatalne warunki. Zrobiłem krok do tyłu, poirytowany, że taksiarz nie zamierza zwolnić i jak szalony gna wąską ulicą między zaparkowanymi samochodami. I wtedy to się stało, tuż przed tym, nim taksówka znalazła się na wysokości mercedesa. Biały psiak pojawił się znikąd i wybiegł na jezdnię.

Kierowca taksówki wcisnął hamulec i wpadł w poślizg. Samochód zakołysał się, zjeżdżając to w jedną, to w drugą stronę, aż w końcu uderzył w tył mercedesa. Grube, miękkie płatki śniegu stłumiły huk i złagodziły uderzenie. Zapadła cisza. Przez chwilę byłem pewny, że słyszę padający śnieg, i poczułem dziwny spokój.

Prawdę powiedziawszy, do niczego takiego by nie doszło, gdybym nie stał przed maską mercedesa, mniej więcej półtora metra od drugiego samochodu. Niekiedy siła uderzenia i jego kąt, nawet przy niewielkiej prędkości i odległości, mogą stanowić zabójczą mieszankę. Krótko mówiąc, żółta taksówka wbiła się w tył mercedesa, który uderzył we mnie z taką siłą i pod takim kątem, że runąłem na ziemię niczym kostka domina, bez możliwości złagodzenia upadku. Upadając, uderzyłem głową o zderzak vana. Uszkodzenia mózgu, jakich doznałem, i złamany kręgosłup nie dawały mi żadnych szans na wyzdrowienie. Chwilę później stałem tuż obok mojego ciała. Nie czułem zimna, a tylko zdziwienie, że to coś na ziemi to naprawdę ja.

Sparaliżowany patrzyłem, jak kierowca zgłasza wypadek pod 911, próbuje mnie reanimować, a w końcu dzwoni do dyspozytorki i prosi, by skontaktowała się z moją firmą. Nikt nie zadzwonił do mojej żony.

Nigdy dotąd nie panikowałem, ale też nigdy dotąd nie stałem na zaśnieżonej ulicy, patrząc, jak ktoś próbuje przywrócić mnie do życia. Dopiero gdy okazało się, że nie mogę się poruszyć, strach ścisnął mnie za gardło. Próbowałem złapać powietrze, ale to również okazało się niemożliwe.

Mówią, że w chwili śmierci człowiekowi przelatuje przed oczami całe jego życie. Ja jednak nie myślałem o przyjaciołach czy wydarzeniach z dzieciństwa. Nie myślałem też o rodzicach. Miałem w głowie tylko jedno.

— Emily!

Jej imię wystrzeliło ze mnie, z mojego umysłu, jakby ona jedna mogła wszystko naprawić. Jakby tylko ona mogła rozwiązać moje problemy. Ale z moich ust nie wydobył się żaden dźwięk. Zupełnie jakbym nagle przestał istnieć.

Znałem Emily od niespełna tygodnia, kiedy po raz pierwszy przyciągnąłem ją do siebie. Nasze usta prawie się dotykały.

— Pokochaj mnie — szepnąłem. — No dalej, spróbuj mnie pokochać.

Pokochała mnie, lecz od tamtego czasu zastanawiałem się, czy wyzwanie, które jej rzuciłem, nie było początkiem mojego upadku.

Emily

Mama mówiła mi, że wystarczy chwila, by nasze życie uległo zmianie. By narysowana na piasku linia oddzielająca przeszłość od przyszłości całkowicie nas odmieniła. Czy mówiła prawdę? Czy to możliwe, by człowiek zmienił się w mgnieniu oka? A może widoczna na lodzie rysa pojawiła się już wcześniej, tyle że my uparcie nie chcieliśmy jej dostrzec?

fragment książki *Córka mojej matki*

Rozdział pierwszy

Każdy z nas skrywa jakąś historię, jednak ja nie zamierzałam opowiadać swojej. Byłam redaktorką, nie pisarką. Uwielbiałam odnajdować sens w cudzym chaosie, odkrywać znaczenie zdania lub akapitu, który ledwo zahaczał o prawdę. Przynajmniej tak czułam się do chwili, gdy poznałam Sandy'ego Portmana.

Kiedy zobaczyłam go po raz pierwszy, mój świat zadrżał. Brzmi to niedorzecznie, wiem, ale spotkanie z nim wstrząsnęło mną tak głęboko, że musiałam odwrócić wzrok — tak jak unika się patrzenia na słońce — i udawać, że w ogóle go nie zauważyłam.

I nie chodziło o to, że był najprzystojniejszym mężczyzną, jakiego w życiu widziałam. Najbardziej niezwykła była jego twarz. Zakochałam się, ponieważ miał w oczach coś, co kłóciło się z jego fizycznym pięknem. Sandy Portman przyciągał mnie jak szkic rękopisu, w którym idealnie skonstruowane zdania stanowią zapowiedź ukrytej głęboko prawdy, a jednak jej nie zdradzają. A kiedy po raz pierwszy przyciągnął mnie do siebie z krzywym uśmiechem na idealnej twarzy, który obiecywał kolejną odsłonę prawdy o nim... No cóż, byłam zgubiona.

✠

Nazywam się Emily Barlow i nigdy nie miałam przeczucia, że wpadnę w kłopoty. Nie miałam, bo nie musiałam. Robiłam listy, sporządzałam plany, żyjąc z nadzieją, że wszystko będzie jak należy. Głęboką, niezachwianą nadzieją. Nazywajcie to jak

19

chcecie. Podchodziłam do każdej sytuacji z przekonaniem, że niezależnie od tego, co się wydarzy, dam sobie radę i przeżyję. Może na tym właśnie polegał mój błąd. Choć z drugiej strony, może właśnie to miało mnie ocalić.

Tamtego ranka, w dniu, kiedy wszystko się zaczęło, zbudziłam się z czymś, co dziś nazwałabym przeczuciem, że coś wstrząśnie moim światem. Jednak wtedy nie potrafiłam nazwać tego uczucia. Dlatego je zignorowałam.

Przez całą noc padał śnieg. Sypał nieustannie od kilku dni, sprawiając, że była to jedna z najgorszych zim, jakie Nowy Jork widział w ciągu ostatnich dziesięciu lat. Był piątek i kiedy dotarłam do Caldecote Press, wydawnictwo świeciło pustkami. Większość pracowników siedziała bezpiecznie w domach, oddzielonych od centrum mostami i tunelami, albo w apartamentowcach na Manhattanie, które sięgały skłębionych szarych chmur, aż w końcu zupełnie w nich ginęły.

W południe wyruszyłam do domu. Klinikę weterynaryjną zamknięto z powodu złej pogody i próbowałam dodzwonić się do Sandy'ego, żeby powiedzieć mu, że spotkamy się w domu. Nie odbierał, a jego poczta głosowa była pełna. Zadzwoniłam do sekretarki z prośbą, żeby przekazała mu, by do mnie zadzwonił, ale nigdy więcej nie usłyszałam jego głosu.

Mieszkaliśmy w Dakocie, liczącym sto dwadzieścia lat budynku na Upper West Side. Po powrocie do domu zabrałam się do pracy. Najpierw siedziałam nad maszynopisem, a później poszłam do pokoju gościnnego, który remontowałam od kilku tygodni. Jasnożółte ściany wykończyłam białą listwą i łańcuszkiem lawendowych, zielonych i niebieskich kwiatów, które malowałam z pietyzmem, siedząc na drabinie, pod sufitem tak wysokim, że wydawało się, że sięga nieba.

Przez ostatnie dwa lata każdego dodatkowego centa wydawałam na mieszkanie. W przeciwieństwie do męża nie byłam bogata. Ale nie przejmowałam się tym i wkładałam serce i duszę w ten stary uroczy apartament, który zanim się do niego wprowadziłam, Sandy zamienił w zakurzone muzeum.

Zdarłam ze ścian wiekową tapetę, skułam popękane kafelki w łazience, wyrzuciłam przestarzałe urządzenia i bez reszty oddałam się miejscu, które kojarzyło mi się z tym wszystkim, czego pragnęłam w życiu. Z mężem i dziećmi, niedzielnymi obiadami i spotkaniami z przyjaciółmi. Pracą i rodziną, życiem pełnym miłości, która z upływem czasu jest coraz większa. Życiem jakże innym od tego, które znałam z czasów, gdy razem z matką przeprowadzałyśmy się z jednego mieszkania do drugiego w centrum albo na peryferiach Alphabet City. Przez jakiś czas mieszkałyśmy nawet w Chinatown, gdzie w zaparowanych oknach wystawowych, niczym świąteczne ozdoby, wisiały oskubane z pierza kurczaki i kaczki.

Przez lata nauczyłam się panować nad swoim sercem, uważałam, by nie przywiązywać się do ludzi i miejsc bez względu na to, jak bardzo tego chciałam. Jednak w dniu, w którym poznałam Sandy'ego w sali konferencyjnej Caldecote, coś się we mnie otworzyło. Kiedy spotkanie dobiegło końca i wszyscy wychodzili, Sandy mnie zatrzymał. Nie zauważył albo nie przejmował się spojrzeniami, które posyłali nam inni. Patrzył wyłącznie na mnie, wykrzywiając usta w uśmiechu, który normalnie uznałabym za złośliwy, jednak na jego twarzy miał w sobie coś chłopięcego i figlarnego.

— Chodź ze mną — szepnął. — Teraz, zanim nas przejrzą i zaczną mi przypominać o obowiązkach, złamanych nogach i wszystkich tych rzeczach, o których przy tobie nie pamiętam.

Musiałam mieć dziwny wyraz twarzy, bo uśmiechnął się jeszcze szerzej i dodał:

— Przynajmniej pozwól zaprosić się na drinka. Będziesz miała okazję powiedzieć mi, dlaczego robisz wszystko, żeby ukryć, jaka jesteś piękna, a ja zdradzę ci, dlaczego się w tobie zakochałem.

Zaskoczył mnie, ale tego nie okazałam.

— Czy w twoim świecie takie teksty działają na kobiety?

Roześmiał się.

— Owszem. — Był zmieszany, a jego piwnozielone oczy błysnęły figlarnie. — Aż trudno w to uwierzyć, prawda?

Podejrzewałam, że tak naprawdę to nie słowa działały na kobiety, ale to, jak wyglądał i jak się zachowywał. Był mężczyzną, którego życie przyzwyczaiło, że dostaje to, co chce, nawet o to nie prosząc.

Uśmiechnęłam się wbrew sobie.

— Po pierwsze, nie wiem, co mogłabym ci powiedzieć, a po drugie, nie masz pojęcia, dlaczego warto się we mnie zakochać.

Tym razem to on wyglądał na zaskoczonego, jednak szybko odzyskał rezon.

— W takim razie będę robił notatki, możesz zacząć dyktować. Dzięki temu spędzę z tobą całe popołudnie i zamienię drinka na kolację.

Pokręciłam głową i go ominęłam. Dopiero w drzwiach zatrzymałam się i spojrzałam na niego.

— Kolacja. Po pracy. Ja wybieram miejsce.

Przekrzywił głowę.

— Wieczna negocjatorka. Ale dobrze, spotkamy się w holu o dziewiętnastej.

— O dziewiętnastej trzydzieści. — Odwróciłam się i zamierzałam odejść.

— Emily.

Zawahałam się.

— Zawsze stawiasz na swoim?

Mój uśmiech przygasł.

— A czy istnieją tacy ludzie?

Patrzył na mnie przez chwilę, po czym powiedział, że powinnam mieć na imię Diana, na cześć bogini łowów, albo Helena, jak ta kobieta z Troi.

— Emily brzmi zbyt delikatnie, jest nijakie jak ta nudna kremowa sukienka, którą masz na sobie. Ani jedno, ani drugie nie oddaje ci sprawiedliwości.

Uniosłam brwi.

— Jak na kogoś, kto nic o mnie nie wie, wysnuwasz wiele wniosków.

Nie zamierzałam informować go, że w każdej kobiecie drzemie Emily, tak jak każda kobieta ma w sobie coś z Heleny Trojańskiej. Wszystko zależy od tego, którą z nich się pielęgnuje. Ja nie miałam wyjścia, musiałam być silna. A czyż siła kobiety nie dochodzi do głosu, gdy coś zagraża jej delikatności?

Spisałabym go na straty, jako kolejnego przystojniaka, który wykorzystuje swój urok, by osiągnąć to, co chce, ale wtedy on zmarszczył czoło.

— Po dłuższym zastanowieniu zaryzykuję stwierdzenie, że gdzieś tam jest Emily. Sęk w tym, że próbujesz ją ukryć.

Mój oddech przyspieszył i stał się dziwnie płytki. Ten pozornie powierzchowny facet co nieco rozumiał.

Minął mnie w drzwiach, zatrzymując się na chwilę, by założyć mi za ucho kosmyk włosów.

— Do zobaczenia o dziewiętnastej trzydzieści — powiedział.

✠

Dokonałam ostatnich poprawek w kwiecistym wzorze, kiedy zadzwonił mój blackberry.

Zeszłam z drabiny z pędzlem w ręku i lawendowymi plamami na starym podkoszulku. Kiedy zerknęłam na zegar, zdziwiłam się, widząc, która jest godzina. Musiałam się pospieszyć, żeby posprzątać, zanim Sandy wróci do domu.

— Halo? — Odebrałam po czwartym sygnale.

Ale to nie był Sandy. Dzwoniła Birdie Baleau, kobieta, która niedawno przeprowadziła się do Nowego Jorku z Teksasu i w niczym nie przypominała typowych nowojorczyków. Od razu przypadłyśmy sobie do gustu.

— Gratulacje! — pisnęła jak podekscytowana nastolatka. — Właśnie dowiedziałam się o twoim awansie na starszą redaktorkę!

Opadłam na krzesło, położyłam nogi na biurku i przez chwilę, śmiejąc się, rozmawiałyśmy o nowym rozdziale mojej kariery. Kiedy skończyłyśmy, jeszcze raz spróbowałam zadzwonić do męża, ale jego poczta głosowa wciąż była pełna.

Wzięłam prysznic, nalałam sobie kieliszek wina, włączyłam iPoda i tanecznym krokiem zaczęłam przechadzać się po mieszkaniu. Słuchałam *Wouldn't It Be Nice* zespołu Beach Boys, *The Puppy Song* Harry'ego Nilssona i *No Boundaries* Adama Lamberta.

A w końcu *Broken* Lifehouse.

Nie pamiętałam, żebym ściągała tę piosenkę na listę utworów, ale zamknęłam oczy i śpiewałam do stuletnich ścian, wirując z rozłożonymi ramionami i głową odrzuconą do tyłu. Czułam się spełniona, robiłam karierę. Ogarnęła mnie czysta radość, jakby nikt i nic nie mogło mnie powstrzymać.

Godzinę później Sandy'ego wciąż nie było. Wmawiałam sobie, że nie ma powodów do niepokoju. Już wcześniej bywało, że się spóźniał. Jednak minęła kolejna godzina i następne dwie, a on nie dzwonił.

Czy to możliwe, że już wtedy wiedziałam? Że przypomniałam sobie tamto dziwne przeczucie? Podświadomie wybrałam tę piosenkę, choć nie zamierzałam doszukiwać się w niej żadnych ukrytych przesłań.

Może tak. Może nie. Wiem tylko, że śpiewając, wirowałam po pokoju, podczas gdy sypiący za oknami śnieg przywodził na myśl grube białe zasłony, które przesłaniały świat.

Sandy

Rozdział drugi

Być może wołałem Emily, jednak to nie ona odpowiedziała na moje wezwanie. Nagle poczułem uderzenie gorąca, śnieg wokół mnie zaczął topnieć, a z nieba sfrunęło samotne pióro. Patrzyłem, jak opada, kołysząc się, i pomyślałem, że mam wybór, że mogę je złapać albo nie.

Zawahałem się. W moim umyśle kłębiły się niejasne myśli, sprawiając, że czułem się oszołomiony. Tuż przed tym, nim opadło na ziemię, westchnąłem i zamknąłem je w dłoni. Uczucie gorąca przeszło w cichy trzask, który przywodził na myśl energię elektryczną, i nagle, nie wiadomo skąd, pojawił się przede mną nieznajomy starzec.

Zatoczyłem się do tyłu, jednak on uśmiechnął się i odgarnął z czoła przydługi kosmyk miękkich siwych włosów. Miał na sobie dwurzędowy surdut, chyba z czasów regencji, krzykliwy szeroki krawat i okrągłe okulary w szylkretowych oprawkach. Wszystko w nim wydawało się niedopasowane, jakby ubrania, które miał na sobie, i jego zachowanie kształtowały się przez wieki.

Staruszek podszedł bliżej.

— To chyba moje — zwrócił się do mnie i wyjął mi z dłoni pióro. Sięgając po nie, posłał mi uprzejmy, niemal przepraszający uśmiech, który tak rzadko widuje się na Manhattanie. Schował je do kieszeni i zmierzył mnie od stóp do głów. — Dobrze się pan czuje?

— Najwyraźniej nie bardzo. — Cieszyła mnie myśl, że mój cięty dowcip miał się doskonale, w przeciwieństwie do ciała.

Staruszek zachichotał.

— Na początku ludzie zawsze są zaskoczeni, szczególnie jeśli jest to wypadek. Znacznie łatwiej, gdy ktoś od dawna choruje, kiedy ból staje się nie do zniesienia, a człowiek jest gotów odejść. Wówczas nawet młodzi nie mają z tym problemu. Są bardziej pogodzeni z losem, zwłaszcza że życie nie pochłonęło ich jeszcze aż tak bardzo. Najgorzej jest z ludźmi w średnim wieku. Nagle dociera do nich, że tracili czas, uganiając się za marzeniami. Nie chcą odchodzić. Pragną mieć więcej czasu, żeby zakosztować życia, którego się obawiali i na jakie nie pozwalała im codzienna gonitwa. To właśnie oni robią wszystko, by zmienić przeznaczenie.

— O czym pan mówi?

W głębi duszy wiedziałem, co miał na myśli, ale jakaś część mnie wcale nie chciała tego wiedzieć. Jedną z bardziej przydatnych cech mojego charakteru była umiejętność czerpania radości zarówno z pracy, jak i z życia osobistego, oraz przeświadczenie, że mam rację, podczas gdy wszyscy inni się mylą. Teraz także nie zamierzałem przyjmować do wiadomości tego, że jestem martwy, a stojący przede mną starzec to anioł mający zabrać mnie do nieba, zupełnie jak w kiepskich filmach, których tak bardzo unikałem za życia.

— Czas ruszać, Alexandrze.

Nikt, nawet moja matka, tak mnie nie nazywał.

Starzec ruszył Siedemdziesiątą Szóstą w kierunku Columbus Avenue. Kamienice z fasadami z brunatnego piaskowca i kilkupiętrowe apartamentowce przywodziły na myśl ściany wąskiego, ośnieżonego kanionu. Szedł ulicą, nie zostawiając śladów.

— Idziesz? — zapytał.

Dotarło do mnie, że nie mam pojęcia, co innego mógłbym zrobić. Zostać tam? Pomyślałem, że droga do nieba powinna być nieco łatwiejsza. Mimo to poszedłem za nim.

Przecięliśmy Columbus Avenue, aż w końcu dotarliśmy do Central Parku. Szliśmy ścieżką, która wijąc się, prowadziła coraz głębiej między ośnieżone drzewa i skręcała na południe.

Hm.

— Dokąd idziemy?

— Zobaczysz.

Zacząłem panikować, jakby dopiero teraz dotarło do mnie, że miałem wypadek i jestem martwy.

— Nie mogę tego zrobić.

Zawróciłem i zacząłem biec.

Nie biegałem od lat, ale rozwinąłem niezłe tempo, mimo robionych ręcznie skórzanych butów, wełnianego garnituru i płaszcza. Kiedy tak biegłem w stronę kliniki, nic nie krępowało moich ruchów: ani ubrania, ani złamana kiedyś noga.

Za życia, gdy byłem przyparty do muru, potrafiłem znaleźć sposób, żeby się uwolnić. Tym razem także nie zamierzałem dać za wygraną. Z pewnością moje obrażenia nie były tak poważne, jak przypuszczali sanitariusze. Pewnie mieli ciężką noc i nie dołożyli wszelkich starań, by mnie uratować. Do wypadku doszło niedawno. Poza tym było diabelnie zimno, co jeszcze bardziej obniżyło temperaturę mojego ciała. Miałem pewność, że gdybym tylko zdołał do niego wrócić, zdołałbym się uratować.

W ciągu zaledwie kilku minut wróciłem na Siedemdziesiątą Szóstą i stanąłem przed kliniką. W życiu nie byłem taki szybki, niesamowite. Ale kiedy dotarłem do budynku, starzec już tam był. Patrzył na mnie i ze smutkiem kręcił głową.

— Nie uciekniesz przede mną, Alexandrze.

Siła i znaczenie tych słów dosłownie powaliły mnie na kolana, sprawiając, że poły płaszcza utonęły w marznącej brei.

— Nie możesz mnie zabrać. Mam jeszcze tyle do zrobienia.

— Technicznie rzecz biorąc, to nieprawda. — Spojrzał na mnie przepraszająco.

Miałem w głowie prawdziwą gonitwę myśli.

— Mam żonę. Jeśli umrę, to ją zabije.

— W tej kwestii nie mogę się z tobą nie zgodzić. Ta kobieta cię kocha. Naprawdę cię kocha. Szkoda tylko, że nie pomyślałeś o tym wcześniej.

✠

Tego wieczoru, gdy czekałem w holu Caldecote Press na Emily, spodziewałem się, że na pierwszą randkę wybierze jakąś uroczą restaurację na Upper East Side, gdzie jej klasyczne, proste ubrania nie będą rzucać się w oczy. I rzeczywiście wylądowaliśmy na East Side, ale miejsce, do którego trafiliśmy, z pewnością nie zasługiwało na miano uroczego. Zabrała mnie do niecieszącego się zbyt dobrą sławą baru kawowego, gdzie stetryczały stary kelner zwracał się do niej po imieniu.

Kiedy tylko usiedliśmy, wręczył nam laminowane menu.

— Dam wam chwilę — oznajmił z silnym nieokreślonym akcentem.

Jeśli mam być szczery, nigdy wcześniej nie byłem w taniej restauracji i przeglądając bogate menu, zacząłem podejrzewać, że kucharz nie będzie miał ani czasu, ani świeżych produktów, by cokolwiek przygotować.

Uchwyciłem się jednak myśli, że nawet w takiej dziurze musi być potrawa, która smakuje lepiej od pozostałych.

— Co jest specjalnością szefa kuchni? — spytałem, gdy kelner pojawił się przy stoliku.

Mężczyzna wyglądał na zdenerwowanego. Bąknął coś pod nosem i dźgnął krótkim tępym ołówkiem część menu opatrzoną nagłówkiem: *Specjalności szefa kuchni.*

— Nie umie pan czytać? — prychnął. Gdy spojrzał na Emily, jego twarz złagodniała, przez co wyglądał jak dziadek patrzący na ukochaną wnuczkę. — Nie zasługuje na ciebie, *latria mou.*

Emily opuściła głowę, żeby ukryć uśmiech. Długie włosy opadły jej na twarz.

Po tym, jak dowiedziałem się, że wspomniał po grecku, iż ją uwielbia, bałem się zjeść pieczeń wołową, która z hukiem wylądowała przede mną na stole.

— Jeśli dobrze pamiętam, miałaś przedstawić mi listę powodów, dla których jesteś niesamowita — przypomniałem.

— Nie. Powiedziałam tylko, że nie znasz wszystkich powodów.

— Rzeczywiście. Dlatego sporządziłem własną listę, żeby udowodnić ci, że się mylisz. — Zaskoczyłem ją, gdy sięgnąłem do kieszeni garnituru i wyjąłem kartkę. — Emily Barlow — zacząłem uroczyście — jest piękna, mądra, bezpośrednia i nie dba o to, co myślą o niej inni. Jest też zabawna, choć nie zdaje sobie z tego sprawy.

— Naprawdę sporządziłeś listę? — Emily nie kryła zdumienia.

Pokazałem jej kartkę.

Roześmiała się, widząc, że jest czysta.

— Najwyższy czas, żebyś powiedziała mi coś o sobie.

— W porządku. — A jednak tego nie zrobiła, przynajmniej nie otwarcie. Redagowała książkę o wybitnych ludziach, filozofach, naukowcach, sportowcach. Gdy odpuściła sobie nowojorską powściągliwość, nachyliła się w moją stronę z entuzjazmem, tak skrzętnie ukrywanym przez kobiety, z którymi umawiałem się do tej pory, i opowiedziała mi o książce.

— Dużo bym dała za dziesięć minut w towarzystwie jednego z nich — wyznała.

A więc fascynowali ją wpływowi mężczyźni. Nie powinienem czuć się rozczarowany. Sam przecież byłem kimś. Miałem władzę. Mimo to z jakiegoś powodu myślałem, że jest inna.

Roześmiała się, a jej niebieskie oczy błysnęły figlarnie.

— Choć współczuję kobiecie, która pokocha kogoś takiego. Mnie wystarczy, że zajrzę do jego głowy i zobaczę, jak działa mózg. Wytłumacz mi, dlaczego jedni ludzie są wybitni, a inni nie. Czy niektórzy z nas tak bardzo pragną być kimś więcej niż przeciętnymi zjadaczami chleba, że robią wszystko, by się wybić, a inni nie?

To pytanie sprawiło, że ciarki przebiegły mi po plecach.

— Chcesz wiedzieć, czy talent to coś wrodzonego, czy nabytego?

— Tak! Czy jeśli sto razy uderzysz piłeczkę do golfa piętką, znaczy to, że nie jesteś do tego stworzony? A może każdy człowiek ma swoją magiczną granicę? Może gdybyś uderzył piłeczkę sto jeden, sto dziesięć, albo nawet dwieście dziesięć razy, odkryłbyś w sobie prawdziwy talent? Tyle że nie będziesz o tym wiedział, bo za wcześnie się poddałeś.

Kiedy zobaczyłem ją po raz pierwszy — weszła właśnie do sali konferencyjnej — byłem nią zachwycony. A gdy opowiadała o wybitnych jednostkach, takich jak Leonardo da Vinci, z taką swobodą, jakby mówiła o Tigerze Woodsie i jego problemach, znowu poczułem, że przy tej kobiecie mogę wszystko. Siedząc w obitym spękanym winylem boksie taniej restauracji, Emily Barlow ukoiła bolesną potrzebę, która krążyła w moim ciele niczym krew, i zaspokoiła nienasycony głód.

Kiedy kolacja dobiegła końca, zdziwiłem się, jak szybko minął czas i jak bardzo się uspokoiłem. Emily była niczym klucz do drzwi, których nigdy dotąd nie udało mi się otworzyć. Odnalazłem w niej niecodzienne połączenie pragnienia i spokoju. A kiedy patrzyłem, jak wsiada do taksówki i odjeżdża, wiedziałem, że niebawem znów ją zobaczę.

✠

Starzec, anioł, czy kimkolwiek był ten mężczyzna, spojrzał na mnie i pokręcił głową.

Nie pamiętam, ale całkiem możliwe, że czując na sobie jego wzrok, skuliłem się ze strachu. Chodziło o to, że cztery lata po tym, jak po raz pierwszy spotkaliśmy się w tamtej restauracji, zacząłem oddalać się od Emily. Nie żeby to rozumiała, szczególnie że przez ostatnie dwa lata byliśmy szaleńczo szczęśliwi. Jednak w ciągu kilku miesięcy wszystko się zmieniło. Głód wrócił i zaskoczył mnie niczym złodziej w ciemnej alejce, okradając z czegoś cennego.

Znowu byłem porywczy, niecierpliwy i podenerwowany. Wszystko mnie irytowało. Kojący urok Emily stracił na sile jak narkotyk, który przestał działać. Pozostawił mnie na głodzie, marzącego o kolejnej działce, której nijak nie mogłem zdobyć.

Tamtego dnia jechałem do kliniki weterynaryjnej, żeby zabrać Emily na kolację i oznajmić jej, że chcę rozwodu. Co więcej, byłem święcie przekonany, że to jej wina.

Starzec popatrzył na mnie z wyrzutem, jakby słyszał wszystkie moje myśli.

— Zaprzeczenie. Samolubne zaprzeczenie — powiedział. — Nic dziwnego, że mnie tu wysłano.

Właśnie wtedy ja, Sandy Portman, przyjaciel niewielu, mężczyzna, który oczarował niejedną kobietę, zrozumiałem, że nic nie pójdzie tak łatwo, jak się spodziewałem.

— Proszę — jęknąłem. Ubrania miałem mokre i brudne, włosy potargane. — Nie rób mi tego.

Starzec pokręcił głową i uniósł ręce, jakby zamierzał na przykład otworzyć bramy piekieł i sprawić, że zniknę. Nie wiedziałem dokładnie, co to oznacza, ale byłem pewny, że nie wróży nic dobrego.

— Proszę, nie!

Zawahał się.

— To pomyłka. Musisz mi uwierzyć.

Wiem, błagałem o litość, ale w obliczu nagłej śmierci człowiek zapomina, co to duma.

— Daj mi jeszcze jedną szansę!

Opuścił ręce i zmrużył oczy.

— A więc rozumiesz.

Zaskoczył mnie. Bełkotałem bez ładu i składu, ale moje słowa najwyraźniej podziałały.

— Tak, tak, rozumiem — wydyszałem.

Spojrzał na mnie surowo, jakby szykował się do dłuższej rozmowy.

— Nie, wcale nie rozumiesz — odparł. — Ale może to i dobrze.

Widziałem, że się nad czymś zastanawia, jakby przeglądał w myślach listę wszystkich za i przeciw. Wiedziałem, że mój los jest w jego rękach.

— Wiesz co? — odezwał się w końcu. — Dostaniesz drugą szansę. Ale muszę cię ostrzec, że nie spodobają ci się warunki.

Z pewnością nie spodobał mi się ton, jakim się do mnie zwracał. Trudno pozbyć się starych nawyków, zwłaszcza że neurony bombardowały mnie wspomnieniami głęboko zakorzenionych zachowań, niczym Pawłow podzwaniający swoim przeklętym dzwonkiem.

— Posłuchaj mnie, starcze...

— Dobrze więc. Koniec dyskusji.

Uniósł ręce.

— Zaczekaj!

Tym razem mnie nie posłuchał.

— W porządku! — krzyknąłem. W moim głosie pobrzmiewały buta i rezygnacja. — W porządku.

— Jesteś pewny, że tego chcesz?

Spojrzałem na niego.

— Jeśli ma być tak, jak ty chcesz, albo w ogóle, zdaję się na ciebie.

— Dobrze. Proszę bardzo.

W tej samej chwili świat pogrążył się w ciemności.

Rozdział trzeci

W ciągu ostatnich lat kilka razy wpakowałem się w tarapaty i dlatego, gdy się ocknąłem i usłyszałem skowyt, wcale się tym nie przejąłem. Owszem, byłem poirytowany, ale nie zaniepokojony. Panujący dookoła zgiełk sprawiał, że przez chwilę nie mogłem zebrać myśli.

Wiedziałem tylko, że nie mam pojęcia, gdzie jestem; pod opuchniętymi powiekami czułem piasek. Lęk przed tym, co lada chwila zobaczę, sprawiał, że nie mogłem otworzyć oczu. Byłem otępiały, serce waliło mi jak młotem. Czułem, że moje ciało nie ma siły pozbyć się narkotyków, alkoholu czy innego świństwa, które tak bardzo mnie osłabiło. Najpierw noga, a teraz powolne odzyskiwanie dawnej sprawności. Jęknąłem. Miałem trzydzieści osiem lat, nie pięćdziesiąt osiem. Jednak to, co usłyszałem, w niczym nie przypomniało zwykłego jęku.

Co się ze mną działo?

Na szczęście ujadanie ucichło, a ja mogłem zebrać myśli. Najpierw zobaczyłem światło, które wciskało się w wąskie szczeliny między powiekami. Zaraz potem poczułem odór, woń ziemi, od którego zrobiło mi się niedobrze.

Czyżby zostawiono mnie w stajni? Albo — co gorsza — sądząc po zapachu, w toalecie przydrożnego baru, w którym cuchnęło skażonym spirytusem? Czy gdzieś na Manhattanie są jeszcze takie bary? Poza tym, jak to możliwe, że potrafiłem rozróżnić wszystkie te zapachy?

Wreszcie odzyskałem wzrok na tyle, by dostrzec cienkie pręty metalowej klatki. Narkotyki, alkohol, a teraz jeszcze klatka? W jakiej imprezie brałem udział ubiegłej nocy?

Nagle sobie przypomniałem: podróż na Upper West Side do kliniki weterynaryjnej. Śnieg. Taksówka wjeżdżająca w mercedesa. Ja leżący w marznącej brei. I starzec, który mówił coś o drugiej szansie. Czy to

34

możliwe, że wywiózł mnie do jakiegoś ośrodka dla alkoholików, żebym odpokutował?

Na samą myśl o tym wzdrygnąłem się. Choć niechętnie się do tego przyznawałem, zawsze nosiłem przy sobie chusteczki do rąk i płyn antybakteryjny. Można więc śmiało powiedzieć, że nie czułbym się najlepiej w takim miejscu.

— Halo?! — zawołałem w nadziei, że starzec jest gdzieś w pobliżu i odpowie na moje pytania. — Jest tu kto?!

Od ścian pomieszczenia odbiła się seria stłumionych szczeknięć.

Poczułem, że ogarnia mnie panika i spróbowałem usiąść. Nie mogłem się jednak ruszyć. Nie miałem siły. Jęknąłem, ale z mojego gardła wydobył się niski, gardłowy dźwięk. Czy gdzieś obok czai się pies?

— Halo!

Znów ten sam skomlący dźwięk. Zastygłem bez ruchu, gdy dotarło do mnie, że wibruje on w mojej piersi.

Byłem przerażony, krew w moich żyłach pompowała adrenalinę, dzięki czemu mogłem podnieść głowę. Wtedy zobaczyłem łapy. Pokryte białą sierścią łapy stanowiące zakończenie równie kosmatych nóg.

Roztrzęsiony spojrzałem na swoje ciało. Gwałtowny ruch sprawił, że zakręciło mi się w głowie i prawie zemdlałem na widok białej szorstkiej sierści i kolejnych dwóch łap. I ogona. Dobry Boże, czyżby starzec zamienił mnie w psa? Czy coś takiego w ogóle jest możliwe?

Chciałem sforsować pręty, mój mózg próbował zmusić rękę do jakiegokolwiek ruchu, ale jedyną rzeczą, która się poruszyła, była jedna z kosmatych łap.

Opadłem na podłogę. Mój oddech przypominał ziajanie.

Wciągnąłem do płuc głęboki haust powietrza, skupiłem się i po raz kolejny spróbowałem wstać. I tym razem zobaczyłem tylko psie łapy i klatkę. Spróbowałem czegoś dotknąć, jednak żeby to zrobić, musiałem użyć twarzy. Trąciłem nosem nogę i dotknąłem pokrytej sierścią łapy.

Przenajświętsza Panienko, stałem się psem. Jakby tego było mało, uświadomiłem sobie, że jakimś cudem znalazłem się w ciele białego bezpańskiego psiaka, który wybiegł przed taksówkę.

Ciche skomlenie przeszło w pełen rozpaczy skowyt. Moim ciałem wstrząsnął szok. Dźwięk, który odbił się od cienkiej metalowej siatki, był beznadziejnie smutny. Jednak rozpacz szybko ustąpiła miejsca złości, która przerodziła się w prawdziwą furię.

Wyłem i warczałem, pryskając śliną i wystawiając wąski język.

— Jak mogłeś mi to zrobić? — Zamiast krzyku z moich ust wydobyło się wściekłe warczenie.

Nigdy dotąd nie czułem się tak potwornie. Gdyby w pobliżu był jakiś ostry przedmiot, rzuciłbym się na niego, pokaleczył to ohydne ciało i raz na zawsze zakończył cały ten koszmar.

W końcu przestałem ujadać, poziom adrenaliny się obniżył. Upadłem na ziemię z dźwiękiem, który przywodził na myśl ulatujące z balonu powietrze. Głowę — tę, którą miałem teraz — położyłem na zmiętym frotowym ręczniku. Sądząc po zdobiących go jaskrawych pasach, nie należał do najdroższych.

Nie mam pojęcia, jak długo leżałem, skomląc w półmroku i smrodzie stajni, zanim wreszcie ktoś otworzył drzwi.

— Einstein?

Znajomy głos należał do kobiety.

— Einstein, to ty, piesku?

Osłupiałem i nie posiadałem się z radości, gdy zobaczyłem Emily. W jej niebieskich oczach dostrzegłem troskę.

— Emily! — wykrzyknąłem, ale spółgłoski i sylaby nie ułożyły się w żaden spójny dźwięk. — Mój Boże, Emily! To ja, Sandy!

— Już dobrze, piesku. Już dobrze, nie próbuj wstawać.

Przykucnęła i przełożyła palce przez oczka metalowej siatki. Z trudem zapanowałem nad moim niesfornym językiem i wyciągnąłem szyję, by ją polizać.

— Emily, Emily, Emily — mruczałem. Mój głos odbijał się echem od ścian pomieszczenia, w którym rozpoznałem klinikę weterynaryjną na Upper West Side, gdzie Emily pracowała jako wolontariuszka. — To ja — zaskomlałem.

— Już dobrze, piesku. Wszystko będzie dobrze.

Sądząc po jej głosie, była zdumiona, że pies wciąż żyje. Co więcej, znała go, kochała i była chora z niepokoju o niego.

— Do diabła, Emily, to ja!

Jakby tego było mało, zrozumiałem, że nikczemny staruch postanowił sobie ze mnie zakpić. Ja mu jeszcze pokażę. Nikt nie stroi sobie żartów z Alexandra Sandy'ego Vandermeera Regala Portmana.

— Starcze! — warknąłem, czując, że znowu ogarnia mnie rozpacz.

— Och, Einsteinie — szepnęła Emily, klękając na podłodze obok klatki. — Zobaczysz, wszystko będzie dobrze.

Dźwięk jej głosu i dotyk dłoni uspokoiły mnie.

— Emily. — Wydałem niski gardłowy dźwięk.

Kiedy w końcu się uspokoiłem, Emily otworzyła drzwi klatki.

— Nie powinno mnie tu być — oznajmiła. — Powinnam siedzieć

w pracy i przygotowywać się do spotkania redakcyjnego, ale zadzwoniła Blue i powiedziała, że obudziłeś się i nie przestajesz wyć. O co chodzi, piesku? Aż tak cię boli?

— Tak! — szczeknąłem. Jednak obolałe ciało było najmniejszym z moich zmartwień.

Nigdy dotąd nie byłem tak sfrustrowany. Miałem naturalną łatwość wysławiania się, a błyskotliwość i poczucie humoru stanowiły fundamenty mojego uroku osobistego. Myśl o tym sprawiła, że zupełnie podupadłem na duchu. Sandy był czarujący i to Sandy potrafił się wysławiać, a nie jakiś pies wabiący się Einstein.

Kolejny skowyt odbił się od ścian z pustaków i wylanej cementem podłogi.

— Och, Einsteinie, to okropne oglądać cię w takim stanie — szepnęła Emily, dotykając mojej łapy.

Nagle się uśmiechnęła. Był to dziwny, pełen tęsknoty uśmiech, ale jednak uśmiech. Pochyliła się i ujęła moją głowę w dłonie.

— Nie do wiary, że ci się udało, E. To cud, że nie umarłeś.

Jej słowa przyprawiły mnie o dreszcze. Na krótką chwilę odzyskałem jasność umysłu i zanim to minęło, w mojej głowie narodziło się kolejne pytanie. Byłem pewny, że pies przeżył wypadek. Ale jeśli ja, Sandy Portman, nie przeżyłem i umarłem, moja żona powinna być w domu, zrozpaczona, cierpiąca, niezdolna do normalnego funkcjonowania. Czy jeszcze o niczym nie wie? Dobry Boże, czy to możliwe, że moje ciało leży gdzieś w kostnicy, jako niezidentyfikowany N.N.?

Szok, nadmiar emocji i lekarstwa dla psów w końcu dały o sobie znać. Z radością powitałem ulgę nadciągającą na krańce świadomości, niczym czarna jak atrament chmura, pod którą się skryłem.

✠

Znowu się obudziłem.

Nie potrafię powiedzieć, jak długo byłem nieprzytomny, ale przez jakiś czas moje nowe psie ciało i ja funkcjonowaliśmy w próżni, w której momentami pojawiała się Emily, próżni pełnej hałasu i zapachów sprawiających, że miałem ochotę zatkać nos wacikami. Najdrobniejsze dźwięki z sąsiednich budynków dźwięczały mi w uszach tak głośno, że miałem ochotę rzucić się na siatkę. Słyszałem syreny policyjne, kierowców śmieciarek zmieniających biegi, dzieci, które śmiejąc się i krzycząc, biegały po ulicy. Wszystko to tworzyło w mojej głowie prawdziwą kakofonię dźwięków, plątaninę głosów, zapachów, bólu i cierpienia. Znowu położyłbym się na podłodze klatki, gdyby nie szczęk otwieranych drzwi.

— Einstein? Jak się masz, piesku?

Znowu Emily.

— Potwornie — warknąłem na nią. Byłem zły i poirytowany.

— No już, wiem, że obiecałam przyjść wcześniej. Ale dostaliśmy maszynopis, który powinien dotrzeć do wydawnictwa jakiś czas temu i ludziom z działu produkcji zależało na szybkiej redakcji. Czytałam go przez całe popołudnie i większą część nocy. Hej, nic nie zjadłeś. Einsteinie musisz jeść, żeby odzyskać siły.

— Halo! Dlaczego nie przejmujesz się mną, człowiekiem, który jest twoim mężem?

Wiem, wszystko to zabrzmiało jak warczenie, ale przecież byłem psem. Nieszczęsnym kundlem.

— Einsteinie, jesteś nieznośny — upomniała mnie.

Wiedziałem o tym, ale przecież ta sytuacja była nie do zniesienia. Nagle cała równowaga, którą udało mi się osiągnąć, opuściła mnie i zacząłem płakać. Ja, Sandy Portman, płakałem.

Naturalnie zabrzmiało to jak paskudny skowyt, pełen bólu i rozpaczy. Emily ukucnęła i wstrzymała oddech.

Jedną z rzeczy, które zawsze u niej podziwiałem, było opanowanie. Emily nie płakała i nie załamywała się. Jednak teraz, kiedy jej wewnętrzna siła skierowana była na mnie, wcale mi się to nie podobało.

Nagle pochyliła się nade mną, a gdy spojrzałem na jej twarz, zobaczyłem że pod fasadą uśmiechu kryje się smutek. W jednej chwili niemal poczułem jej ból, wyczułem łzy, które starała się powstrzymać, i zobaczyłem palce zaciskające się na skrzypiących drzwiach klatki.

Poczułem frustrację. Dlaczego, gdy pierwszy raz widzę Emily w takim stanie, rozpacza z powodu psa?

— Och, Einsteinie. — Oparła głowę o metalową siatkę. Gdy się odezwała, jej głos był tylko odrobinę głośniejszy od szeptu. — Nie mogę uwierzyć, że Sandy odszedł.

Emily

Przez całe życie moja matka miała w sobie coś
z dojrzałej kobiety i dziecka; była zarówo stanowcza, jak
i impulsywna. Walczyła z mężczyznami, którzy pragnęli
ograniczać prawa innych. Uwodziła ich, rozkochiwała
w sobie, a gdy się nimi znudziła, porzucała. Moja matka
nie miała szacunku dla kobiet, które by żyć, potrzebowały
mężczyzny.

fragment książki *Córka mojej matki*

Rozdział czwarty

Śnię o śniegu. Białym, oślepiającym. Kiedy widzę Sandy'ego, stoi na ulicy, a sypiący z nieba śnieg sprawia, że świat wokół niego wydaje się miękki i pozornie bezpieczny. Wyciąga do mnie rękę i posyła mi krzywy uśmiech. Nagle widzę samochód, który kołysząc się, mknie w jego stronę. Zanim dochodzi do zderzenia, budzę się z krzykiem na ustach. Nie!

✠

Moja matka powtarzała, że nigdy nie robię niczego połowicznie — ani w szkole, ani w życiu, ani nawet w miłości. Tamtego wieczoru, po północy, kiedy Sandy'ego wciąż nie było, zaczęłam dzwonić do przyjaciół i rodziny. Jednak nikt nic nie wiedział i ostatecznie musiałam zostawić wiadomość na automatycznej sekretarce moich teściów. Krążyłam po mieszkaniu, pozwalając, by niepokój potęgował wszystkie obawy, które mnie dręczyły. Kiedy o pierwszej w nocy zadzwonił telefon, zamarłam na ułamek sekundy, zanim w końcu podniosłam słuchawkę.

— Sandy? — jęknęłam.

W słuchawce przez chwilę panowała głucha cisza.

— Emily, mówi Walter Portman.

Głos mojego teścia był zwykle szorstki i onieśmielający, jednak tej nocy pobrzmiewało w nim coś innego. Nie był to niepokój, który sugerował, że powinnam wszystko rzucić i natychmiast przyjechać. W głosie Waltera usłyszałam rezygnację, jakby to, co się wydarzyło, było już definitywnie zakończone.

Bezgłośnie wypuściłam powietrze. Mój mózg zatoczył się

i wrócił na swoje miejsce, choć wciąż przypominał pijanego żołnierza, który ma nie po kolei w głowie. Podświadomie wiedziałam, co oznacza ten telefon, jednak nie dałam teściowi szansy, by mógł mi o tym powiedzieć. Zaczęłam niewinną rozmowę, zapytałam, jak idą interesy.

— Niesamowita pogoda, prawda? — paplałam.

Usłyszałam westchnienie i skrzypnięcie skóry, kiedy rozsiadł się w fotelu.

— Obawiam się, że mam złe wieści.

Ból zmienia umysł, zabiera nas do miejsc, które wydają się normalne, ale wcale takie nie są.

— To nie jest odpowiedni moment, panie Portman. Sandy lada chwila powinien być w domu.

Milczał, jednak po dłuższej chwili spróbował znowu, tym razem delikatniej:

— Emily...

Nie zdążył dokończyć, kiedy w tle usłyszałam głos jego żony:

— Powiedziałeś jej?

Zakrył dłonią słuchawkę i stłumionym głosem odpowiedział coś Althei.

— Emily, zdarzył się wypadek — usłyszałam jej głos.

⌖

Znałam Sandy'ego od zaledwie kilku dni, kiedy zaprosiłam go do siebie na kolację. Przygotowałam kotlety jagnięce w sosie curry z mango. Siedząc przy stole, rozmawialiśmy do późnej nocy. Jego mocne wypielęgnowane dłonie spoczywały tuż obok moich, jednak ani razu ich nie dotknęły.

Przez kolejnych kilka wieczorów przyjeżdżał do mnie po pracy i nie minął tydzień, a stanął w drzwiach i oznajmił:

— Kochanie, wróciłem!

Roześmiałam się i uradowana poszłam do kuchni.

Sandy zachichotał i zamknął drzwi, tymczasem ja wróciłam do zagniatania ciasta i kątem oka dostrzegłam, że się rozgląda. Uwielbiałam moje mieszkanie. Nie mieściło się w żadnym ważnym budynku na Upper East Side czy Upper West Side. Była to niewysoka, nijaka, przedwojenna kamienica na wschód od centrum miasta, prawdziwy klejnot, z jasnymi pokojami. Mieszkałam na ostatnim piętrze, na dachu był ogród, a drzwi pomalowano na soczystą czerwień. W mieście maleńkich przestrzeni moje mieszkanie było prawdziwym skarbem, pełnym fotografii, kwiatów i pierwodruków książek dla dzieci, które kolekcjonowałam od najmłodszych lat.

Po śmierci matki objęte kontrolą czynszów mieszkanie było jedyną rzeczą, która mi pozostała, i jedyną, której potrzebowałam. Mogłam doprowadzać matkę do szału pragnieniem trwałości, którego nigdy nie rozumiała, ale nic nie mówiąc, wpisała moje nazwisko na umowie najmu i zostawiła mi mieszkanie. Po latach darcia kotów obiecałam sobie, że znajdę sposób, by jej podziękować i sprawię, że będzie ze mnie dumna.

— To miejsce jest niesamowite — powiedział Sandy.

— Jest objęte kontrolą czynszów! — odkrzyknęłam.

— W takim razie jest jeszcze bardziej niesamowite. Niewiarygodne mieszkanie, za które płacisz grosze i którego, zgodnie z prawem, nie można ci odebrać. Od czasu do czasu słyszy się o takich miejscach, ale jest ich naprawdę niewiele.

— I właśnie dlatego nigdy się stąd nie wyprowadzę.

Zawahał się, zanim zadał kolejne pytanie:

— Naprawdę nic nie skłoni cię do przeprowadzki?

Już wtedy powinnam była wiedzieć, że kusiłam los.

— Absolutnie nic. To mieszkanie daje mi... wolność. Dzięki niemu czuję, że mam na ziemi swoje miejsce, dom, na który zawsze będzie mnie stać.

— Oczywiście. Masz rację. — Rozejrzał się po salonie. Po chwili usłyszałam jego śmiech, kiedy otworzył antyczną pozytywkę i rozbrzmiała melodia.

— Jeszcze chwila! — krzyknęłam z kuchni. — Kończę zagniatać ciasto.

— Pieczesz domowy chleb?

— Bułeczki. Dwie partie. Jedną na kolację, a drugą z cynamonem, pekanami, mnóstwem masła i lukrem.

Zajrzał do kuchni. Jego uśmiech był równie szelmowski, co czarujący.

— Czy mam rozumieć, że chcesz, żebym został do śniadania?

Czułam, jak wali mi serce, ale posłałam mu surowe spojrzenie.

— Jeśli o to chodzi, nie mam zamiaru cię uwodzić, tylko nakarmić. Kolacją. I tylko kolacją. Rzadko piekę chleb, więc skoro już zaczęłam, pomyślałam, że zrobię moje słynne bułeczki z cynamonem.

— No cóż, miło pomarzyć. — Mówiąc to, wyciągnął w moją stronę rękę z bukietem kwiatów.

— Piwonie. — Wytarłam ręce w ściereczkę. — Moje ulubione. Wzięłam kwiaty i znalazłam wazon.

Sandy stanął tuż za mną, blisko, ale wystarczająco daleko, by mnie nie dotykać.

— Czy dzięki nim zasłużę na śniadanie?

Słysząc to, poczułam nieopisane pragnienie i się odwróciłam. Kiedy mnie podniósł i posadził na wąskim zagraconym blacie, nie protestowałam. A gdy pochylił się nade mną, tak że niemal stykaliśmy się ustami, i szepnął: „Pokochaj mnie. No dalej, spróbuj mnie pokochać", wzięłam jego dłoń, przycisnęłam do swojej twarzy i go pocałowałam.

Kiedy przyciągnął mnie do siebie, zapomniałam o bułeczkach z cynamonem i kolacji. Pachniał subtelną mieszanką wiatru i skóry, był to męski, intrygujący zapach kogoś, kto dorastał w świecie kobiet i mężczyzn, którzy pojawiali się i zanim człowiek się obejrzał, znikali. Gdy jego dłonie ześlizgnęły się po moich plecach i spoczęły na biodrach, delikatnie wyrwałam się z jego objęć.

— Nie zmarnuję tego ciasta — oznajmiłam. Oddech miałam nierówny, płytki.

Pocałowałam go jeszcze raz, wręczyłam kieliszek i butelkę wina i wypchnęłam z kuchni.

Przy kolacji opowiedziałam mu o mojej jedynej żyjącej krewnej.

— Kiedy miałam dziewięć lat, moja czterdziestodziewięcioletnia wówczas matka zaskoczyła nas, gdy zaszła w ciążę i wyszła za mąż. — Uśmiechnęłam się, choć wiedziałam, że był to drwiący uśmiech. — Ja i moja młodsza siostra, Jordan, jesteśmy jak ogień i woda. Ja sporządzam listy i planuję wszystko z wyprzedzeniem, ona łamie zasady, pakuje się w kłopoty, nie wie, co to zdrowy rozsądek... a mimo to była oczkiem w głowie mamy.

Byłam zaskoczona, jak zawsze, gdy myślałam o siostrze.

— Musiałaś jej nienawidzić.

Wzdrygnęłam się.

— Nienawidzić? Boże broń. Może mnie denerwować, sprawiać, że drżę z niepokoju, ale kiedy mama przywiozła ją do domu, od razu ją pokochałam. Kochałam nawet jej maleńkie, idealne paluszki.

Spoglądał na mnie przez chwilę.

— Co się z nią dzieje?

— Kto wie? Podróżuje po świecie, spełniając dobre uczynki. Jest przekonana, że potrafi uratować świat.

— Chciałbym ją poznać.

Zawsze trzymałam Jordan z daleka od mojego świata. Nie dlatego, że się jej wstydziłam. Wiedziałam, że nienawidzi wszystkiego, co wiąże się z terminami, zarabianiem pieniędzy, nie mówiąc o ludziach, których lubiłam. Dość miałam wysłuchiwania, że to, czym się zajmuję, jest gorsze, a ludzie, którymi się otaczam, są podejrzani. Nie mówiąc o uwagach typu: „Ja pierdzielę, Em. Ten facet ma grube dłonie i maleńkie paluszki. Wyobraź sobie jego fiuta... jeśli oczywiście będziesz w stanie go znaleźć. Wiesz, faceci z takimi palcami zwykle mają strasznie małe penisy". Albo: „Jeśli penis mężczyzny dynda w tobie jak serce w dzwonie, to lepiej sobie odpuść".

W końcu musiałam zerwać z pewnym facetem, bo za każdym razem, gdy patrzyłam na jego dłonie, krzywiłam się z niesmakiem. Nie muszę chyba dodawać, że jeśli naprawdę kogoś lubiłam, trzymałam go z daleka od mojej siostry.

Nigdy wcześniej nie miało to znaczenia. Wtedy również nie powinno było go mieć, szczególnie że ledwo znałam Sandy'ego Portmana. Ale już wiedziałam, że chcę dla niego czegoś więcej.

— Przyjmuję — powiedziałam, gdy zjedliśmy kolację.

— Przyjmujesz?

— Twoje wyzwanie.

Jego piwne oczy pociemniały, kiedy pochylił się w moją stronę. Mało brakowało, a pozwoliłabym mu zostać i dokończyć to, co zaczął na kuchennym blacie. Ale zamiast tego wetknęłam mu w dłoń papierową torbę z bułeczkami i wypchnęłam go za drzwi.

✠

Cztery godziny po telefonie od teściów popadłam w stan odrętwienia i niedowierzania.

Sandy nie mógł tak po prostu zginąć.

Wyprałam jego ubrania. Uprasowałam jeszcze raz koszule z kołnierzykami przypinanymi na guziki. Zachowywałam się tak, jakby odgrywanie idealnej pani domu mogło sprawić, że Sandy wróci.

W pewnym momencie, niecałe dwadzieścia cztery godziny po naszej rozmowie, moja teściowa pojawiła się u mnie i oznajmiła, że pogrzeb Sandy'ego odbędzie się w przyszły piątek w kościele Świętego Tomasza przy Piątej Alei. Wtedy nie czułam się urażona tym, że to ona zajęła się wszystkimi przygotowaniami. Zamiast tego stłumiłam śmiech, a może szloch. Nie wierzyłam w ani jedno jej słowo. Żadna z rzeczy, o których mówiła, nie mogła wydarzyć się naprawdę. Nie mogłam być wdową. Wdowy noszą elastyczne pończochy przeciwżylakowe i mają siwe włosy. Albo jeśli im się poszczęści, kurze łapki wokół oczu — pamiątkę po długich latach życia z mężczyzną, który potrafił je rozbawić. Wierzyłam, że lada chwila się obudzę, a Sandy będzie siedział przy kuchennym stole, jedząc to, co zwykle jadał na śniadanie: jedno jajko na miękko, dwie kromki pełnoziarnistego chleba z dżemem z czerwonej porzeczki, sok grejpfrutowy i kawę Elijah's Blend. Wszystko ze sklepu Fairway. Jak to możliwe, że jego matka nie ma o niczym pojęcia?

Althea Portman zmierzyła mnie dziwnym spojrzeniem i wyszła.

W poniedziałek, trzy dni po wypadku, jak zwykle przygotowałam Sandy'emu śniadanie. Widok jedzenia na kuchennym stole sprawił, że zamarłam i szybko cofnęłam się pod ścianę. Nie wyrzuciłam go ani nie sprzątnęłam. Zamiast tego ubrałam się i pospieszyłam do biura, gdzie pośród faksów i pokoi socjalnych spodziewałam się znaleźć mojego męża.

Zatraciłam się w maszynopisie, śledząc chaotyczne zdania, półprawdy i cokolwiek, czym mogłam zająć obolały umysł. Pod koniec dnia, zamiast wrócić do domu, pojechałam do kliniki weterynaryjnej, w której pracowałam jako wolontariuszka. Byłam Emily Barlow. Silną, praktyczną kobietą. Wiedziałam, jak radzić sobie w sytuacjach bez wyjścia. Dam radę, powtarzałam sobie. Jestem przecież córką swojej matki.

Kiedy weszłam do kliniki, wyczułam coś, jeszcze zanim zrozumiałam, o co chodzi. Powinnam być zaskoczona widokiem białego szorstkowłosego psa, całego w bandażach i bliskiego śmierci, a jednak nie byłam. Pracownicy kliniki twierdzili, że znaleźli go na ulicy. Wyglądało na to, że to bezpański psiak potrącony przez samochód i zostawiony na mrozie na pewną śmierć. Zrobili, co mogli, by go uratować, jednak zwierzę było w stanie krytycznym.

— Einstein.

Nazwałam go tak bez zastanowienia, delikatnie muskając palcami kępki białej szorstkiej sierści na jego głowie, i wiedziałam, że muszę go ocalić. Jakbym dzięki temu mogła ocalić mojego męża. Nie ubrałam tego w słowa i nie ułożyłam w głowie żadnego planu. Po prostu wiedziałam, że muszę go uratować. Z jakichś powodów, których nie potrafiłam wytłumaczyć, nie mogłam pozwolić mu umrzeć.

Opłaciłam drogie operacje z pieniędzy, których nie powinnam była wydawać, i modliłam się, żeby Einstein wybudził się ze śpiączki. Kiedy weterynarz zrobił, co w jego mocy, czuwałam przy Einsteinie, czekając i delikatnie głaszcząc jego sierść.

— Nie rób mi tego — szeptałam. — Nie umieraj.

Mówią, że przypadki zdarzają się po to, by Bóg mógł zachować anonimowość.

Czasem jednak otwiera dłoń i wręcza nam iście niebiański prezent. Zanim skończyły mi się pieniądze, a weterynarz orzekł, że nie ma dla niego ratunku, Einstein się obudził.

Jakaś część mnie poczuła ulgę, jakby mój plan znalezienia sobie zajęcia i zachowania kontroli naprawdę działał. Jednak dzień po tym, jak Einstein poczuł się lepiej, nastał piątek, pogrzeb Sandy'ego.

Przyjechałam do kościoła Świętego Tomasza nieświadoma, że mam na sobie granatową sukienkę, dopóki silniejszy podmuch wiatru nie rozchylił pół mojego płaszcza. Siedząc w pierwszej ławce, nie widziałam tłumu, który zgromadził się, by pożegnać mojego męża. Zamiast tego przyglądałam się kłaczkowi na niebieskim dżerseju.

Nie widziałam twarzy. Nie rozpoznałam żadnego głosu. Na pogrzebie zabrakło mojej siostry, która nie zdążyła wrócić z Ameryki Południowej. Za każdym razem, gdy coś wyrywało mnie z odrętwienia, wpuszczając do mojej głowy czarne myśli, skupiałam się na kłaczku albo myślałam o Einsteinie. I o maszynopisie, nad którym pracowałam. Myślałam o wszystkim z wyjątkiem stojącej przed ołtarzem mahoniowej trumny. Chciałam jak najszybciej wrócić do pracy, do Einsteina i naszego przytulnego mieszkania w Dakocie.

Kiedy ceremonia pogrzebowa dobiegła końca, próbowałam wymknąć się z kościoła.

— Emily.

Z trudem rozpoznałam głos teściowej.

Była jak zwykle niebywale poprawna i chłodna. Kasztanowe włosy upięła z tyłu i patrzyła na mnie spod półprzymkniętych powiek, a jej zielone oczy niczego nie zdradzały. Starannie wymawiała każdą sylabę, nieznacznie wysuwając przy tym dolną szczękę. Zawsze uważałam, że jej zachowanie jest pozą przyjmowaną z konieczności i nie ma nic wspólnego z piciem herbatek i towarzystwem niań pochodzących z Nowej Anglii. To ojciec Sandy'ego miał jasne włosy i szare oczy pierwszych nowojorczyków oraz łatwość obcowania ze światem, z którą obnosił się jak z nowym, eleganckim ubraniem i którą uważał za rzecz oczywistą.

Althea skinęła głową mijającym nas ludziom.

— Jak sobie radzisz, moja droga? — spytała.

Przez chwilę pomyślałam, że jest dużo milsza, niż mi się wydawało, i zaczęłam mówić coś o tym, że znalazłam zdjęcie, na którym jest razem z Sandym, i pomyślałam, że chciałaby je mieć.

Nigdy nie dała mi szansy, bym mogła oddać jej zdjęcie, ani nawet nie wysłuchała mojego pytania.

— Taylorze! — zawołała do mężczyzny, którego twarz wydała mi się znajoma.

— Pani Portman, tak mi przykro... — zaczął.

Althea i ja podziękowałyśmy mu i spojrzałyśmy na siebie.

— No cóż — rzekła moja teściowa, jakbym nie miała prawa do nazwiska — właściwie już dziś możecie umówić się na spotkanie.

Mężczyzna przestąpił z nogi na nogę, wyraźnie zmieszany.

— Spotkanie? — zapytałam. — W związku z czym?

— W związku z mieszkaniem.

Jej słowa obudziły we mnie złe przeczucie, od którego ciarki przebiegły mi po plecach.

— Altheo — bąknął mężczyzna, krzywiąc się — to chyba nie jest odpowiedni moment...

— Taylorze, kurtuazja niczego tu nie zmieni. — Po tych słowach spojrzała na mnie. — Mój mąż i ja damy ci czas, ale musisz zacząć myśleć o przeprowadzce.

Nie mogłam wydusić słowa.

— Słucham? — wybąkałam w końcu.

— Emily — zaczęła ostrożnie — mieszkanie należało do Sandy'ego, wspomina o nim w swoim testamencie. Po jego śmierci apartament przechodzi na własność Funduszu Rodzinnego Portmanów.

— Ale... Sandy obiecał... — Próbowałam zmusić mój mózg do myślenia. — Powiedział, że przeniósł prawo własności na mnie. Że zmienił testament.

— Jesteś w błędzie, Emily. Sandy niczego nie zmienił.

— Nie, to niemożliwe. — Po roku namawiania, kiedy Sandy obiecał mi mieszkanie w Dakocie, uległam mu i porzuciłam swoje przytulne gniazdko objęte kontrolą czynszów, przez co jeszcze bardziej zbliżyłam się do męża. — Sandy mówił, że Dakota jest moja.

Jego matka spojrzała mi prosto w oczy.

— To niedorzeczne.

Poczułam na twarzy uderzenie gorąca. „Nie możesz tego zrobić!" — chciałam krzyknąć, ale w porę się powstrzymałam.

— Muszę już iść — szepnęłam, wpadając na żałobników, którzy, podobnie jak ja, szli w stronę drzwi.

— Emily! — krzyknęła za mną Althea.

Nie zatrzymałam się. Nie załamiesz się, powiedziałam sobie w duchu. Czułam, że muszę jak najszybciej opuścić kościół, choć jedyną rzeczą, której naprawdę pragnęłam, było spotkanie z Sandym.

Na ulicy zatrzymałam taksówkę. Oparłam głowę o twardy zagłówek, nieświadoma, że podałam kierowcy adres kliniki weterynaryjnej, aż do chwili, gdy dotarliśmy na miejsce.

Einstein

Rozdział piąty

Spoglądałem na swoje odbicie w chirurgicznej szafce z nierdzewnej stali i nie wierzyłem własnym oczom. Gdzie podziały się moje rudawozłote włosy i błyszczące piwne oczy?

Gdy byłem człowiekiem, uchodziłem za czarującego mężczyznę, nie mówiąc o tym, że byłem piekielnie przystojny. Jednak sądząc po tym, co właśnie zobaczyłem, na nikim nie zrobię większego wrażenia. Jako pies ze sterczącą szorstką sierścią byłem zdecydowanie brzydki.

Jak to możliwe, że coś takiego spotkało mnie, Sandy'ego Portmana, potomka szacownych rodów Vandermeerów i Regalów, z Nowego Jorku, Aspen, Biarritz i Hamptons?

Na myśl o słońcu i gorącym piasku Hamptons poczułem nagłą radość. Jednak nie trwała ona długo i ustąpiła miejsca rozpaczy, gdy dotarło do mnie, że to Sandy Portman — człowiek — uwielbiał ten ekskluzywny, słoneczny kurort. Nie wyobrażałem sobie, żebym jako pies miał jeszcze kiedyś zobaczyć to cudowne miejsce.

Uczucie otępienia powoli opuściło moje ciało, a poczucie beznadziejności przerodziło się w chęć zakończenia całej tej niedorzecznej sytuacji. Stłumiłem złość, była teraz niczym przygasający żar, gotowy w każdej chwili wybuchnąć płomieniem. Pomyślałem, że podszedłem do tego dość kłopotliwego położenia wyjątkowo dojrzale. Cierpliwie czekałem na powrót starca, by jasno i wyraźnie powiedzieć mu, że coś takiego jest nie do przyjęcia.

Wkrótce zacząłem rozpoznawać ludzi, których nazywałem personelem. Zbieraninę łajdaków i życiowych nieudaczników, których nigdy bym nie zatrudnił, ale którzy tak czy inaczej zasługiwali na miano personelu. Kiedy poczułem się lepiej, zaczęli zwracać na mnie uwagę.

— Nareszcie — warknąłem na pielęgniarkę.

Kobieta posłała mi drwiące spojrzenie.

Wkrótce pieluchy dla psów zniknęły, podobnie jak kroplówka, a ja trafiłem na maleńki placyk za kliniką, gdzie jeden z wolontariuszy patrzył na mnie wyczekująco. Nie miałem pojęcia, czego ode mnie chce.

— No dalej, Einsteinie, musisz się z tym uporać.

Zmieszany przestąpiłem z nogi na nogę.

— No wiesz, wysikać się — dodał zachęcająco. — Odlać. Nazywaj to, jak chcesz.

Zesztywniałem. Mam się załatwić? Tu, na cemencie? Na oczach tego faceta? Chyba nie mówi poważnie.

— Staruchu! — zawyłem.

Na szczęście wolontariusz zlitował się nade mną i odwrócił się, żeby dać mi choć trochę prywatności. Prawdę mówiąc, rzeczywiście „musiałem się z tym uporać".

Oprócz pielęgniarki poznałem podejrzanego kolesia imieniem Vinny, który pracował na nocnej zmianie, i wykolczykowaną dwudziestokilkuletnią wolontariuszkę przychodzącą do kliniki dwa razy w tygodniu. Miała na imię Blue. Zaskakujące było to, że jako człowiek z pewnością bym jej nie cierpiał, ale jako pies bardzo ją polubiłem. Była istną ucztą zapachów, chodzącą i oddychającą zagadką, która przyciągała moją uwagę. Niebieska farba do włosów, dziwny zapach jej czarnej szminki, wegetariańskie dania, które jadła...

Od czasu do czasu w klinice pojawiali się inni wolontariusze. No i był jeszcze weterynarz, całkiem miły facet, zdziwiony tym, że jego starania uratowały mi życie.

Czasami ich twarze zlewały się ze sobą lub rozmazywały, w zależności od tego, jak dobrze spałem i jaką dawkę lekarstw we mnie wpompowali. Jedyną osobą, która zawsze wyróżniała się z tłumu, była Emily. Dzięki Bogu przyjeżdżała regularnie, a nie tylko w piątki, kiedy pracowała w klinice jako wolontariuszka. Jako człowiek może i chciałem się z nią rozwieść, ale gdy stałem się psem, moje zdolności do interakcji były — w najlepszym razie — mało imponujące. Weterynarz był zbyt ubogi, pielęgniarka zbyt roztargniona, Blue interesująca, ale nie tak troskliwa jak Emily. Vinny'emu zależało na kasie i szczerze mówiąc, był dość przerażający. Zrozumiałem, że żadne z nich nie chce przywiązywać się do zwierząt, które trafiają do kliniki.

W miarę jak wracałem do zdrowia, zacząłem odczuwać coraz większy niepokój. Co się ze mną stanie, kiedy nie będę potrzebował ich pomocy?

Pocieszałem się myślą, iż przekonam starca, że dostałem nauczkę, a on pozwoli mi wrócić do mojego ciała.

Leżąc na boku, trącając bezmyślnie łapą jakąś głupawą gumową zabawkę, którą zostawiła mi Blue, zdziwiłem się, gdy zobaczyłem Vinny'ego próbującego wywabić mnie z klatki.

— Czas na kąpiel.

Kąpiel? Ktoś, a dokładnie rzecz biorąc ten facet, ma mnie wykąpać? Podczas gdy myśl o zanurzeniu się w pełnej gorącej wody porcelanowej wannie była niebiańska, psia kąpiel z pewnością nie brzmiała zachęcająco.

— No chodź, piesku.

Musiało być już dobrze po północy, bo Vinny był w klinice wystarczająco długo, by obejrzeć swój ulubiony program telewizyjny, pobieżnie umyć podłogi, obejrzeć kolejny program, opróżnić kosze na śmieci i wypić szklaneczkę taniej whiskey. Ponieważ jako pies nie byłem głupi, zostałem w klatce.

— Idziesz się wykąpać. Lekarz powiedział, że najwyższy czas. Kiedy pojawi się tu rano, masz być czysty. — Jego roboczy kombinezon wydzielał mnóstwo zapachów, z których żaden nie wydał mi się przyjemny. — Możemy to zrobić bezboleśnie albo w mniej przyjemny sposób. Żeby wszystko było jasne, mam słabość do drugiej opcji.

Jego gardłowy chichot sprawił, że pomyślałem o kiepskim aktorzynie z fatalnego odcinka *Rodziny Soprano*. Co on zamierza zrobić? Złamać mi nogę? Wpakować do bagażnika i wywieźć na wysypisko śmieci do New Jersey? Co powiedzą pielęgniarka i weterynarz, kiedy okaże się, że zniknąłem? Może wcale się nie przejmą. Za to Emily będzie zdruzgotana.

Rozbawiony tymi skojarzeniami i zadowolony, że choć jedna osoba zauważy moje zniknięcie, roześmiałem się. Niestety w uszach Vinny'ego zabrzmiało to jak warczenie.

— Nie warcz na mnie, kundlu. Mogę zrobić ci krzywdę i nikt niczego nie zauważy. Mam swoje sposoby.

Pochylił się nade mną i poczułem ohydną woń taniego alkoholu. Dobry Boże, tania whiskey, zero dezodorantu i obiad kupiony u ulicznego sprzedawcy. Mieszanka tych zapachów wystarczyła, by mniejszy pies, taki jak ja, zwymiotował.

Podniosłem się z podłogi i cofałem w głąb klatki, aż wpadłem zadem na metalową siatkę. Vinny zmrużył oczy. W następnej chwili wyciągnął rękę, wywlókł mnie, sięgnął po plastikową pałkę, jaką można kupić w sklepie z zabawkami, i walnął mnie w głowę. O dziwo, nie poczułem nic oprócz zdziwienia. Ale kiedy się ocknąłem, byłem zadziwiająco czysty i — nie wiadomo jak — zafundowałem Vinny'emu paskudną śliwę.

✠

Choć nie powinienem się do tego przyznawać, byłem dumny, że podbiłem Vinny'emu oko. Dzięki temu nabrałem zawadiackiej pewności siebie i zacząłem się zachowywać inaczej niż wtedy, gdy byłem człowiekiem. Jako Sandy Portman nigdy nie brałem udziału w żadnej bijatyce, z tego prostego powodu, że nie musiałem. Mój urok osobisty — nie wspominając o pieniądzach — sprawiał, że dostawałem od życia wszystko to, na co miałem ochotę. Jednak tamtego dnia, kiedy Emily wetknęła mi do rąk torbę cynamonowych bułeczek i wypchnęła za drzwi, uświadomiłem sobie, że patrzy na mnie jak na kolejny trybik w korporacyjnej machinie, który nie różnił się niczym od niej samej. Z pewnością było to coś nowego, ale zauważyłem, że po tym zajściu przestałem przesadnie dbać o ubrania i coraz częściej odprawiałem szofera. Rzadziej niż zwykle obnosiłem się ze swoim pochodzeniem, nie z obawy, że Emily nagle zapragnie moich pieniędzy, ale dlatego że obawiałem się, iż w ogóle mnie nie zechce.

Kiedy rano zjadłem cynamonowe bułeczki, zadzwoniłem do niej na komórkę.

— Tym razem mówię poważnie, ucieknij ze mną — zacząłem, gdy odebrała. — Pojedziemy do Włoch albo do Francji. Dokąd tylko zechcesz.

Roześmiała się.

— Mam lepszy pomysł. To ja cię porwę. Spotkajmy się za godzinę u mnie.

— Co mam przynieść? Torbę podróżną? Wielki kufer, żebyśmy nie musieli wracać?

— Tylko siebie. W zwykłym ubraniu.

— Mam jechać do Francji w zwykłym ubraniu?

Znowu się roześmiała, choć jak się okazało, wybór, jakiego dokonała, nie był szczególnie zabawny.

— Jedziemy na Coney Island? — zdziwiłem się. — Metrem?

Musiała wyczuć, że nie byłem przesadnie uszczęśliwiony.

— A jak inaczej mamy się tam dostać? — spytała ostrożnie.

Już wtedy powinienem był powiedzieć jej prawdę, ale instynkt samozachowawczy wziął górę nad zdrowym rozsądkiem. Usprawiedliwiłem się sam przed sobą i obiecałem sobie, że w nadchodzący weekend wyznam jej prawdę. Do głowy by mi nie przyszło, że już w sobotę dowie się wszystkiego.

— Nie wyobrażam sobie lepszego sposobu podróżowania — zapewniłem.

Dzień był idealny, ciepły, ale nie za gorący. W parku rozrywki było tłoczno, ale nie tak jak zwykle. Emily wyciągnęła mnie z samochodzików na diabelski młyn, kolejkę górską i wielką zjeżdżalnię. Na strzelnicy wygrała pluszaka, którego dała mi w prezencie.

— Nie mogę go przyjąć — bąknąłem przerażony.

— Dlaczego nie?

— Choćby dlatego, że to facet powinien wygrywać nagrody dla swojej dziewczyny.

Posłała mi krzywy uśmiech, jednak zignorowałem go i tak długo ciągnąłem losy, aż wygrałem dla niej pluszową maskotkę.

— Proszę — oznajmiłem z dumą.

Spojrzała na mnie, jakbym podarował jej bezcenną szmaragdową rzeźbę, a nie tandetnego zielonego pluszaka, wyprodukowanego gdzieś w Chinach przez tanią siłę roboczą.

O dziwo, był to jeden z najlepszych dni w moim życiu — aż do chwili, gdy wpadliśmy na Barretta Higby'ego, znajomego, który przyjechał na Coney Island z dzieciakami.

— Sandy Portman. — Higby poklepał mnie po plecach. — Jak się masz? Doskonale wyglądasz. Choć przyznam, że jestem zaskoczony, widząc cię na Coney Island. Sam w życiu bym tu nie przyjechał, gdyby nie dzieciaki. Uparły się, że muszę je tu przywieźć, żeby mogły zobaczyć, jak żyją inni, ci, którzy nie mają pieniędzy. Coś strzeliło im do głowy i ubzdurały sobie, że będą „normalne".

Zerknąłem na Emily i wiedziałem już, że nie będzie łatwo.

Gdy Barrett zaczął się przedstawiać, rzuciłem, że miło było go spotkać, wziąłem Emily pod rękę i ruszyłem do straganu z jedzeniem, który obiecywał wyborną kawę.

— Co ten facet miał na myśli, mówiąc o „przeciętnej rodzinie"? — spytała.

Zjadliwość w jej głosie uświadomiła mi, że czas powiedzieć prawdę. Miałem jedynie nadzieję, że kłębiący się wokół stoiska tłum odwróci uwagę Emily na tyle skutecznie, że zrozumie tylko część tego, co zamierzałem jej powiedzieć.

Sprzedawca zapytał, co nam podać.

— Dwie kawy — odparłem. — Ja zapłacę — zwróciłem się do Emily.

Posłała mi wściekłe spojrzenie.

— Zapomnij. Sama za siebie zapłacę.

Nawet ja wiedziałem, że zrozumieć część to nie to samo, co nie zrozumieć wcale. W tej kwestii nie miałem na co liczyć, więc powiedziałem wprost:

— Emily, jestem bogaty.

W pierwszej chwili wyglądała na zdezorientowaną, jednak kiedy sprzedawca podawał nam kawę, ściągnęła brwi.

— Co to znaczy, że jesteś bogaty?

— Jestem bogaty. Moja rodzina jest bogata. Nazywam się Sandy Portman — dodałem z naciskiem. — Tak jak Portmanowie z firmy Regal Bay.

— Myślałam, że firma należy do rodziny Regalów.

— No tak, należała... należy. Panieńskie nazwisko matki mojego ojca brzmi Regal. Silas Regal jest moim stryjecznym dziadkiem.

— Chyba nie walczysz o to, żeby przejąć firmę?

— Czy walczę? — Być może mówiąc to, wzruszyłem ramionami. — Czy każdy z nas nie walczy od czasu do czasu? Poza tym dużo trudniej piąć się po szczeblach kariery, kiedy jest się spokrewnionym z szefem. Nepotyzm to paskudne słowo i prawdę mówiąc, może ci pomóc, ale i zaszkodzić.

Emily wsypała cukier do papierowego kubka — więcej, niż to było konieczne — i ostentacyjnie odstawiła cukierniczkę.

— Okłamałeś mnie.

Wątpiłem, czy doceni różnicę między kłamstwem a zatajeniem prawdy.

Wracaliśmy do domu w milczeniu po tym, jak nie zgodziła się, żebym zadzwonił po szofera. Teraz, kiedy szydło wyszło z worka, wolałem zaczekać na kierowcę, który zawiezie nas do miasta, jednak Emily nie chciała nawet o tym słyszeć, a ja nie mogłem pozwolić, by wracała sama metrem. Bez względu na to, czy mi wierzyła, czy nie, byłem tym samym facetem, na tyle staromodnym, żeby wydać małą fortunę na losy i wygrać dla niej pluszaka — pluszaka, którego wychodząc z parku, wyrzuciła do kosza.

Przez kolejny tydzień nie odbierała moich telefonów. Dobrze, powtarzałem sobie, ignorując ogarniającą mnie rozpacz i nienazwany głód, który przestał mi dokuczać, gdy pojawiała się Emily. Wychodziłem co wieczór, jadłem, piłem i robiłem to, co zawsze, by o niej zapomnieć.

Był tylko jeden problem: nie potrafiłem.

Pierwszy raz w życiu dałem za wygraną i posłałem kobiecie kwiaty z bilecikiem, w którym przepraszałem ją za swoje zachowanie. Odesłała je. Sfrustrowany zrobiłem coś, co nigdy wcześniej nie przyszłoby mi do głowy: przyjechałem pod budynek Trigate i czekałem na nią jak jakiś żałosny prześladowca, wziąłem ją za ręce i pochyliłem głowę, żeby ukryć łzy. Powiedziałem jej, że tęsknię. Nie ustąpiła, ale się zawahała.

Przez kolejny tydzień przychodziłem do niej do pracy i próbowałem ją udobruchać. Byłem słodki, czuły i — o dziwo — zaskakująco szczery.

Piątego dnia najpierw wbiła we mnie wzrok, po czym zamknęła oczy. Kiedy je otworzyła, byłem prawie pewny, że chce mnie przytulić, ale coś ją powstrzymało. Zamiast tego odwróciła się i odeszła.

Mówiłem sobie, że powinienem zniknąć, zapomnieć o niej, ale widziałem to spojrzenie.

Następnego dnia przyszedłem po raz ostatni, tym razem do jej mieszkania. Nie przyniosłem kwiatów, słodyczy ani niczego, co i tak nie miałoby dla niej żadnego znaczenia. Kiedy pojawiła się pod wejściem do budynku obładowana zakupami, wyciągnąłem do niej rękę z książką.

Przez chwilę spoglądała na okładkę i niemiecki tytuł.

— Oryginalne wydanie *Kinder-und Haus-Märchen* — powiedziała tak cicho, że ledwo ją usłyszałem.

— Lepiej znane jako *Baśnie braci Grimm*.

— Zauważyłeś moją kolekcję.

— Zauważam wiele rzeczy.

Przygarbiła się, jakby coś w niej chciało się poddać. Zamknęła oczy i zaczęła otwierać drzwi. Kiedy upuściła torbę z zakupami, podniosłem ją, podniosłem też klucze, które upadły na podłogę.

Poszedłem za nią do windy. Nie protestowała, jednak gdy weszliśmy do mieszkania, odwróciła się do mnie.

— Skłamałeś!

Jej złość uderzała we mnie falami, jakby tama opanowania pękła pod jej naporem.

W pierwszej chwili chciałem rzucić jakąś zabawną uwagę, jednak zignorowałem instynkt i postawiłem na coś, co płynęło z głębi serca.

— Jestem dupkiem. Jestem cholernym dupkiem, ale przysięgam, że kieruję się najlepszymi intencjami.

— Najlepszymi intencjami? — powtórzyła.

— Spójrz prawdzie w oczy. Wiedząc, że jestem Sandym Portmanem, potomkiem Vandermeerów i Regalów, ty, córka wojującej feministki, nie poświęciłabyś mi ani chwili.

Przez chwilę myślałem, że ulegnie.

— Nie odwracaj kota ogonem i nie rób ze mnie obrońcy uciśnionych — warknęła.

Musiałem wyglądać na równie zaskoczonego, jak się czułem. Nie próbowałem niczego przeinaczać. Chciałem ją odzyskać. Potrzebowałem jej, potrzebowałem tej odurzającej mieszanki spokoju i podniecenia, które czułem, będąc z nią.

— Nie chciałem, żeby tak wyszło, Emily. Po prostu pragnąłem, żebyś ze mną była. — Podniosłem głos, zza fasady spokoju i opanowania wyzierała rozpacz. — Chciałem być facetem, za którego mnie uważałaś, zanim dowiedziałaś się, że mam pieniądze.

Zacisnęła usta w wąską kreskę i patrzyła na mnie w milczeniu. Jednak tym razem, kiedy odwróciła się, by odejść, rzuciłem zakupy na podłogę i chwyciłem ją za rękę.

— Przepraszam, że cię okłamałem, Emily. Przysięgam, że bardzo tego żałuję.

— Niech cię — szepnęła.

Obróciłem ją ku sobie, a ona uderzyła mnie w pierś, jakby chciała pokazać, że jest rozdarta między złością a chęcią wybaczenia mi.

— A niech cię — powtórzyła.

Kiedy ją do siebie przyciągnąłem i przytuliłem, przeklęła mnie po raz ostatni i upadliśmy na podłogę, w pośpiechu odpychając sałatę, chleb i torby z zakupami. Przez krótką chwilę pomyślałem, że Emily robi coś więcej, niż mi wybacza. Ona mnie ratuje.

✠

Gdybym wiedział więcej na temat psów, klinik weterynaryjnych i psiego życia, moja nowa egzystencja w ciele Einsteina nie byłaby dla mnie tak wielkim zaskoczeniem. Chciałbym powiedzieć, że higiena osobista nie miała dla mnie znaczenia, ale tak nie było. Uwielbiałem być czysty. Bez względu na to, jakim człowiekiem był Vinny, naprawdę porządnie mnie wykąpał i przez chwilę żałowałem tego, co mu zrobiłem. Moja szorstka sierść stała się przyjemnie miękka i nawet pachniałem przyzwoicie.

Jednak przestałem myśleć o świeżości, kiedy mijały kolejne godziny, a Emily nie pojawiła się w klinice. Tej nocy również nie przyjechała, podobnie jak następnego dnia. Na szczęście była Blue. Kiedy otworzyła drzwi do klatki, nie mogłem się opanować i wyrwałem do przodu jak tamburmajor w orkiestrze dętej.

— Aleś ty przystojny. — Roześmiała się. — Ktokolwiek cię adoptuje, będzie nie lada szczęściarzem.

Zamarłem.

Słyszałem w lokalnych wiadomościach o programach typu *Adoptuj zwierzę*, ale nie poświęcałem im zbytniej uwagi. Gdybym chciał mieć psa, wybrałbym rasowego szczeniaka, za którego musiałbym zapłacić mnóstwo pieniędzy. Zresztą posiadanie psa nie wchodziło w grę. Psia sierść, wyprowadzanie na spacer i sekretna miłość do chusteczek do rąk nie idą ze sobą w parze. Jednak nie to mnie teraz zaprzątało. Myślałem o adopcji. Gdzie, do diabła, podziewa się Emily? Ona z pewnością by mnie adoptowała. Zabrała do domu. Moja żona kochała psy. Na litość boską, ona kocha Einsteina.

— Nie, nie, nie! — jęknąłem.

Serce waliło mi jak młotem i znów zacząłem się ślinić. Strużki śliny ściekały po mojej czystej białej sierści!

Nazajutrz zostałem przeniesiony do pomieszczenia o ścianach z pustaków. Stały w nim rzędy klatek, świeciły fluorescencyjne lampy. Był tu owczarek niemiecki i kilka innych psów, koty, świnka morska, a nawet królik. Jak się okazało, była środa, dzień adopcji.

Moi zaniedbani sąsiedzi paradowali przed każdym, kto wszedł do pokoju i rozglądał się za odpowiednim zwierzakiem. Tymczasem ja miałem w głowie gonitwę myśli. Jeśli mnie adoptują, czy cała ta szalona sytuacja stanie się rzeczywista? Czy już do końca życia będę psem?

Skomlałem, wyłem i toczyłem pianę jak Żółte Psisko*.

Królik był zadziwiająco szybki, koty znalazły właścicieli w ciągu zaledwie kilku godzin. Nawet świnka morska trafiła do nowego domu. Pod koniec dnia w pomieszczeniu zostałem ja i owczarek niemiecki. Byłem szczęśliwy, jednak mój towarzysz wyglądał na przygnębionego. Położył się na podłodze, oparł łeb na łapach i patrzył przed siebie niewidzącym wzrokiem.

Zbliżał się koniec tygodnia, a ja i Niemiec wciąż tkwiliśmy w klatkach. Mało brakowało, a znalazłbym nowych właścicieli, ale wystarczyło, że obnażyłem kły, a czwórka przedstawicieli klasy średniej uciekła sprzed klatki. Kiedy było już po wszystkim, pielęgniarka pokręciła głową i powiedziała coś do weterynarza. Nie wiedziałem, o czym rozmawiają, bo byłem zbyt podekscytowany myślą, że właśnie uniknąłem katastrofy.

Emily wciąż się nie pokazywała i tylko Blue zauważyła, że coś jest ze mną nie tak.

— Hej, Einsteinie — zagadnęła uspokajająco, kiedy skomląc i śliniąc się, biegałem po klatce — tęsknisz za Emily, prawda?

Podniosłem głowę i nastawiłem uszu.

— Tak — ciągnęła — doskonale cię rozumiem. Tęsknisz za nią. Dzwoniłam do niej i zostawiłam kilka wiadomości. Posłuchaj, Emily ma

---

* *Żółte Psisko* — książka autorstwa Freda Gipsona, a także film nakręcony na jej podstawie.

teraz na głowie mnóstwo rzeczy. Martwego męża i takie tam. Jej teściowa to prawdziwa zołza. Ale przede wszystkim nie chciała patrzeć, jak ktoś inny zabiera cię do domu, dlatego postanowiła sobie odpuścić. Pielęgniarka powiedziała mi, że zrezygnowała z wolontariatu i już tu nie wróci.

O, Boże!

Przez resztę dnia byłem przygnębiony. Niemiec próbował mnie rozweselić, ale nic mu z tego nie wyszło.

W poniedziałek wieczorem przyszedł Vinny i otworzył klatkę owczarka. Dumne psisko skuliło się w najdalszym kącie i skomląc błagalnie, drapało pazurami podłogę. To jednak nie powstrzymało Vinny'ego. Chwycił coś w rodzaju lassa na patyku, zacisnął pętlę wokół szyi owczarka i dosłownie wywlókł go z klatki.

— Hej, dokąd idziesz?! — zawołałem.

Nigdy dotąd nie widziałem czegoś podobnego, jednak ani Vinny, ani Niemiec nie wytłumaczyli mi, co się właściwie dzieje.

Zbliżał się koniec zmiany Vinny'ego, a owczarek nie wracał do klatki. Kiedy nazajutrz Blue zobaczyła, że jest pusta, wydawała się zdziwiona.

— A niech to — syknęła.

Strach wyzwolił we mnie to, co najgorsze. Zawsze tak było. Tego dnia nie byłem miły dla Blue, warczałem na nią i skomlałem.

W pewnej chwili spojrzała na mnie.

— Naprawdę musisz wziąć się w garść. Wiem, że nie ugryzłeś tej małej dziewczynki, ale nie oczekuj, że wszyscy inni ci uwierzą. Wiesz, co się stanie, jeśli nie znajdziemy dla ciebie nowego domu albo jeśli uznają, że jesteś niebezpieczny?

Na krótką chwilę moje małe płochliwe serce zamarło.

— Zostaniesz uśpiony.

Uśpiony? To znaczy, że zasnę? Na zawsze? Czy to właśnie stało się z Niemcem?

Myśli piętrzyły się w mojej głowie niczym schody prowadzące do drzwi z napisem „Panika". Prawie nie znałem tego psa, a mimo to poczułem nieopisany smutek i coś jeszcze, czego nie potrafiłem nazwać. Niemiec nie żył.

Coś ścisnęło mnie za gardło i musiałem odwrócić wzrok.

— Owczarku — zaskomlałem.

— Einsteinie, nie wkurzaj mnie. Masz się uspokoić.

Ale ja nie słuchałem. Przygasający żar strachu i złości zapłonął na nowo. Zacząłem wyć, choć nie robiłem tego celowo. Po prostu tak wyszło. Ogarnęła mnie bezgraniczna rozpacz.

— Starcze! — ryknąłem, pozwalając, by wycie odbiło się echem od pustaków i cementu.

Wahadłowe drzwi stanęły otworem.

— Co się tu dzieje?

To była pielęgniarka. Tuż za nią szedł Vinny.

— Jest zdenerwowany — wyjaśniła Blue. — Z powodu Otto. Wiadomo, że zwierzęta wyczuwają, kiedy któreś z nich zostaje uśpione.

Pielęgniarka wydawała się pogodzona z taką koleją rzeczy. Vinny wzruszył ramionami i zrobił krok do przodu. Wyraz jego twarzy i oparty o ścianę kij z lassem uświadomiły mi, że nadszedł mój czas. Znowu zacząłem skomleć. Tym razem Vinny nie zawracał sobie głowy lassem, tylko sięgnął po mnie swoją mięsistą dłonią. Ten drań, który był dla mnie taki okrutny w czasie kąpieli, zamierzał mnie zabić.

Blue odwróciła głowę, pielęgniarka ściągnęła brwi. Vinny posłał mi spojrzenie, które mówiło, że przed spotkaniem ze Stwórcą czeka mnie zasłużona kara.

— Starcze! — wrzasnąłem, miotając się na wszystkie strony i cofając w głąb klatki. Frotowe ręczniki zwijały się pod moimi łapkami. — Boże, nie! Proszę! — wyłem.

W chwili gdy Vinny chwycił mnie za sierść na karku, poczułem dziwne uderzenie gorąca i elektryczności. Pomieszczenie zadrżało i daję głowę, że Vinny także to poczuł. Zdezorientowany zmarszczył czoło, zwolnił uścisk, po czym obejrzał się przez ramię.

Tak, tak, pomyślałem, starzec lada chwila wkroczy do gry i wszystko naprawi.

Jednak energia zniknęła równie szybko, jak się pojawiła — zupełnie jakby staruszek się rozmyślił.

Wróciła rozpacz.

— Starcze! Nie możesz mi tego zrobić!

Vinny otrząsnął się i wywlókł mnie z klatki. Piszczałem i wyrywałem się, a gdy dźwignął mnie z podłogi, zawyłem przeraźliwie. Młóciłem łapami powietrze, ale silne dłonie Vinny'ego sprawiły, że oddech i głos uwięzły mi w gardle. Nagle usłyszałem huk, który odbił się od metalowych klatek i ścian niczym echo wystrzału.

— Co się tu dzieje?

Vinny drgnął, a gdy się odwrócił, odwróciłem się razem z nim. Ból i zaskoczenie sprawiły, że z mojego ściśniętego gardła wydobył się żałosny skowyt. Zaraz potem poczułem ulgę, kiedy w drzwiach pojawiła się moja żona.

— Połóż go — rzuciła, ściągając brwi.

— Emily! — próbowałem szczeknąć, jednak Vinny nie zamierzał dać za wygraną. Szarpnął mnie i wziął na ręce.

— Powiedziałam, połóż go.

Mężczyzna mruknął coś i spojrzał na mnie wściekły.

Pielęgniarka patrzyła to na mnie, to na moją żonę.

— Emily, wiesz, jak to działa. Einstein miał swoją szansę, ale nikt go nie chce.

Zaskoczyła mnie. Nie przypuszczałem, że kiedykolwiek dojdzie do tego, że stanę się niepotrzebny.

Nagle zobojętniałem. Nie zamierzałem rozwodzić się nad tym, jak bardzo dotknęły mnie jej słowa, i postanowiłem zignorować palące łzy, które cisnęły mi się do oczu. Moje małe psie ciało zadrżało, gdy spojrzałem na Emily.

— Proszę, weź mnie ze sobą do domu — błagałem żałośnie. Jako człowiek nie przepadałem za łzawymi scenami i okazywaniem uczuć. Tym razem nie mogłem się powstrzymać. — Musisz zabrać mnie do domu.

Moja żona westchnęła.

— To jakieś szaleństwo.

— Proszę — mruknąłem.

Emily zamknęła oczy i głośno wypuściła powietrze.

— Emily — odezwała się pielęgniarka — przestań się nad tym zastanawiać. Gdybyś mogła, tobyś go wzięła.

Emily spojrzała na mnie.

— To coś innego.

Pod oczami miała ciemne półksiężyce, jakby w ogóle nie spała albo jakby ktoś ją uderzył. Podeszła do Vinny'ego i uwolniła mnie z jego uścisku.

— Naprawdę — szepnęła tak cicho, że tylko ja mogłem ją usłyszeć — nie wiem dlaczego, ale Einstein jest inny.

Nagłe uczucie ulgi sprawiło, że opadłem z sił i wtuliłem się w nią, skomląc. Jednak kiedy spojrzałem w jej smutne jasne oczy, spokój, który poczułem chwilę temu, ustąpił miejsca złości. To oczywiste, że powinienem być jej wdzięczny. Teraz to rozumiem. Ale w tamtym momencie dotarło do mnie, że choć życie Emily legło w gruzach, ona jest wystarczająco silna i waleczna, by po raz kolejny uratować mi życie.

Emily

Moja matka miała ogromny apetyt na to, co oferuje
życie, nawet jeśli nie przepadała za samym życiem. Była
cudowna i dzika. Żądała od świata czegoś, czym świat
niechętnie dzieli się ze śmiertelnikami. Kiedy się
urodziłam, była pewna, że jest bohaterką wśród kobiet.
W czasach, gdy świat nie zamierzał się zmieniać, ona
walczyła przeciwko samozadowoleniu. Jak można było
nie podziwiać kobiety, która była moją matką?

fragment książki *Córka mojej matki*

Rozdział szósty

Kiedy uporałam się z papierkową robotą, ja i Einstein opuściliśmy klinikę. Byłam w szoku. Co ja sobie myślałam? Co, na Boga, zrobię z tym psem? Mimo to nie mogłam zignorować ostatniej rozpaczliwej wiadomości Blue, która poinformowała mnie łamiącym się głosem, że jeśli go nie ocalę, Einstein zostanie uśpiony.

Zatrzymałam taksówkę i pojechaliśmy do Dakoty. Mój nowy pies siedział na tylnej kanapie obok mnie. Łapki oparł na podłokietniku, tak żeby móc wyglądać przez okno. Podekscytowany dyszał na widok ceglanej kamienicy z fasadą z czerwonobrązowego piaskowca, wysokimi ścianami szczytowymi, dwuspadowym dachem, balustradami, łukami i bramą wjazdową, która prowadziła na wewnętrzny dziedziniec i dalej, prosto do wejścia. Za dnia, w promieniach popołudniowego słońca, stary budynek wydawał się niemal biały. Jednak nocą, kiedy do życia budziły się stuletnie latarnie gazowe, cegły nabierały głębokiej barwy palonego karmelu.

Portier Johnny otworzył drzwi taksówki.

— O rany — rzucił ze śmiechem i cofnął się, kiedy Einstein pognał w jego stronę. Na szczęście mój nowy pies rozmyślił się i nie skoczył na niego. Zatrzymał się nagle, usiadł i mogłabym przysiąc, że się uśmiechnął.

Johnny się roześmiał.

— Pani Portman — zwrócił się do mnie, podając mi rękę w białej rękawiczce i pomagając wysiąść z samochodu — ma pani nowego przyjaciela?

— Można tak powiedzieć. Właśnie go adoptowałam.

— Naprawdę? Witaj, kolego. — Pochylił się i podrapał psiaka za uszami.

— Ma na imię Einstein — oznajmiłam.

— Jest mądry, co?

Zerknęłam na psa.

— Wystarczająco mądry, żeby przekonać mnie, że powinnam wziąć go do domu.

Einstein pierwszy przeszedł pod portykiem. Jeśli chodzi o nowojorskie apartamentowce, Dakota znajdowała się na krótkiej liście najznamienitszych. Kamienica miała swoje wzloty i upadki, a jednak przetrwała. Zbudowana została wokół dużego otwartego dziedzińca, z dwoma masywnymi fontannami i czterema głównymi windami w czterech wewnętrznych narożnikach. Jako że wzniesiono ją w latach osiemdziesiątych XIX wieku, mieszkało w niej wiele znanych osobistości. Prawdopodobnie najsłynniejszym mieszkańcem Dakoty był John Lennon, przede wszystkim dlatego, że tutaj właśnie został zastrzelony. Jednak mieszkały tu również takie sławy, jak choćby Lauren Bacall, Judy Garland, Boris Karloff czy Leonard Bernstein. Dziś lokatorami kamienicy byli ludzie sławni i bogaci, a także zwykli zjadacze chleba.

Nie dbałam o sławnych sąsiadów. Kochałam ten budynek za jego staroświecką elegancję, nowojorskie korzenie i przeszło stuletnią burzliwą historię.

Wsiedliśmy do windy w północno-wschodnim skrzydle, a gdy dotarliśmy na miejsce, Einstein bez wahania podbiegł do masywnych francuskich drzwi z wąską witrażową szybką. Czekałam, aż zatrzyma się przed drzwiami do mieszkania, on jednak spojrzał na mnie pytająco i zaczął węszyć na korytarzu, od czasu do czasu zerkając w stronę schodów.

— Przez krótką chwilę myślałam, że wiesz, gdzie mieszkam. Ale to przecież niemożliwe, prawda?

Patrząc na niego, mogłabym przysiąc, że wzruszył ramionami.

Kiedy otworzyłam drzwi do mieszkania, przebiegł przez próg i zatrzymał się w korytarzu wyłożonym kunsztowną mozaiką i oświetlonym masywnym żyrandolem z matowego szkła i metalu, który zwieszał się z wysokiego na cztery metry sufitu. Korytarz prowadził prosto do biblioteki z wysokimi, szerokimi oknami i ciężkimi zasłonami. Na lewo od biblioteki, za solidnymi dwuskrzydłowymi drzwiami z rzędem szybek, znajdowała się główna sypialnia. Wychodzące z niej długie, wąskie przejście prowadziło na korytarz. Miałam siedem lat, kiedy pierwszy raz zobaczyłam w kolorowym magazynie zdjęcie Dakoty i natychmiast pokochałam tę kamienicę. Podejrzewałam, że wiązało się to z tym, że przypominała budynek, w którym mieszkała Eloise. Historia dziewczynki, która nie miała rodziny i mieszkała w hotelu Plaza, była moją ulubioną opowieścią, kiedy dorastałam.

W wieku ośmiu lat, gdy matka zabrała mnie do Dakoty na spotkanie z jakimś mężczyzną, spędziłam w kamienicy całe popołudnie. Wspinałam się po schodach, jeździłam windami, siedziałam na wyściełanych ławeczkach, jak księżniczka. Konsjerż powiedział mi, że budynek został zaprojektowany przez tego samego człowieka, który zaprojektował hotel Plaza, i moja miłość do Dakoty stała się jeszcze większa. Tak jak Eloise należała do hotelu Plaza, tak ja należałam do Dakoty. To, że Sandy sprowadził mnie do tego budynku jako swoją żonę, wydawało się prorocze.

Einstein stał w korytarzu, jak ja, kiedy weszłam tu po raz pierwszy, rozkoszując się ciszą i spokojem emanującym z grubych ścian.

— Jest piękne, prawda?

Wzdrygnął się, jakby zapomniał, że tu jestem.

— Sandy kocha to mieszkanie.

Wydawało mi się, że Einstein westchnął.

Na wspomnienie o mężu coś ścisnęło mnie w gardle, do oczu napłynęły łzy, ale zdołałam nad nimi zapanować. Nie płakałam od dnia, w którym zdarzył się wypadek. Oto, jak postrzegałam całą tę sytuację: myślałam o wypadku jak o czymś, co można było naprawić, odkręcić, wyprostować. Był dla mnie jak pęknięta łazienkowa płytka, którą można zastąpić inną i nikt nie zauważy różnicy. Wiedziałam, że to szaleństwo, ale nic mnie to nie obchodziło.

Weszłam w głąb mieszkania, niosąc rzeczy, które dostałam w klinice.

— Będziesz spał tu — poinformowałam Einsteina. — To kuchnia, ale jest tu dużo przytulniej niż w klinice.

Nie poszedł za mną. Zamiast tego stał w korytarzu, zerkając na schody prowadzące do apartamentu na kolejnym piętrze, miejsca, gdzie Sandy urządził sobie kryjówkę i gdzie w ciągu ostatnich kilku miesięcy spędzał każdą wolną chwilę. Nie wchodziłam tam od czasu wypadku.

— O co chodzi, E?

Podniósł głowę, minął schody i skierował się do sypialni.

— Hej! — zawołałam za nim. — Nie ma mowy, Einsteinie! Jest za późno, żeby zastanawiać się, skąd tak dobrze znasz to miejsce, ale jeśli przyjdzie tu moja teściowa i zastanie psa w łóżku swojego kochanego syneczka, będzie po mnie. Uwierz mi, to ostatnia rzecz, jakiej teraz potrzebuję.

Zapomniałam dodać, że od dnia pogrzebu unikałam matki Sandy'ego i prawnika od nieruchomości, łudząc się, że może zapomną o mieszkaniu i dadzą mi spokój.

Einstein stał w nogach ogromnego łóżka, które tak bardzo lubił Sandy. Nagle szczeknął, zawrócił i wybiegł na korytarz.

Kiedy otrząsnęłam się ze zdumienia, chwyciłam trzy najbardziej puszyste ręczniki, jakie udało mi się znaleźć, i wybiegłam za nim. Wyglądało na to, że mój nowy pies sam znalazł kuchnię i czekał na mnie zniecierpliwiony.

Kiedy umościłam mu w kącie przytulne gniazdko, minął mnie, dwukrotnie okrążył legowisko i z cichym westchnieniem skulił się pośród ręczników. Przygotowałam dla niego miskę z wodą i upewniłam się, że niczego mu nie brakuje. W końcu zgasiłam światło.

— Dobranoc, Einsteinie — szepnęłam. — Cieszę się, że tu jesteś.

Dziwne, ale naprawdę się cieszyłam.

✠

Zamieszkałam w żółtym pokoju gościnnym, gdzie jeszcze niedawno malowałam kwieciste wzory. Płachty malarskie zdążyły już zniknąć, meble wróciły na swoje miejsce, podobnie jak moja kolekcja książek dla dzieci, która trafiła z powrotem na wysokie wąskie regały. Za dnia trwałam w stanie otępienia, postępując zgodnie z planem. Budziłam się, brałam prysznic, szukałam ubrań, jadłam. Wszystko w takiej samej kolejności, dzień za dniem.

Ale w nocy... Nienawidziłam nocy. Nienawidziłam snów, z których budziłam się z krzykiem. Czułam się, jakby moja podświadomość zataczała koło, wracając do miejsca, którego świadomość nie potrafiła zaakceptować. Siadałam na łóżku, nie mogąc złapać oddechu. Piekły mnie oczy i nie miałam pojęcia, jak dalej żyć. Wtedy przypominałam sobie plan: obudzić się, wziąć prysznic, znaleźć ubrania, zjeść. Tak wyglądały moje dni.

Nazajutrz, gdy się obudziłam, zegar wskazywał szóstą rano. Nie drugą ani trzecią trzydzieści. Nie pamiętałam też, żeby cokolwiek mi się śniło.

Kiedy weszłam do kuchni, Einstein jeszcze spał. Najciszej jak mogłam włączyłam ekspres do kawy, jednak hałas obudził psa, który poderwał się z posłania. Przez krótką chwilę wydawał się oszołomiony, z niedowierzaniem spoglądał na swoje łapy i kręcił się niespokojnie. Nagle jęknął i osunął się na ręczniki, jakby widok własnych łap był dla niego ogromnym zaskoczeniem. Dziwne, pomyślałam. Dziwne i szalone.

Daj spokój, Em. Weź się w garść, powiedziałam sobie.

Przyniosłam ze spiżarni psią karmę, którą dostałam w klinice. Potrząsnęłam małym pudełeczkiem, jednak Einstein w ogóle na mnie nie patrzył.

— Musisz być głodny.

Znowu potrząsnęłam pudełkiem, tym razem nieco mocniej. Za trzecim razem Einstein westchnął i dźwignął się z podłogi.

— Wszystko w porządku? — Pochyliłam się, żeby go przytulić. — Nic ci nie jest?

Zesztywniał. W kwestii przytulania był dość zabawny. Zupełnie jak mój mąż kilka miesięcy przed wypadkiem — i jak żaden inny pies — Einstein nie lubił się przytulać, on po prostu mi na to pozwalał.

Konsjerż skontaktował mnie z dziewczyną, która zajmowała się wyprowadzaniem psów. Dzięki Bogu zgodziła się wyprowadzać Einsteina, kiedy ja będę w pracy. Zostawiwszy w kuchni miseczki z wodą i karmą dla psów, z ciężkim sercem zatrzasnęłam za sobą drzwi. Po chwili wsiadłam do ostatniego wagonu metra i złapałam się uchwytu, żeby ustać wśród ściśniętych niczym śledzie w beczce nowojorczyków.

Kiedy rozeszła się wieść o śmierci Sandy'ego, Charles Tisdale, prezes Caldecote, namawiał mnie, bym wzięła urlop. Jednak samotność była ostatnią rzeczą, jakiej potrzebowałam. Przy Pięćdziesiątej Dziewiątej Columbus Circle wysiadłam z metra, minęłam dwie zatłoczone przecznice i dotarłam do swojego biura na Broadwayu. Odbiłam w czytniku kartę Caldecote Press i przeszłam przez bramkę. Gdy usiadłam za biurkiem, odsłuchałam pocztę głosową.

„Hej, Em — usłyszałam głos siostry. Dzwonię, żeby sprawdzić, jak sobie radzisz. U mnie wszystko w porządku. No... prawie wszystko. Żona mojego ojca znowu wiesza na mnie psy i nastawia przeciwko mnie swoje dzieci. A ja przywiozłam tylko prezenty dla mojego braciszka i siostrzyczki. Nieważne. Porozmawiamy później".

Jak zwykle Jordan zapomniała dodać, że prezenty, które przywiozła dla swojego przyrodniego rodzeństwa, nadawały się raczej dla kogoś dorosłego, a nie dla dzieci, które chodzą do podstawówki.

Rzuciłam się w wir pracy. Skończyłam redagowanie maszynopisu, napisałam tekst na obwolutę i próbowałam odpowiedzieć na nieodebrane połączenia. Jednak po kilku rozmowach dałam za wygraną. Kondolencje składane w dobrej wierze przez autorów i agentów przypomniały mi o jajkach na miękko, pełnoziarnistym chlebie i odebranych z pralni koszulach frakowych, w których od jakiegoś czasu kładłam się do łóżka.

Ranek upłynął mi na gorączkowej krzątaninie. Gdy tylko zegar wybił południe, usłyszałam na korytarzu kroki Nate'a Clarksona. Działalność wydawnicza była pracą zespołową, lecz to Nate był wydawcą i to on podejmował ostateczne decyzje dotyczące planowania i umieszczania książek na liście wydawniczej. Charles, jako prezes, mógł zmienić decyzje Nate'a, jednak robił to niezmiernie rzadko. Zamiast tego skupiał się na ogólnym wizerunku firmy.

Nie byłam zdziwiona, kiedy Nate zatrzymał się, by porozmawiać z Victorią Wentworth, drugą starszą redaktorką w Caldecote. Victoria, podobnie jak ja, niedawno skończyła trzydziestkę. Miała bladą białą skórę, długie rude włosy i nos upstrzony piegami, przez co ludzie myśleli, że jest tak słodka i miła, na jaką wygląda.

Choć kiedy rozpoczęłam pracę w Caldecote, prezes wziął mnie pod swoje skrzydła, praktycznie jeszcze rok temu byłam podwładną Victorii. Pracowałyśmy wspólnie tylko nad jedną książką, choć słowo „wspólnie" to za dużo powiedziane. To

Victoria oficjalnie kupiła prawa do powieści, lecz ja znalazłam *Intencje Ruth* na liście książek, którymi nie zainteresował się żaden agent. Od pierwszych słów *Ruth*, które tak pięknie opowiadały heroiczną historię młodej matki gotowej na wszystko, by ocalić syna, wiedziałam, że książkę należy wydać.

Victoria nie była osobą, która słuchała rad, przynajmniej moich. Jednak cierpliwie czekałam na właściwy moment, by przeforsować swój pomysł i zapewnić ją, że nie będzie musiała nic robić. Zastanawiała się, jednak w końcu dała za wygraną.

— Dobrze, sporządź ofertę, a ja ją zaakceptuję i zadzwonię, gdzie trzeba — powiedziała. — Tylko nie błagaj mnie później o pomoc.

Podczas gdy wszyscy przy zdrowych zmysłach trzymali się od niej z daleka, Victoria olśniła naszego wydawcę. Choć raz miałam wymówkę, by uwolnić się od nieodebranych e-maili w mojej skrzynce pocztowej. Nate był zajęty rozmową z Victorią, więc zamierzałam wymknąć się z biura i iść na lunch. Może mnie nie zauważy, a nawet jeśli, to nie będzie na tyle szybki, by mnie zatrzymać i zadać mi swoje pytania.

Wylogowałam się z poczty i przemknęłam obok Nate'a. Zauważył mnie, wzdrygnął się zaskoczony i przestał się uśmiechać.

— Daj spokój — mruknęłam pod nosem.

Mogłam rzucić się w wir pracy, ale byłam na tyle rozsądna, by wiedzieć, że nie jestem w stanie rozwiązywać problemów, uzasadniać swojego punktu widzenia czy bronić własnych opinii. — „Dasz radę", powiedziałam sobie. Wyjście było w zasięgu wzroku, zaledwie kilka metrów od drzwi zabezpieczających.

— Emily! — zawołał. — Pozwól na minutkę.

Przez ułamek sekundy zastanawiałam się, czy udać, że go nie słyszałam, uznałam jednak, że byłoby to nierozważne, więc zatrzymałam się i odetchnęłam głęboko.

— Do tej pory nie skontaktowałaś się ze mną w sprawie notek wydawniczych i recenzji *Intencji Ruth* — zaczął.

— Właśnie, Emily — wtrąciła się Victoria. — Jak tam książka?

Chciałam się uśmiechnąć, jednak wyszedł z tego paskudny grymas.

— Dostałam kilka recenzji, wszystkie bardzo pochlebne.

— Naprawdę? — spytał Nate. — W takim razie, dlaczego nie poinformowałaś o tym działu sprzedaży? Książka się nie sprzedaje.

Victoria zerknęła na naszego szefa z profesjonalną troską, którą musiała ćwiczyć przed lustrem.

— Niestety, książka się nie sprzedaje, bo jednak nie wszyscy są rozentuzjazmowani. Mówiłam Emily, że nie powinna jej kupować.

Nie można było winić jej za to, że dystansowała się od projektu, który nie szedł najlepiej, szczególnie że nie był to jej projekt. Jednak odkąd awansowałam na starszą redaktorkę, Victoria tylko czekała na moje potknięcie.

— Victorio — to imię zabrzmiało dziwnie, gdy wypowiedziałam je na głos — jedna osoba z działu sprzedaży czytała ją i uważa, że to doskonała książka. Niska sprzedaż nie ma nic wspólnego z tym, co mówią bądź czego nie mówią ludzie. W tym miesiącu ukazało się mnóstwo tytułów, które miały odpowiednią promocję. Gdybyśmy mogli przyznać jakieś fundusze na...

— Zdobądź więcej notek reklamowych — przerwał mi Nate. — Każ autorce zacząć pisać blog. Niech zacznie używać Twittera. Zamiast wydawać pieniądze, zrób coś, cokolwiek, żeby przyciągnąć uwagę czytelników.

Zanim odeszli, Victoria posłała mi smutny uśmiech wyrażający udawaną troskę.

Przy windzie wpadłam na moją serdeczną przyjaciółkę, Birdie Baleau.

— Hej — przywitała mnie. — Jak leci?

Birdie była mniej więcej w moim wieku, tego samego wzrostu, tryskała energią i pracowała jako asystentka. Wszyscy wiedzieli, że pochodzi z Teksasu — trudno było tego nie zauważyć, bo mówiła z silnym teksańskim akcentem, choć zarzekała się, że to nieprawda. Ilekroć ją widziałam, trzymała w ręku batonik, dziś był to Milky Way.

— Trochę czekolady dobrze ci zrobi — stwierdziła, wyciągając w moją stronę nadgryziony baton.

— Nic mi nie jest — zapewniłam, starając się, żeby moje słowa zabrzmiały przekonująco.

Parsknęła i ugryzła kolejny kęs batonika.

— Nieprawda. Ale znam cię. Trzymasz się. Jesteś opoką sama dla siebie. Nie chcesz nikomu robić kłopotu. Na twoim miejscu bym się załamała, zalała łzami i sprawiła, że wszyscy by mi współczuli. — Wzruszyła ramionami i przełknęła. — Ale to tylko ja.

Słysząc to, nie mogłam się nie uśmiechnąć. Nagle, nie wiedzieć czemu, poczułam ulgę.

— Wiesz, że cię kocham, prawda?

— Oczywiście. Jak można mnie nie kochać?

Opatulone płaszczami zjechałyśmy windą i poszłyśmy na lunch. Od śmierci Sandy'ego miałam wilczy apetyt, jakby jedzenie mogło rozwiązać moje problemy. Bzdura, ale mimo wszystko musiałam się powstrzymywać, kiedy mijałam małe sklepiki z jedzeniem, pełne niezdrowych tuczących przysmaków, które nęciły mnie jak ubrana w fartuszek babcia oferująca natychmiastowe pocieszenie.

Poszłyśmy do Whole Foods w Time Warner Center. Tym razem nie zrobiłam nalotu na stragan z hot dogami ani nie uciekłam z batonikiem Birdie. Spośród dziesiątków gotowych posiłków wybrałam sałatkę. Birdie zdecydowała się na kawałek razowej pizzy — narzekając, że słowa „pizza" i „razowa" nie powinny pojawiać się w jednym zdaniu — zupę, trzy tacos, curry, bułeczkę Parker House i rogalika z czekoladą.

— Jestem głodna — oznajmiła, kiedy stałyśmy w kolejce.

— Przecież nic nie powiedziałam.

— Ale pomyślałaś.

— Wcale nie. Celowo nie myślę.

— No tak, powinnam była na to wpaść. I jak ci idzie? — spytała, unosząc brwi.

— Zadziwiająco dobrze.

Roześmiała się.

W ścisku i hałasie, który odbijał się echem od kamiennych ścian, znalazłyśmy wolny stolik. Kiedy tylko usiadłyśmy na twardych drewnianych ławeczkach, Birdie pominęła pizzę i zupę i ugryzła kęs rogalika.

— Co się tak naprawdę dzieje? — spytała. — Słyszałam, że Victoria robi zamieszanie wokół jakiejś książki, którą wypuściłaś na rynek.

Nadziałam na widelec listek sałaty.

— Chodzi o powieść *Intencje Ruth*. Umiera powolną śmiercią, zanim na dobre trafiła na półki.

— Chryste, ta branża naprawdę jest brutalna. Kto mógłby przypuszczać? Nie pracuję tu długo, ale bez przerwy słyszę o książkach, które okazują się niewypałami. A wiele z nich to książki Victorii. Przyganiał kocioł garnkowi. Jezu, ta laska to prawdziwa wiedźma. — Birdie jadła w zamyśleniu. — Czy jest coś, co możesz zrobić, żeby uratować *Ruth*? Z pewnością wyszłoby ci to na dobre, książce zresztą też. No i Victoria dostałaby za swoje.

Uśmiechnęłam się.

— Jesteś niedobra.

— Skup się, Emily — prychnęła Birdie. — Książka. Pamiętaj. Musisz ją uratować.

— No nie wiem... To naprawdę niesamowita powieść.

— Rozumiem, że dział sprzedaży wie, jaka jest dobra.

— Oczywiście! Ale w tym miesiącu ukazuje się mnóstwo innych książek i w dziale sprzedaży nie mają czasu myśleć o *Ruth*.

— W takim razie zmuś ich, żeby o niej pomyśleli.

— Nie mogę.

Birdie przewróciła oczami.

— W takim razie zachęć ich do tego.

— Birdie...

— Nie żadna Birdie. — Skończyła rogalika i sięgnęła po pizzę. — Wiesz, jak rozwiązywać problemy. Wymyśl coś.

Kiedy wracałyśmy do biura, Birdie napoczęła kolejny batonik. Tymczasem ja byłam tak zrezygnowana, że prawie dałam za wygraną. Ale wtedy przyszedł mi do głowy pewien pomysł.

W drodze do biura zajrzałam do sklepu, po czym jak na skrzydłach pomknęłam do swojego pokoju. Przed końcem dnia zgromadziłam kilka egzemplarzy promocyjnych *Intencji Ruth* i ułożyłam je razem z kolorowym wydrukiem fantastycznych cytatów i listem, który napisałam w imieniu Ruth. Dałam książkę każdemu pracownikowi wewnętrznego działu sprzedaży razem z maleńkim batonikiem przywiązanym do niej kolorową wstążeczką.

Był to dziecinny gest, ale miałam nadzieję, że dzięki temu ludzie z działu sprzedaży uśmiechną się, zlitują nad biedną *Ruth* i jedząc batonika, przeczytają wybrane cytaty. Coś mi mówiło, że jeśli na weekend zabiorą książkę do domu i przeczytają kilka pierwszych zdań, pokochają ją tak jak ja.

Wyłączałam komputer, kiedy do gabinetu wpadła Victoria.

— Co to za pomysł, żeby rozdawać ludziom z działu sprzedaży egzemplarze promocyjne *Ruth* i dołączać do nich batony? — spytała ze złośliwym uśmieszkiem. — Batoniki za dziewięćdziesiąt dziewięć centów nie uratują twojej głupiej książki.

— Możliwe, ale przeglądałam listę książek, które trafią na rynek w tym miesiącu, i nie ma na niej żadnej pozycji, która nadawałaby się do mediów tak dobrze jak *Ruth*. To zapis tego, przez co przeszła autorka, kiedy próbowała ratować swojego umierającego synka. *Ruth* może pojawić się w porannych wiadomościach, telewizji śniadaniowej i programach typu talk-show. A nie sądzę, żeby takie programy były stratą czasu.

Victoria parsknęła, jednak nie powiedziała nic więcej. Kiedy wsiadłam do metra i zobaczyłam, jak jeden z pracowników działu sprzedaży napoczyna batonik i otwiera pierwszą stronę *Intencji Ruth*, wiedziałam, że się nie pomyliłam.

Einstein

Rozdział siódmy

Nie przypuszczałem, że kiedykolwiek uwierzę w to, co się wydarzyło, nawet jeśli znów stanę się człowiekiem.

Przeszły mnie dreszcze i poczułem, jak jeży mi się sierść. Każda podwójna helisa w moim drżącym psim ciele znieruchomiała na wspomnienie Sandy'ego Portmana, leżącego bezwładnie w marznącym błocie i śniegu. Uparcie odpędzałem od siebie wszystkie czarne myśli. Nie ma mowy, żebym przeżył resztę życia jako pies. Takie rzeczy po prostu się nie zdarzają. No bo czy to możliwe, żeby mały Fido z mieszkania obok miał duszę mężczyzny? Albo mieszkający nieco dalej Rex? Czy naprawdę był urodzonym w Brooklynie oprychem? Nie, powiedziałem sobie. Prędzej czy później coś się wydarzy i puff... koszmar dobiegnie końca, a ja obudzę się w swoim ciele, we własnym łóżku, z żoną u boku, jako mężczyzna, który ma wszystko, o czym tylko zamarzy.

Kiedy minął pierwszy szok, postanowiłem odkryć dobre strony bycia psem. Przecież jako człowiek byłem niepoprawnym optymistą. Może i stałem się psem, ale nie zamierzałem tak o sobie myśleć. Traktowałem to jak wakacje, odpoczynek od bycia człowiekiem. Jak zimowy wypad do St. Barts albo wiosenny wypoczynek na południu Francji, tylko bardziej cuchnący. Problem tkwił jedynie w tym, że psy są zależne od ludzi. Nic dziwnego, że Lessie była taka oddana. Jaki miała wybór, jeśli nie chciała chodzić głodna?

Zważywszy na moją sytuację, musiałem polegać na Emily. Nietrudno sobie wyobrazić, że nigdy dotąd nie byłem od nikogo zależny. Ale zamiast się wściekać, postanowiłem traktować ją jak, powiedzmy, Julie ze *Statku miłości*, mojego oficera rozrywkowego.

Niezależnie od okoliczności bez trudu zmuszałem ją, by robiła dokładnie to, co chciałem. Kiedy nie smakowało mi jedzenie, nie jadłem. W końcu doprowadziłem do tego, że dzieliła się ze mną swoją kolacją. Kiedy chciałem, żeby podrapała mnie za uchem, trącałem nosem jej rękę. Jeśli miałem ochotę posłuchać Mozarta, podchodziłem do zmieniarki płyt i warczałem.

Jeśli nie robiła tego, co chciałem, spałem. A jeśli nie spałem, wygrzewałem się na słońcu. Ogólnie rzecz biorąc, ta przejściowa sytuacja nie była najgorsza. Przynajmniej dla mnie. Może moja żona miała na ten temat inne zdanie, ale to już był jej problem.

Coś dotknęło mojego boku i podniosłem głowę. Rozejrzałem się, jednak nikogo nie zauważyłem.

— Starcze? — warknąłem.

Nie doczekałem się odpowiedzi.

W sobotni poranek spotkało mnie miłe zaskoczenie. Przeszliśmy przez ulicę, kierując się do Central Parku. Mijaliśmy rzędy ławek, patrząc, jak miniaturowe tabliczki pamiątkowe skupiają na sobie promienie zimowego słońca.

Emily włożyła sweter i gruby ciepły szal, puchową kurtkę, rękawiczki z jednym palcem oraz czapkę. Prawie nie było jej widać, jednak jej oczy przywodziły na myśl wielkie niebieskie szafiry. Nawet tak opatulona była piękna, co — nie wiadomo dlaczego — bardzo mnie denerwowało.

Ale szliśmy do parku i postanowiłem sobie, że nie pozwolę, by jej uroda zepsuła mi humor.

Oplecione winoroślą powykręcane gałęzie tworzyły nad naszymi głowami sklepione przejście, za którym dostrzegłem grupę psów i ich właścicieli. Zacząłem kręcić nosem na tę drobnomieszczańską scenę, ale cóż... kiedy wejdziesz między wrony... Szarpnąłem smycz. Emily zawahała się i wzruszyła ramionami. Kiedy spuściła mnie ze smyczy, podszedłem dostojnym krokiem do zgromadzonej na polance psiej hołoty.

Natychmiast zrobił się wokół mnie szum. Wilgotne nosy obwąchiwały mnie w okolicach ogona, a pyski pchały się do oczu. Boże jedyny!

— Cofnijcie się — warknąłem.

Nic to nie dało.

Psy skomlały podekscytowane moim przybyciem. Cóż, może i byłem w ciele Einsteina, ale na swój sposób pozostałem sobą, Sandym Portmanem. Nic dziwnego, że podniosły wrzawę.

Radziłem sobie z tym zamieszaniem najlepiej jak umiałem, do czasu, aż zaczęła się do mnie przystawiać jakaś kochliwa pudliczka. Modelki, z którymi się spotykałem, były bardziej dyskretne od tej cholernej suki. Co więc miałem zrobić?

Odwróciłem się i na nią warknąłem.

Psy czmychnęły. Wszystkie z wyjątkiem pudliczki, która podeszła do mnie ukradkiem jak lubiąca ostre zabawy tania dziwka z kiepską trwałą i jeszcze gorszą fryzurą.

Grupa ludzi składała się z czterech kobiet i jednego wymizerowanego mężczyzny. W przeciwieństwie do mojej żony, pozostałe kobiety były ubrane zadziwiająco elegancko jak na poranny spacer z psem. Nie żeby mnie to interesowało. Interesowało mnie natomiast to, że mężczyzna miał wyrzutnię piłek dla psów i kiedy kobiety zaczęły rozmawiać, wrócił do zabawy ze swoim sznaucerem.

Hm. Uganianie się za piłką uwłaczało mojej godności, choć z drugiej strony korciło mnie, żeby to zrobić. Jednak wtedy wszyscy odwrócili się, żeby przywitać kolejnego mężczyznę i jego psa.

— Hej, Max — zagaił ten wychudzony.

Ten cały Max był wysoki i przystojny jak facet z reklamy Marlboro, tyle że w kożuchu. Emanował zmysłowym seksapilem, który sprawiał, że większość kobiet traciła głowę. Podczas gdy ja byłem przystojny, ten facet miał prymitywny urok. Nagle zrozumiałem, dlaczego wszystkie kobiety tak się wystroiły. Jedyną osobą, która nie zauważała nowego, była moja żona.

Widzicie, niełatwo zapomnieć o Sandym Portmanie.

Przystojniak od razu zwrócił na mnie uwagę. Przykucnął i podrapał mnie za uszami.

— Cześć, piesku — przywitał się ze mną.

Wbrew sobie zamknąłem oczy i poddałem się pieszczotom. Czułem, jak moja tylna łapa podryguje z rozkoszy.

— Bez obrazy — zaczęła jedna z kobiet — ale twój pies jest najbrzydszym stworzeniem, jakie w życiu widziałam.

Otworzyłem oczy i spojrzałem na nią. Miałem ochotę podbiec do niej i potargać jej markowe dżinsy. Dopiero po chwili spojrzałem na jej pupila, ujadającego, małego chihuahuę w różowym płaszczyku wysadzanym kryształami górskimi. Zerknąłem na Emily, która wzruszyła ramionami, jakby chciała powiedzieć: „Zamierzasz słuchać kobiety, która ubiera swojego psa? I ozdabia go kryształami?".

No tak. Zadarłem nos i stanąłem u boku żony.

Po chwili dołączył do nas Pan Marlboro.

— Długo jesteście razem? — spytał.

Emily zamrugała.

— Masz na myśli mnie i Einsteina?

— Nieczęsto się zdarza, żeby pies i człowiek tak doskonale się rozumieli. Większość z nas musi używać komend, takich jak „siad" albo „zostań".

Emily zaczerwieniła się, jakby dopiero teraz zrozumiała, że chodzi mu o naszą pozbawioną słów, ale jakże efektywną — i efektowną — reakcję na kobietę i jej chihuahuę.

— Nie przejmuj się, nikt inny nie zauważył. — Roześmiał się. — Jestem Max, a to Beau. — Mówiąc to, wskazał biegającego nieopodal golden retrievera. — To skrót od Beauregard.

Emily w ogóle nie zwracała na niego uwagi.

— Tak, no cóż — odezwała się w końcu. — Chodź, E. Czas wracać.

Zapięła smycz i ruszyliśmy w stronę domu.

— Jesteśmy tu codziennie! — zawołał za nami Max.

Emily nawet się nie obejrzała.

Kolejny dzień wyglądał tak samo, z tą różnicą, że nie poszliśmy na spacer i do wieczora nudziłem się jak mops. Niepokój, który udało mi się stłumić, znowu pokazał swoją paskudną gębę. Wakacje dobiegły końca.

— Niech to szlag! — szczeknąłem.

Znowu zacząłem się ślinić i wystawiać język.

— Niech ktoś wydostanie mnie z tego przeklętego ciała!

Jednak i tym razem nie doczekałem się odpowiedzi.

Leżąc na prowizorycznym łóżku, które przygotowała dla mnie Emily, uświadomiłem sobie, że traktując tę sytuację jak urlop w towarzystwie Julie ze *Statku miłości*, ani przez chwilę nie pomyślałem o tym, co stanie się potem.

Emily

Moja matka powtarzała, że jeśli nie potrafisz zdobyć przewagi, mężczyzna cię wykorzysta. Być może wierzyła w równe prawa, ale równe prawa nie dotyczyły i wciąż nie dotyczą mężczyzn, którzy powinni żyć w średniowieczu.

fragment książki *Córka mojej matki*

Rozdział ósmy

W poniedziałek rano wszystko się zmieniło.

Kiedy się obudziłam, serce waliło mi z niepokoju, jakby coś miało się wydarzyć. Chwilowy spokój, który osiągnęłam w pracy i życiu osobistym, zniknął, zupełnie jakbym nie potrafiła dłużej opierać się rozpaczy po stracie męża.

Gdzieś w środku miałam jednak przeczucie, że nie chodzi tylko o to.

Siłą woli zmusiłam się, by wstać z łóżka, i nie mogłam sobie przypomnieć, co powinnam zrobić. Miałam wrażenie, że straciłam kontrolę nad swoim życiem, i czułam paniczny strach. Ubrałam się i dopiero po chwili uświadomiłam sobie, że zapomniałam się wykąpać. Wzięłam smycz, zanim założyłam buty.

Zamknęłam oczy i spróbowałam zebrać myśli. Einstein. Jedzenie. Metro. Praca. W tej kolejności. Dam radę. Nie załamię się.

Kiedy weszłam do biura, kierowniczka działu sprzedaży zostawiała właśnie wiadomość na mojej automatycznej sekretarce. Prosiła, żebym przyszła do jej gabinetu. Nie miałam pojęcia, czy wieści, jakie ma mi do przekazania, będą dobre czy złe.

— Emily — powitała mnie — wejdź, proszę.

Mercy Gray była rozsądna, praktyczna i cholernie dobra w tym, co robiła. Bardzo ją lubiłam.

Nie marnowała czasu na czcze pogaduszki.

— *Intencje Ruth* to rewelacyjna książka — oznajmiła.

Słysząc to, wyprostowałam się.

— Jest tak dobra, że dziś rano przyszłam do pracy z postanowieniem, że zwiększymy zamówienie.

Czułam, jak kiełkuje we mnie nadzieja, a niepokój, który towarzyszył mi od rana, powoli opuszcza mój umysł.

— Ale po rozmowie z Nate'em okazało się, że wybrał już inną książkę. — Spojrzała mi w oczy. — Przykro mi. Chciałabym móc zrobić coś więcej, bo ta książka z pewnością na to zasługuje. Doceniam też trud, jaki włożyłaś w to, byśmy ją dostrzegli. Niestety mam związane ręce.

— Ale... czy nie możemy jej przesunąć?

— Pytałam. Nate powiedział, że to niemożliwe.

Nadzieja uleciała z wiatrem, a niepokój przybrał na sile, kiedy wróciłam do swojego pokoju, gdzie czekała na mnie Victoria.

— Słyszałaś? — pisnęła. — Moja książka, *Żona pastora*, ukaże się miesiąc wcześniej, jako literatura faktu napisana w konwencji beletrystyki!

Od razu wiedziałam, o którym miesiącu mowa. O tym, który miał należeć do *Ruth*. Nie zamierzałam strzępić sobie języka i tracić czasu na rozmowy z Victorią. Zamiast tego poszłam od razu do gabinetu Nate'a.

— W mediach powinno się mówić o *Intencjach Ruth* — zaczęłam bez zbędnych wstępów.

Tuż po mnie do gabinetu wpadła Victoria. Nate patrzył na mnie zakłopotany i bawił się długopisem.

— Uważasz, że *Ruth* nadaje się do mediów? — spytał w końcu dziwnie piskliwym głosem.

— Tak i dobrze o tym wiesz.

Wyglądał, jakby gabinet był ostatnim miejscem, w którym chciałby być.

— Prawdę mówiąc, nie wiem — bąknął. — Ale gdybyś zechciała poinformować mnie o tym nieco wcześniej, może mógłbym coś z tym zrobić. Niestety wybrałem już inną książkę.

— Książkę Victorii — wypaliłam.

Nate Clarkson zerwał się z fotela.

— Jak już mówiłem, gdybyś wspomniała coś o promocji *Ruth*, książka trafiłaby do mediów.

Po tych słowach wyszedł. Victoria posłała mi smutny uśmiech i wybiegła za nim.

Wróciłam do pokoju, żeby spakować swoje rzeczy. Nie mogłam oddychać i chciałam jak najszybciej wrócić do domu. Potrzebowałam snu. Pragnęłam przestać myśleć. Przed wyjściem włożyłam do koperty ostatni egzemplarz książki z dołączonym batonikiem i „listem od Ruth". Wysyłając przesyłkę, nie miałam nic do stracenia.

Zanim dotarłam do domu, wiatr się wzmógł, a niebo przybrało złowieszczą szarą barwę, grożąc kolejnymi opadami śniegu. Metro odjechało mi sprzed nosa. W następnym pociągu panował niebywały ścisk, a w powietrzu unosił się zapach spoconych ludzkich ciał i wilgotnej wełny. Kiedy wyszłam na schody przy Central Park West, zaczął padać deszcz ze śniegiem.

Poślizgnęłam się na oblodzonym chodniku i chwyciłam się ozdobnego ogrodzenia wyznaczającego granice Dakoty. Niepokój, który czułam przez cały dzień, jeszcze się zwiększył. Odetchnęłam z ulgą, widząc, że siedzący na portierni Johnny kieruje kuriera do wejścia dla personelu. Nie miałam ochoty się uśmiechać ani wymieniać uprzejmości. Obawiałam się, że jeśli otworzę usta, zacznę krzyczeć.

Jednak nie zdążyłam przejść pod portykiem, kiedy usłyszałam jego głos:

— Panienko Emily, ten pan ma dla pani list.

Zamrugałam i cofnęłam się instynktownie.

— Panienko Emily? — spytał Johnny wyraźnie zakłopotany.

— Ach, tak... — Otrząsnęłam się. — Tak, oczywiście. Już podpisuję.

Kurier podał mi długopis Bic i wyciągnął cienką szarą kopertę, opatrzoną nazwiskiem prawnika zajmującego się nieruchomościami rodziny Portmanów.

Schowałam ją do teczki i poprawiłam torbę na ramieniu, która nagle wydała mi się bardzo ciężka. Gwałtowny podmuch wiatru o mało nie wypchnął mnie z portyku, sprawiając, że zastukałam obcasami na granitowym bruku. Minęłam hol, konsjerża i przeszłam przez wewnętrzną bramę. Na wpół biegnąc, na wpół idąc, przecięłam dziedziniec. Przeskoczyłam kałużę marznącego błota i ruszyłam w stronę schodów prowadzących do windy w północno-wschodniej części kamienicy. Po drodze obcas wpadł mi w dziurę, potknęłam się i runęłam na ziemię.

Poczułam ból, jednak najgorsze było to, że zawartość mojej skórzanej teczki wysypała się na ziemię. Kartki zredagowanego maszynopisu, wirując, tańczyły na wietrze.

— Nie!

Nie podnosząc się z ziemi, próbowałam je pozbierać. Złapałam jedną, gubiąc kolejne dwie.

— Pozwoli pani, że pomogę.

Prawie nie zwróciłam uwagi na głos. Chwyciłam kolejną kartkę, mając w głowie chaotyczną mieszankę spełnienia i wściekłości, której nie byłam w stanie zrozumieć.

— Ostrożnie, bo narobi pani jeszcze większych szkód.

Wciąż nie mogłam skupić się na głosie. Biała kartka załopotała na wietrze, drukowane czarnym tuszem słowa, opatrzone rażącą czerwienią mojego komentarza: *Czy nie lepiej by było, gdyby Bess stłumiła smutek, zamiast mu się poddawać?* Ironia tego zdania sprawiła, że jęknęłam.

Poczułam, że czyjeś silne ręce chwytają mnie za ramiona, jeszcze zanim go zobaczyłam. Dźwignął mnie z ziemi i postawił na nogi, jakbym była małą dziewczynką, która przewróciła się na placu zabaw. Dopiero po chwili odwróciłam się, żeby na niego spojrzeć. Miał twarz o wyrazistych, grubych rysach, ciemne oczy i uśmiechające się przyjaźnie szerokie, pełne usta. Ciemne, trochę za długie włosy zaczesał do tyłu.

— Ciężki dzień? — spytał.

Jego twarz wydała mi się znajoma.

— Jestem Max. Z parku.

Był wysoki i przystojny. Miał szerokie ramiona, na których widok poczułam się bardzo mała. Już na pierwszy rzut oka widać było, że pod dżinsami i ciężkim płaszczem kryje się ktoś silny i zdyscyplinowany. Nietrudno było zauważyć, że czuje się dobrze we własnej skórze i ma pewność siebie charakterystyczną dla ludzi, którzy wierzą, że poradzą sobie z każdym problemem.

Dziwne, że znając go tak krótko, potrafiłam tak dużo o nim powiedzieć. Może dlatego, że ostatnio byłam zupełnym przeciwieństwem wszystkiego tego, co uosabiał. Co więcej, wiedziałam, że jest młody, młodszy ode mnie. Miał dwadzieścia siedem, dwadzieścia osiem lat.

Pamiętałam go z parku, jednak przypomniałam sobie, że spotkałam go już wcześniej. Mieszkał albo pracował w mojej kamienicy, ale nie potrafiłam powiedzieć, gdzie dokładnie go widziałam. Wydawał się za młody na kogoś, kogo stać na mieszkanie w Dakocie, i zbyt dorosły, by mieszkać tu z rodzicami.

Zebraliśmy tyle kartek, ile zdołaliśmy, zanim zauważyłam, że ręce mam ubrudzone krwią.

— Chodź, umyjemy cię — powiedział.

— Nic mi nie jest. Naprawdę — odparłam łamiącym się głosem.

Miałam obtarte dłonie i wzdrygnęłam się, zaciskając palce na ocalałych kartkach.

— To zajmie chwilę.

— Ale...

Nie pozwolił mi dokończyć i pociągnął mnie w stronę windy w północno-wschodniej części kamienicy — tej, którą zwykle jeździłam. Z początku myślałam, że jedziemy do mojego mieszkania, jednak kiedy wysiedliśmy z windy, okazało się, że nie.

Mój towarzysz zatrzymał się przed drzwiami na drugim końcu korytarza.

— Panie przodem — rzekł, otwierając drzwi.

W holu czekał na nas golden retriever, dysząc z radości.

— Hej, Beau — rzucił Max.

Nie miałam ochoty tam wchodzić. Nie wiedziałam, kim jest ten facet. Odkąd mieszkałam w Dakocie, nie spotkałam żadnego z sąsiadów. Coś takiego jest możliwe tylko w nowojorskim apartamentowcu, który strzeże prywatności swoich mieszkańców. Facet mógł być psychopatycznym mordercą, choć w tamtej chwili wszystko wydawało mi się lepsze od konfrontacji z listem, który wypalał dziurę w mojej teczce.

Myśl o nim sprawiła, że zakręciło mi się w głowie i instynktownie zamknęłam oczy.

— Ostrożnie. — Max delikatnie wziął mnie pod rękę.

Zostawił moje rzeczy w holu i poprowadził mnie długim korytarzem. Kiedy znów mogłam jasno myśleć, zaczęłam nerwowo rozglądać się po mieszkaniu, nie wiedząc, dokąd właściwie idziemy. Po chwili znałam odpowiedź. Weszliśmy do uroczej przestronnej kuchni, pełnej światła, białych płytek i nierdzewnej stali. Max zaprowadził mnie do głębokiego zlewu i odkręcił wodę.

— Niepotrzebnie robię ci kłopot. Mogę się umyć u siebie.

Zachowywał się tak, jakby w ogóle mnie nie słuchał. Włożyłam ręce pod strumień letniej wody i wzdrygnęłam się.

— Takie zadrapania pieką jak diabli — powiedział, również się krzywiąc.

Cofnęłam ręce.

— To powinno wystarczyć. Już są czyste. Nic mi nie będzie. Z pewnością nie umrę.

— Przemyj je jeszcze. I użyj mydła — poinstruował mnie z uśmiechem i zajrzał do spiżarni.

Skończyłam myć ręce, kiedy wrócił z butelką spirytusu. Kazał mi wyciągnąć ręce i wylał na nie zawartość buteleczki.

Znowu się wzdrygnęłam, ale — na szczęście — nie krzyknęłam.

— Jesteś twardsza, niż się wydajesz — skomentował z uśmiechem.

— Wolę chwytać byka za rogi niż łykać tabletki przeciwbólowe — zażartowałam.

— Jestem pod wrażeniem. Ja wolę sobie popłakać.

Roześmiałam się, choć mój śmiech bardziej przypominał bolesny jęk. Jedno spojrzenie wystarczyło, by człowiek zaczął wątpić, czy ktoś taki jak Max w ogóle kiedykolwiek płakał.

— Kłamca — zripostowałam, choć skupiałam się wyłącznie na tym, że znów mogę swobodnie oddychać.

Poczułam ulgę, jakby wiszące nad moją głową czarne chmury się rozproszyły. Kiedy prowadził mnie do krzesła przy kuchennym stole, nie protestowałam. Posłuchałam go również, gdy ujął w dłonie moją prawą rękę i obejrzał zadrapania.

— Jutro, kiedy adrenalina przestanie działać, będzie cię piekło jak diabli.

— Jesteś lekarzem?

— Nie. Ale w swoim życiu oczyściłem kilka ran.

Nie miałam pojęcia, kim jest ani czym się zajmuje. A jednak siedziałam przy jego stole. Od czasu do czasu w mojej głowie pojawiała się myśl, że może być niebezpiecznym mordercą. On jednak wyjął z szuflady pudełko bandaży.

— To najgorsze powinniśmy opatrzyć. — Przykleił plaster w miejscu, gdzie zadrapanie było najgłębsze.

Zmieszana podniosłam głowę.

— Hello Kitty? — spytałam.

Roześmiał się nerwowo.

— Mamy tylko dwa rodzaje plastrów z opatrunkiem. Hello Kitty i Power Rangers.

— Masz dzieci?

Przez chwilę wydawał się zaskoczony.

— Ja nie.

Nagle usłyszałam szczęk otwieranych drzwi i tupot stóp.

— Wujku Maksie! Wujku Maksie! Gdzie jesteś?

Do kuchni wpadła trójka dzieci, które być może widziałam już wcześniej na podwórzu. Były słodkie, dobrze ubrane i zadziwiająco podobne do swojego wujka. Na mój widok stanęły jak wryte.

— Cześć, łobuziaki — powitał je Max. — Mamy tu damę w potrzebie.

Zdumione dzieciaki podeszły nieco bliżej. Dwaj chłopcy — prawdopodobnie bliźniacy — z ciekawością zerkali na moje ręce, podczas gdy dziewczynka obdarzyła mnie złośliwym spojrzeniem. Przypominała mi Victorię.

— Mieszkasz obok — zaczęła oskarżycielsko.

Tuż za dziećmi do kuchni weszła opiekunka. Wyglądała na cudzoziemkę i niosła dziecięce plecaki, które schowała we wnęce.

— Dzień dobry, proszę pana — odezwała się. — Przez całą drogę opowiadały o waszej wycieczce do muzeum.

— Taaak! — pisnęły zgodnie dzieci.

— Muzeum Historii Naturalnej — wyjaśnił Max, wzruszając ramionami.

— Zobaczymy dinozaury — dodał jeden z chłopców.

Dziewczynka rzuciła mi gniewne spojrzenie.

— Ty nie idziesz, prawda?

— Katie — skarcił ją Max. Głos miał przyjazny, ale surowy. — Bądź miła.

Słysząc to, mała naburmuszyła się i wydęła wargi.

— Nie powinno mnie tu być — bąknęłam, wstając od stołu. — Mój mąż...

Nie dokończyłam. Co zamierzałam powiedzieć? Że mojemu mężowi nie spodobałoby się to, że siedzę w mieszkaniu obok z obcym facetem?

— Dzięki za pomoc — dodałam, cofając się w stronę korytarza. Wróciłam do holu i w pośpiechu zaczęłam zbierać swoje rzeczy.

Kiedy się wyprostowałam, Max stał w drzwiach. Nie uśmiechał się.

— Przykro mi z powodu tego, co się stało. Długo mnie tu nie było, ale siostra powiedziała mi o twoim mężu.

Jak przez mgłę przypomniałam sobie kartkę z kondolencjami od sąsiadki i zrobiło mi się wstyd, że kiedy się wprowadziła, nie przyszłam się przywitać.

— Już wcześniej powinienem był coś powiedzieć — dodał.

Wydawał się szczerze zatroskany.

— Tak, dziękuję — zdołałam wykrztusić.

Stojąc przed drzwiami do mojego mieszkania, szarpałam się z zamkiem, aż w końcu udało mi się wejść. Einstein czekał na mnie w przedpokoju. Przez chwilę węszył w powietrzu aksamitnym czarnym nosem, po czym wyszczerzył zęby.

Rozdział dziewiąty

— Nie patrz tak na mnie — prychnęłam.

W odpowiedzi usłyszałam niskie, gardłowe warczenie.

Ignorując Einsteina i prawie zapominając o facecie z sąsiedztwa, drżącymi rękami otworzyłam list. Portmanowie żądali spotkania w sprawie nieruchomości przy Zachodniej Siedemdziesiątej Drugiej jeden.

Zmięłam list, zgięłam się wpół i oparłam pięści na kolanach.

— Sandy obiecał mi to mieszkanie — szepnęłam.

Einstein przekrzywił głowę.

— Tak było.

Pies parsknął i zniknął w pokoju.

Nietrudno było zrozumieć moje przywiązanie do tego mieszkania i pragnienie posiadania miejsca, w którym czułabym się jak w domu. Nie mogłam jednak powiedzieć, że muszę tu zostać, bo dręczy mnie przeczucie, że lada chwila drzwi do mieszkania się otworzą i stanie w nich mój mąż. „Kochanie, jestem w domu!" — krzyknie od progu. Muszę tylko tu być. Muszę być cierpliwa... a to oznaczało, że muszę udowodnić Portmanom, że Sandy obiecał mi to mieszkanie.

— W porządku — powiedziałam do siebie — dasz radę.

Już wcześniej przeszukałam biurko Sandy'ego w bibliotece i nocną szafkę po jego stronie łóżka, nie znalazłam jednak żadnych dokumentów związanych z mieszkaniem. Ostatnim miejscem, w którym mogłam cokolwiek znaleźć, był apartament na górze. Do tej pory unikałam go jak ognia, ponieważ przypominął mi, dlaczego nie miałam wstępu do prywatnej przestrzeni mojego męża.

Korytarze na ósmym piętrze były mniej kręte niż te na niższych poziomach, ponieważ kiedyś mieściły się tam pomieszczenia gospodarcze. Apartament Sandy'ego składał się z czterech małych pokoi na poddaszu: przytulnego gabinetu, saloniku, biblioteki, a także łazienki i małej kuchni, które od lat czekały na remont.

Einstein wszedł za mną po schodach, jednak zatrzymał się w progu, jakby czekał, co zrobię. Przez chwilę stałam na środku pokoju, spoglądając na wiszący na oparciu krzesła kaszmirowy sweter i stojącą na parapecie szklankę wody, które jeszcze bardziej potęgowały moje przeczucie, że Sandy wyskoczył gdzieś na chwilę i zaraz wróci.

On wróci, pomyślałam, kryjąc twarz w miękkim kaszmirze.

Łzy napłynęły mi do oczu i mało brakowało, a wróciłabym na dół, lecz list od prawnika zmusił mnie, bym została.

Wzięłam się w garść i przeszukałam biurko Sandy'ego i wszystkie tajemnicze zakamarki, w których mógł ukryć testament albo odręczne notatki, jakikolwiek dowód na to, że zamierzał przenieść na mnie prawo własności mieszkania. Zapomniałam o Einsteinie, o porządku, organizacji i ciągu starannie zaplanowanych czynności, dzięki którym jakoś się trzymałam. Coś się we mnie obudziło, jakaś mroczna siła, która sprawiła, że jedną po drugiej otwierałam szafki, szuflady i pudełka. Ale niczego nie znalazłam.

— A niech to — sapnęłam poirytowana. Einstein zaskomlał i czmychnął w bok, kiedy oparty o ścianę obraz przewrócił się z hukiem.

Nie byłam przygotowana na to, co za nim znalazłam.

Niektórzy ludzie mówią o linii na piasku, granicy między „przed" i „po". Do tej pory myślałam, że nic w życiu nie jest wyraźne i jednoznaczne. Teraz nie jestem tego taka pewna.

Oboje z Einsteinem patrzyliśmy na stos eleganckich zeszytów oprawionych w niebieską skórę, które ktoś starannie ukrył za obrazem. Kiedy sięgnęłam po pierwszy z nich, Einstein warknął ostrzegawczo. Gdy musnęłam palcami złote zdobienia na krawędziach i grzbiecie skórzanej okładki, zaszczekał, a gdy zaczęłam czytać, kłapnął zębami.

Odsunęłam się od niego i usiadłam na wytartym dywanie. Strona po stronie zagłębiałam się w pamiętnikach mojego męża, od czasu do czasu urozmaiconych zdjęciami człowieka, którego nie znałam. Sandy pisał o swoich marzeniach, rzeczach, których próbował dokonać w życiu, łącznie z pomysłem, żeby wziąć udział w Maratonie Nowojorskim.

Wprawdzie opowiedział mi o wypadku na nartach, w którego wyniku miał pogruchotaną nogę, jednak nie mogłam oprzeć się wrażeniu, że tamtego feralnego dnia stracił coś więcej, bezpowrotnie utracił jakąś część siebie. Czytając szczegóły, jak zamierzał przebiec maraton, odległości, jakie miał do pokonania każdego dnia, opisy ćwiczeń siłowych i tego, co musiał jeść, żeby rozwinąć mięśnie, zrozumiałam, jak potworna była to dla niego strata.

Nie mogłam uwierzyć, że autor pamiętników, który tak dramatycznie pisał o tym, co bezpowrotnie stracił, był tym samym imponującym mężczyzną, którego poślubiłam. Czy to możliwe, że ten jeden wyścig tak wiele dla niego znaczył? A może chodziło o więcej niż jedno utracone marzenie? Jeśli tak, skąd mogłam o tym wiedzieć?

Niepokój, który czułam tuż po przebudzeniu, powrócił i narastał, w miarę jak Einstein krążył nerwowo po mieszkaniu. Ogarnęło mnie złe przeczucie, piekły mnie oczy i czułam w piersi bolesny ucisk. Kiedy sięgnęłam po ostatni zeszyt, Einstein podbiegł do mnie i próbował nosem wytrącić mi go z ręki. Odepchnęłam go, zerknęłam na pierwszą stronę i poczułam, jak krew uderza mi do głowy.

Była wysoka. Namiętna. Seks z nią był niesamowity.

Nie pisał o nas.

Usłyszałam stłumiony jęk, zanim zdałam sobie sprawę, że to mój głos. Chciałam zamknąć pamiętnik i wyjść z mieszkania. Wstać i wyrzucić zeszyty. Co mi to da, jeśli przeczytam je teraz?

Odwróciłam kolejną kartkę.

W pierwszym roku naszego małżeństwa nie pojawiały się żadne kobiety, w drugim też nie. Wszystko zmieniło się kilka miesięcy po drugiej rocznicy ślubu.

Einstein nie przestawał warczeć. Zignorowałam go, czując, że jeśli się ruszę, zwymiotuję.

Nie bolało mnie to, że mój mąż pisał o prawdziwych kobietach.

97

Chodziło o to, jak o nich pisał. O pożądanie. Tęsknotę. Jako redaktorka rozpoznałam moment, w którym jego pamiętniki ożyły. Na długo przed pojawieniem się kobiet wpisy zdawały się nijakie, podszyte frustracją. Myśli o tych kobietach zajmowały go bez reszty, a opisy seksualnych ekscesów, spisane prostym językiem, paliły moją skórę żywym ogniem. Jednak gorsza od zażenowania okazała się złość tak wielka, że na chwilę zapomniałam o tłumionym smutku.

— Drań — syknęłam, z trudem łapiąc oddech. Cisnęłam dziennik, o mało nie trafiając Einsteina, który w ostatniej chwili umknął w bok.

— Okłamałeś mnie!

Krzycząc w zaciśnięte pięści, zadrżałam, a potem wzięłam jeden z pamiętników i zaczęłam wściekle wyrywać kartki, szarpiąc skórzaną okładkę, bezczeszcząc czyjeś słowa i wszystko, co tak dużo dla mnie znaczyło.

— Niech cię szlag! — krzyknęłam.

Niszczyłam i przeklinałam, zasypując pokój kartkami, które spadały na podłogę niczym konfetti podczas parady. Z tą różnicą, że — bez względu na to, jak bardzo się starał — Sandy nie był bohaterem ani dla siebie, ani tym bardziej dla mnie. Myśl o tym sprawiła, że moja wściekłość zmieniła się w coś innego.

Skuliłam się na podłodze, tuląc policzek do zniszczonego wełnianego dywanu.

— Wierzyłam w ciebie — szepnęłam. — Wierzyłam w nas.

Wodziłam dokoła niewidzącym wzrokiem. Szok i niedowierzanie, które mi towarzyszyły, odkąd dowiedziałam się o śmierci Sandy'ego, wreszcie minęły. Znalezienie pamiętników zmusiło mnie, bym spojrzała prawdzie w oczy: mój mąż nie żyje. Nigdy więcej nie stanie w drzwiach naszego mieszkania. Jednak prawda była taka, że nie chodziło tylko o śmierć Sandy'ego. Jego myśli spisane na kartkach pamiętników sprawiły, że pomyślałam wreszcie o tym, o czym dawno już wiedziałam i przed czym tak uparcie się broniłam: nasz związek zaczął się rozpadać na długo przed tym, zanim doszło do wypadku.

Jak to możliwe, że nie chciałam się z tym pogodzić? Jak ja, Emily Barlow, mogłam unikać prawdy, którą znałam od tak dawna?

Teraz i tak nie miało to znaczenia. Najgorsza była świadomość, że skoro Sandy odszedł i nigdy nie wróci, nie będę miała szansy niczego naprawić.

Może byłam głupia, może moje życie było zaprzeczeniem wszystkich wartości, którym hołdowała moja matka, ale na długo przed śmiercią Sandy'ego nie potrafiłam wymazać z pamięci obrazu człowieka, który kochał się ze mną tak, jakby się bał, że zniknę, gdy tylko otworzy oczy. Takiego mężczyznę pokochałam i nie mogłam pogodzić się z jego odejściem.

Nawet przed jego śmiercią.

Einstein

Rozdział dziesiąty

Żeby wszystko było jasne: to nie moja wina, że Emily Barlow, wojowniczka o złotym sercu, w końcu się załamała.

A nawet jeśli przyłożyłem rękę do tego, że zanosząc się od płaczu, leżała na perskim dywanie w moim prywatnym gabinecie, to zrzucanie całej winy na mnie jest płytkie, żeby nie powiedzieć niesprawiedliwe.

Otrząsnąłem się, poirytowany, podzwaniając identyfikatorami. Emily nie zwracała na mnie uwagi. Ostrożnie przeszedłem między pamiętnikami i strzępami papieru, żeby lepiej przyjrzeć się mojej żonie, która leżała skulona na podłodze. Żyła, tego byłem pewny, ale musiałem przyznać, że nie wyglądało to dobrze.

— Starcze!

Nie oczekiwałem, że się pojawi, więc gdy przeszył mnie prąd, a starzec zmaterializował się w pokoju, szczeknąłem zaskoczony.

— Jezu Chryste — jęknąłem, chociaż nie byłem katolikiem. — Śmiertelnie mnie wystraszyłeś.

Starzec parsknął. Właśnie tak: parsknął.

Jego długawe siwe włosy wyglądały tak samo, jednak tym razem miał na sobie kolczugę z cienkich metalowych kółek, śnieżnobiałą koszulę z postawionym kołnierzem i spodnie z miękkiej koźlej skóry. Zmierzyłem go spojrzeniem do stóp do głów i również parsknąłem. Nie jestem pewny, ale miałem wrażenie, że się zaczerwienił.

Mrucząc coś pod nosem, ukłęknął na podłodze, żeby przyjrzeć się Emily. Moja żona drgnęła i otworzyła oczy, ale go nie widziała.

— Jest załamana — orzekł.

— Żeby było jasne, to nie moja wina.

— To ty tak twierdzisz.

Moje małe ciało zadrżało, kiedy fuknąłem ze złością:

— Niegrzecznie jest czytać w cudzych myślach.

— Potraktuj to jako minus tej pracy.

Hm.

— A skoro już o tym mowa, czym właściwie się zajmujesz?

— Powiedzmy, że... selekcjonuję rannych.

— Ciekawe. Zakładam, że uważasz, iż warto mnie ocalić. Ale czy koniecznie jako psa?

— Jako człowiek byłeś psem na baby i pieniądze, więc pomyślałem, że dobrze by było odwrócić sytuację.

Byłem oburzony. I, prawdę powiedziawszy, trochę urażony. Znałem mnóstwo ludzi o wiele bardziej samolubnych. Codziennie miałem z nimi do czynienia i z tego, co wiedziałem, żaden z nich nie skończył jako pies.

— Posłuchaj, dostałem nauczkę. Byłem psem w ciele człowieka i człowiekiem w ciele psa. Iście poetycka sprawiedliwość. Zrozumiałem. A teraz pozwól mi wrócić do mojego ciała.

Starzec nie tylko nie odpowiedział — po prostu zniknął.

— Hej! — zawołałem.

Po chwili usłyszałem coś w kuchni.

Pognałem schodami na dół i zobaczyłem, że starzec pichci obiad.

— Cudownie. Umieram z głodu.

Spojrzał na mnie gniewnie.

— To nie dla ciebie. To dla Emily. Martwię się o nią.

Gdybym był człowiekiem, rozdziawiłbym usta ze zdumienia.

— Troszczysz się o Emily, kiedy to ja ganiam po świecie jako nieumarły, a do tego pies? Pies, który o mały włos nie został uśpiony.

Bąknął pod nosem coś, co zabrzmiało jak przekleństwo.

— Teraz nie mam już wątpliwości — odparł. — Zdecydowanie cię nie doceniałem. Do głowy by mi nie przyszło, że znajdziesz sposób, żeby zepsuć adopcję. Mogłeś udowodnić, jak bardzo jesteś szlachetny, pomagając tamtej rodzinie. Ale nie, ty musiałeś wyszczerzyć kły i rzucić się na małą dziewczynkę.

— To był twój pomysł?

— Oczywiście, że tak.

Zakręciło mi się w głowie.

— Skoro więc miałeś inny plan, jak to się stało, że Emily wzięła mnie do domu?

Zawahał się. Wyglądał, jakby miał ochotę wrzucić coś na ząb.

— Naprawdę nie wiem. Kiedy sytuacja wymknęła się spod kontroli, zacząłem kombinować, jak wyciągnąć cię z tego bagna. Zamierzałem interweniować, ale wtedy pojawiła się ona. Ocaliła ci skórę. Prawdę mówiąc, ocaliła skórę nam obu. — Westchnął marzycielsko, a jego bladoszare oczy błysnęły niczym klejnoty. — To zadziwiające, jak toczą się sprawy, bez względu na to, co zaplanuję. Przecież to Emily potrzebuje pomocy. Powinienem był się domyślić. A jak inaczej udowodnić, że jest się coś wartym, jeśli nie pomagając kobiecie, którą się skrzywdziło?

Jego słowa wywołały we mnie jakieś dziwne, nieprzyjemne uczucie. A ponieważ za życia nie przywiązywałem wagi do uczuć, tym razem również postanowiłem je zignorować.

— W porządku, tylko spraw, żebym wrócił do swojego ciała. Wtedy wszystkim się zajmę.

— Alexandrze, sam zawarłeś tę umowę. Zanim cokolwiek się wydarzy, musisz pomóc Emily i udowodnić, że nie jesteś aż tak samolubny. Nie mówiąc o tym, że dzięki temu pokażesz, ile naprawdę jesteś wart. Nawet gdybym chciał, nie mogę niczego zmienić. Ty musisz doprowadzić to do końca.

Napiąłem mięśnie, czułem, jak moje ciało drży z wściekłości.

— A jeśli tego nie zrobię?

Starzec zmrużył oczy i zacisnął usta, nerwowo szarpiąc brzeg kolczugi.

— Wtedy odejdziesz w zapomnienie. Znikniesz. Oto, co cię czeka.

Byłem oburzony i zły. Zamierzałem mu o tym powiedzieć, ale nagle przechylił głowę, jakby coś usłyszał.

— Wstała. — Spojrzał na jedzenie i najwyraźniej się rozmyślił, bo potrawy zniknęły. — Czas wziąć się do pracy, Alexandrze.

Zniknął, zanim zdążyłem o cokolwiek zapytać. Zaraz potem usłyszałem jakiś hałas.

Emily

Moja matka nie wierzyła w nic, czego nie mogłaby zobaczyć, dotknąć, spróbować czy powąchać. Polegała tylko na pięciu wymiernych zmysłach. Kiedy byłam mała, czytała mi do snu, jak każda dobra matka, tyle że nie były to bajki, a rzeczy typu *Koniec z Miss Ameryki!* czy *Zbrodnie sprzątania*. Nienawidziła baśni i nie wierzyła w magię. Zastanawiam się, czy kiedykolwiek pomyślała o tym, na jaką kobietę wyrośnie dziewczynka, której matka tak uparcie nie chce wierzyć w cuda.

fragment książki *Córka mojej matki*

Rozdział jedenasty

Obudziłam się z otępienia otoczona dowodami na to, że nie miałam pojęcia, kim naprawdę był mój mąż. Wstałam, słaniając się, i poślizgnęłam się na błyszczących fotografiach Sandy'ego w Paryżu, Sandy'ego z rodzicami i Sandy'ego w towarzystwie rozmaitych kobiet. Byłam wściekła i zrozpaczona. Idąc w stronę drzwi, wpadałam na meble. Nie mogłam oddychać. Nie mogłam płakać. Musiałam wyjść. Nic innego nie przychodziło mi do głowy.

U podnóża schodów czekał na mnie Einstein. Patrzył zalęknionym wzrokiem, gdy schodząc, potknęłam się i o mało nie spadłam ze schodów.

— Au — szepnęłam, próbując powstrzymać łzy.

Wybiegłam frontowymi drzwiami. Nie miałam pojęcia, dokąd idę, nie wzięłam torebki ani płaszcza. Czułam, że ogarnia mnie histeria.

Wcisnęłam przycisk windy. Oddech miałam płytki, urywany.

— Pospiesz się — błagałam szeptem, raz za razem naciskając guzik. Jeśli stąd wyjdę, powtarzałam sobie, wszystko będzie dobrze.

Jednak kiedy drzwi windy otworzyły się z cichym mlaśnięciem, zobaczyłam jednego z członków zarządu kamienicy — który uwielbiał Sandy'ego, za to mnie traktował z zimną wyższością — prowadzącego ożywioną rozmowę z prawnikiem mojego nieżyjącego męża.

W mojej głowie zapanował chaos. Nie mogłam pozwolić, by mnie zobaczyli. Nie w takim stanie. Jednak nogi odmówiły mi posłuszeństwa. Wtedy go dostrzegłam.

— Co jest, do chole...

Max urwał, wyskoczył z windy i chwycił mnie za ramię. Prawnik i członek zarządu nie przerywali rozmowy, podczas gdy on na wpół zawlókł, na wpół zaniósł mnie wąskimi schodami na kolejne piętro.

Otumaniona, pozwoliłam, by zaprowadził mnie, dokąd chciał. Na ósmym piętrze wziął mnie pod ramię. Zauważyłam, że ma duże, silne dłonie i przypomniałam sobie, jak opatrywał mi rozciętą rękę. Z szalejącego w mojej głowie chaosu wyłoniła się jedna jedyna myśl: jestem bezpieczna.

Zatrzymaliśmy się przed drzwiami pomieszczenia gospodarczego, w którym kiedyś mieszkała służba. Max wyjął z kieszeni ciężki od kluczy karabinek i wprowadził mnie do środka. Nie patrzył na mnie, dopóki nie zamknął drzwi.

— Wszystko w porządku? — spytał.

Co miałam powiedzieć? Nie, nic nie jest w porządku? Nie, już nic nigdy nie będzie w porządku?

— Co tam się stało? — naciskał, wyraźnie zmartwiony.

Próbowałam oczyścić umysł, oczy piekły mnie z wysiłku.

— Kiedy przyjechała winda i drzwi się otworzyły — ciągnął — wyglądałaś, jakbyś... straciła rozum.

Musiałam się zachwiać, bo mnie podtrzymał.

— A gdy zobaczyłaś, jak ten świrnięty członek zarządu wkurza się na tamtego kolesia, miałem wrażenie, że upadniesz.

— Więc postanowiłeś działać — szepnęłam.

Wzruszył ramionami.

— Uznałem, że nie powinni widzieć cię w takim stanie.

Jego uprzejmość i siła sprawiły, że ścisnęło mnie w gardle. Najwyraźniej miałam przed sobą człowieka, który codziennie bierze sprawy w swoje ręce, szybko podejmuje decyzje i zapobiega tragediom.

— Hej — powiedział łagodnie.

Ukryłam twarz w dłoniach.

— Cokolwiek to jest, poradzisz sobie z tym.

— Nie możesz tego wiedzieć.

— Zaufaj mi, wiem wszystko o wpadaniu w gówno i wychodzeniu z niego.

Zerknęłam na niego oczami mokrymi do łez.

— Ile masz lat?

110

— Czy to ważne?

— Nie. — Ale nie wiadomo dlaczego, czułam, że ma to znaczenie.

— Dwadzieścia siedem.

Pięć lat młodszy ode mnie. Ktoś mógłby zapytać, co złego może przydarzyć się przystojnemu dwudziestosiedmiolatkowi, który ma siostrę z trójką uroczych dzieci i mieszka w ogromnym apartamencie w nowojorskiej Dakocie. Jednak coś w jego ciemnych oczach kazało mi wierzyć, że widział w życiu więcej, niż chciał czy powinien.

— Zaparzę herbatę — zaproponował, prowadząc mnie do krzesła w malutkiej kuchni, podobnej do tej w mieszkaniu Sandy'ego.

Podciągnęłam kolana pod brodę i objęłam je ramionami.

— Tu mieszkasz? — spytałam, próbując zająć czymś umysł.

Spojrzał na mnie z krzywym uśmiechem i odwiesił płaszcz. Przeczesał włosy palcami i wzruszył ramionami. Przedramiona miał silne, umięśnione.

— Chwilowo.

Już wcześniej zauważyłam, że jest wysoki, jednak dopiero teraz rzuciły mi się w oczy jego szerokie ramiona sportowca — nie kulturysty — oraz wąska talia i biodra. Patrząc na niego, znów pomyślałam, że jest człowiekiem, który zawsze nad wszystkim panuje, i miałam dziwne przeczucie, że może wszystko.

Gdy przeczytałam pamiętniki Sandy'ego, przyszło mi do głowy, że Max reprezentuje wszystko to, czego tak bardzo pragnął mój mąż.

Była to przerażająca myśl i czym prędzej wyrzuciłam ją z głowy.

Patrzyłam, jak Max przygotowuje herbatę, zaskoczona staromodnym czajniczkiem i kruchą porcelaną, którą wyjął z niewielkiej szafki.

Kiedy zauważył, że mu się przyglądam, uśmiechnął się krzywo.

— Filiżanki należą do mojej siostry. Mieszkanie również. To znaczy ten wielki apartament obok ciebie należy do niej. Chciała, żebym zamieszkał z nią, jej mężem i dzieciakami. Ale — wzruszył ramionami — kiedy przekonali mnie, żebym na rok przeprowadził się do Nowego Jorku, powiedziałem, że nie mogę mieszkać z nimi jak młodszy braciszek. Zacząłem rozglądać się za mieszkaniem, ale Melanie naskoczyła na mnie, że niby po co przyjechałem tu na rok, skoro mam zamiar zamieszkać gdzieś na drugim końcu miasta.

— Więc poszedłeś na kompromis i postanowiłeś zamieszkać tu, na górze?

Zachichotał.

— Niezły kompromis. Niesamowity apartament w Dakocie z widokiem na Central Park.

Chciałam się uśmiechnąć, jednak myśl, że oto mam przed sobą człowieka, którego rodzina chciała mieć jak najbliżej siebie, sprawiła, że ścisnęło mnie w żołądku. Wiedziałam, że użalam się nad sobą, i próbowałam przestać, jednak nie mogłam pogodzić się z tym, jak dużo straciłam. Dom. Męża. Wiarę w nasze małżeństwo. Wiarę w to, że byłam kochana.

— Hej. — Max postawił przede mną filiżankę herbaty, która w jego dłoni wydawała się jeszcze bardziej delikatna.

Bez słowa usiadł obok mnie przy kuchennym stole, a ja skupiłam się na herbacie i sięgnęłam po spodeczek.

— Jesteś rycerzem w lśniącej zbroi. Najpierw uratowałeś mnie, kiedy upadłam na podwórzu, a teraz ta sytuacja z windą.

— Tak, to cały ja — rzekł kpiąco. — Zawsze rycerski. Szkoda tylko, że nigdy nie poznałem tajemnego pozdrowienia rycerskiej braci i — rozejrzał się po zaniedbanym mieszkaniu — unikałem zajęć, na których uczyli, jak utrzymywać porządek w komnacie. — Pochylił się do przodu, oparł ręce na kolanach i się uśmiechnął. — Tylko nikomu nie mów. Nie chciałbym stracić rycerskiej odznaki.

Poczułam, że drżą mi usta; jakaś część mnie chciała się uśmiechnąć, jednak to było ponad moje siły i uśmiech zmienił się w grymas. Piekły mnie oczy i czułam, że tracę nad sobą kontrolę, o którą tak walczyłam od śmierci Sandy'ego. Odwróciłam wzrok.

— Hej — szepnął Max, dotykając mojej twarzy i odwracając ja ku sobie. — To był żart. Żarty mają rozśmieszać, nie doprowadzać do płaczu. Widzisz, chyba jednak będę musiał zwrócić odznakę.

Jego uprzejmość, poczucie humoru i troska — nie mogłam ich znieść. Pękłam jak tama, a łzy, które powstrzymywałam przez ostatnie dwa miesiące, płynęły strumieniami po moich policzkach.

— A niech to — jęknął.

Wstałam z krzesła. Chciałam wyjść, ale po raz kolejny nogi odmówiły mi posłuszeństwa i się zachwiałam. Nie mogłam wydusić słowa. Żadnego „przepraszam" ani „dziękuję". Nie byłam nawet w stanie powiedzieć, że wychodzę. Zanim nacisnęłam klamkę, Max chwycił mnie za rękę i przyciągnął do siebie. Ramiona miał silne, ale delikatne. Po moich policzkach wciąż płynęły łzy, ciężkie i brzydkie, dręczące moje ciało. Płakałam za Sandym i za tym, co — jak mi się wydawało — nas łączyło. Płakałam ze smutku i rozgoryczenia. Kiedy się nie uspokoiłam, Max zaklął pod nosem i wziął mnie na ręce. W małym pokoju nie było niczego poza dwoma niewygodnymi krzesłami i stolikiem. Tymczasem on zaniósł mnie do drugiego pokoju, delikatnie położył na łóżku i pozwolił, by moje łzy wsiąkały w grubą pikowaną narzutę.

Nie wiem, jak długo płakałam, zanim usłyszałam, że Max wzdycha. W końcu położył się obok mnie, objął mnie i przytulił.

— No dalej — szepnął, głaszcząc mnie po plecach. — Wyrzuć to z siebie.

Nie próbował mnie uspokajać ani nie zamierzał zajmować mnie rozmową. Pozwolił mi płakać.

Moja matka nienawidziła łez. Sama nigdy nie płakała i gdy w dzieciństwie kilka razy zdarzyło mi się rozpłakać, zostawiała mnie samą. Sandy gardził łzami tak samo jak moja matka. Kiedy płakałam w ramionach Maxa, poczułam, że opłakuję znacznie więcej niż nieżyjącego męża.

— Wszystko będzie dobrze — pocieszał mnie Max. — Po złych rzeczach przychodzi czas na te dobre. Zawsze tak jest. Obiecuję.

Jego dotyk mnie zdumiewał. Ile czasu minęło, odkąd ktoś mnie przytulał? Czułam bicie jego serca i kontrolowaną siłę jego ciała.

Minęła wieczność, zanim wreszcie przestałam płakać i odwróciłam się w jego stronę. Max oparł się na łokciu, spojrzał na mnie i odgarnął mi z twarzy niesforne kosmyki.

— Widzisz? Przeżyłaś. Za każdym razem robisz jeden mały krok, żyjesz dniem dzisiejszym. Gdzie tam — poprawił się — czasami żyjesz chwilą.

Po raz pierwszy zastanowiłam się, kim naprawdę jest. Przez

co przeszedł i czego doświadczył, iż wie, że po złych rzeczach przychodzi czas na te dobre?

Zamknęłam oczy i próbowałam odnaleźć spokój. Kiedy je otworzyłam i spojrzałam na Maxa, uśmiech zniknął z jego twarzy. Patrzył na moje usta, jakby dotarło do niego, że jestem beznadziejnym przypadkiem, bez szans na rychłą poprawę.

Kiedy zrozumiał, że wiem, o czym myśli, nie odsunął się, tak jak tego oczekiwałam. Zamiast tego nadal spoglądał mi w oczy. Serce waliło mi jak młotem.

— Masz najbardziej niebieskie oczy, jakie widziałem w życiu — powiedział.

Wstrzymałam oddech, kiedy pochylił się w moją stronę. Czekałam, co się wydarzy, on jednak się rozmyślił.

— Do diabła, przepraszam. To chyba nie jest odpowiedni moment.

Byłam zdezorientowana i wdzięczna. Nie chciałam tego. Chciałam tylko odzyskać swoje dawne życie. Tyle że moje dawne życie było jednym wielkim kłamstwem.

— Muszę iść. — Zerwałam się z łóżka i szybko podeszłam do drzwi. Zanim wyszłam, odwróciłam się.

— Dziękuję. Dziękuję za pomoc.

Uśmiechnął się. Był to ciepły, pewny siebie uśmiech.

— Do usług.

Einstein

Rozdział dwunasty

Minęło trochę czasu, zanim Emily w końcu wróciła do mieszkania, które opuściła w takim pośpiechu, bez torebki i kurtki. Gdybym był bardziej spostrzegawczy, być może zauważyłbym jej zmieszaną minę. Jednak obdarzony wyjątkowo dobrym psim węchem, wyczułem jedynie dziwny zapach. Ludzki zapach, którego nie potrafiłem nazwać, choć wiedziałem, że nie jest to woń biurowca, metra czy baru. Nie żeby obchodziło mnie, gdzie się podziewała. Miałem na głowie ważniejsze sprawy. Na przykład to, jak jej pomóc.

Czyżby staruch oczekiwał, że znajdę sposób, żeby się z nią porozumieć i przemówię jej do rozsądku? Że każę jej się rozchmurzyć, żebym mógł nadal żyć własnym życiem?

Zważywszy na to, że zostałem uwięziony w ciele karłowatego czworonoga z ograniczoną pamięcią i językiem, nad którym nie potrafię zapanować, wątpiłem, by nawet ktoś taki jak ja, z ponadprzeciętną inteligencją, nauczył się pisać lub mówić. Poza tym nie wierzyłem, by gadający pies mógł komukolwiek pomóc. Idę o zakład, że potraktowano by mnie jak wybryk natury i pokazywano w cyrku. A ja nie miałem zamiaru być dodatkową atrakcją.

Tak więc skupiłem się wyłącznie na przydzielonym mi zadaniu, czyli pomaganiu Emily, wywiązaniu się z umowy i odzyskaniu swojego ciała. No bo, umówmy się, kto chciałby odejść w zapomnienie?

Mrużąc oczy, próbowałem przypomnieć sobie, co dokładnie powiedział mi starzec. Miałem wywiązać się z umowy, żeby nie odejść w zapomnienie, tak? I odzyskać ciało.

Nie byłem pewny, czy tak właśnie powiedział, ale bez wątpienia to miał na myśli.

117

Niestety, kiedy nazajutrz rano zastałem Emily w oknie biblioteki, ubraną w ohydne spodnie dresowe, z filiżanką stygnącej herbaty, nadal nie miałem pomysłu, jak doprowadzić tę sprawę do końca. Jej podły nastrój najwyraźniej minął, jednak wyglądało na to, że nie zamierza iść do pracy.

Zmusiłem ją, żeby wyprowadziła mnie na spacer, ale kiedy próbowałem zaciągnąć ją do Central Parku, odmówiła. Nie miałem zamiaru oglądać prostackiego pudla, jednak chętnie odetchnąłbym świeżym mroźnym powietrzem.

Wróciliśmy do kamienicy i weszliśmy na podwórze. Drapałem pazurami wytartą kostkę brukową. Nie było tu ani jednego chwastu, ani nawet źdźbła trawy. Wiedziałem, że pracownicy polewają wodą z węża cały dziedziniec i szorują podłogę w piwnicy tak skrupulatnie, że można z niej jeść. Dakota pachniała historią, jednak wszystko było tu utrzymane w tak idealnym porządku, że stojąc na podwórzu, miałem wrażenie, że przeniosłem się do lat osiemdziesiątych XIX wieku, kiedy budynek był zupełnie nowy.

Szklane bloki przy fontannach odbijały promienie słońca, które wpadały do piwnicy. Dawno temu w piwnicach mieściły się stajnie. Kiedy schodziło się do podziemi i zamiast labiryntu korytarzy widziało się otwartą przestrzeń, nietrudno było sobie wyobrazić, że niegdyś trzymano tam konie i siano.

Wciągnąłem do płuc głęboki — jak na psa — haust powietrza. Uwielbiałem to miejsce. W pewnym sensie Dakota przypominała początki mojej znajomości z Emily. Obie pozwalały mi wierzyć, że wszystko jest możliwe, nie tylko to, co mogłem wyczarować za sprawą pieniędzy. Mieszkając z Emily w Dakocie, uwierzyłem, że będę wielki.

Usiadłem na zimnym bruku z godnością, na jaką pozwalało moje psie ciało, i starałem się nie ruszać. Emily obejrzała się przez ramię, pociągnęła za smycz i zamarła. Spojrzała na mnie i przeniosła wzrok na wysokie ściany koloru kawy z mlekiem i wielkie okna z widokiem na podwórze, w czarnych ościeżnicach przywodzących na myśl tajemne przejścia do przeszłości. Zadarła głowę i zerknęła na szczyty dachów i widoczne za nimi błękitne niebo. Zmrużyła oczy i jeszcze raz zerknęła na mnie i na budynek.

— Mój Boże! Tak, tak! To ja! — szczeknąłem, podskakując jak cyrkowy zwierzak.

Na krótką chwilę jej usta rozciągnęły się w uśmiechu.

— Wiem. To wyjątkowe miejsce.

Oparła się o ścianę i zamknęła oczy. Kiedy je otworzyła, spojrzała na mnie.

— To mój dom — szepnęła. — Sandy obiecał, że będzie należał do mnie. Bez względu na to, co mówi Althea, nie stracę go.

Nie wiedziałem, kogo tak naprawdę chciała przekonać, mnie czy siebie.

Zgodnie z umową przedmałżeńską po mojej śmierci mieszkanie przechodziło na własność Funduszu Rodzinnego Portmanów. Jednak prawdą było, że po ślubie obiecałem je Emily. Był to niepodobny do mnie, sentymentalny gest. Uległem magii świąt Bożego Narodzenia i obiecałem Emily, że zrobię, co w mojej mocy, by zbliżyć do siebie nasze rodziny.

Tak naprawdę wiedziałem jednak, że Boże Narodzenie z naszymi rodzinami będzie jedną wielką katastrofą. Nawet jeśli w przeszłości marzyłem o tradycyjnej kolejce jeżdżącej wokół tradycyjnej choinki, ostatnie lata przekonały mnie do pomysłu moich rodziców, którzy woleli spędzać święta w Paryżu albo na pełnym morzu. Co więcej, od samego początku moja matka była zdania, że Emily nie jest dla mnie odpowiednią partią. „Ona nie jest jedną z nas, kochanie". Przed drugim Bożym Narodzeniem subtelna kampania Althei Portman przeciwko mojej żonie trwała w najlepsze, a ja i siostra Emily dogadywaliśmy się jak stronniczy komentatorzy w CNN.

Nie muszę chyba dodawać, że wspólna kolacja przy indyku nie doprowadziła do zawieszenia broni, choć przyznaję, że byłem zadowolony, iż pozwoliłem Emily postawić na swoim. Jednak później, kiedy animozje stały się widoczne jak plamy czerwonego wina na białym płóciennym obrusie, nie triumfowałem. Przytuliłem Emily i powiedziałem jej, jak bardzo było mi przykro, że jej starania poszły na marne, a kolacja okazała się katastrofą.

Teraz, będąc psem, zacząłem się zastanawiać, czy aby nie pragnąłem, żeby tak było.

Odchyliłem głowę i zmrużyłem oczy. Czy naprawdę chciałem, żeby święta Emily okazały się porażką?

Czym prędzej porzuciłem tę myśl, bo wydała się mi niedorzeczna.

Nadeszły święta i — ku mojemu zaskoczeniu — Emily zakończyła remont mieszkania. Pod choinką leżały częściowo zjedzone ciasteczka i w połowie pełna szklanka mleka. Na leżącym wokół kominka sztucznym śniegu widniały ślady butów. I wszędzie były prezenty. Mnóstwo prezentów.

Tamtego wieczoru, przy płynących z głośników kolędach, moja żona dokonała niemożliwego i zgromadziła przy jednym masywnym stole swoją zbuntowaną siostrę i moich protekcjonalnych rodziców. Kolacja była niesamowita, a rozmowy kleiły się jak nigdy. Zanim moi rodzice wyszli z prezentami „ode mnie", znów poczułem się młody, jak wtedy, gdy poznałem Emily.

Przede wszystkim jednak czułem się podle. Tydzień przed świętami byłem tak pochłonięty transakcją, którą chciałem sfinalizować, że wysłałem swoją asystentkę do Bergdorfa Goodmana, żeby kupiła coś dla Emily.

Asystentka wybrała kostium, który bardziej nadawał się dla idącej do nocnego klubu dwudziestokilkuletniej imprezowiczki niż żony bankiera z Wall Street. Kiedy Emily odwinęła elegancki papier i wyjęła obcisłe dżinsy i skąpą bluzeczkę bez pleców i rękawów, byłem równie zaskoczony jak wszyscy. Usłyszałem zduszony jęk matki, który sprawił, że miałem ochotę zapaść się pod ziemię. Emily otworzyła usta i zdumiona patrzyła na prezent. Co gorsza, po chwili ochłonęła, podeszła do mnie i uścisnęła mi rękę.

— Dziękuję, jest cudowny — powiedziała.

Później, kiedy zostaliśmy sami, usiadła obok mnie na sofie i podciągnęła kolana pod brodę. Była zadowolona jak nigdy. Widząc to, poczułem się jeszcze bardziej skołowany, wziąłem ją w ramiona i pocałowałem.

— Wzruszasz mnie.

Dotknęła moich ust opuszkami palców i uśmiechnęła się do mnie.

— Zamknij oczy.

— Jest coś jeszcze?

Roześmiała się i zeskoczyła z sofy.

— Co ty knujesz? — Miałem nadzieję na jakieś igraszki. Liczyłem, że przebierze się za pomocnika Świętego Mikołaja i będzie mnie ujeżdżała na podłodze pod choinką. W tym nadmiarze świątecznej dobroci niemal cieszyłem się na myśl, że Emily postanowiła być niegrzeczną dziewczynką.

Ale jak zawsze nie doceniłem mojej żony.

Powietrze pachniało świerkiem i świecami żurawinowymi. Wtedy usłyszałem dźwięk. Z początku cichy, jednak z każdą chwilą przybierał na sile. Rozległo się sapnięcie, potem kolejne, aż w końcu cichy gwizd — otworzyłem oczy.

Emily siedziała na podłodze. Ściągnęła aksamitną osłonkę, pod którą ukryła miniaturowe tory.

— Podoba ci cię?

Mogłem tylko patrzeć.

— Kupiłam ci metry torów i mnóstwo różnych wagonów. Możesz zastawić tym całą bibliotekę.

Nie mogłem wykrztusić słowa.

— Nie podoba ci się. Uważasz, że to dziecinada.

Słyszałem rozczarowanie w jej głosie, ale nie byłem w stanie się ruszyć. Przygarbiła się.

— Kiedy opowiadałeś, jak będąc dzieckiem, marzyłeś o kolejce, która jeździłaby wokół choinki...

Spojrzałem na nią, próbując opanować emocje, które nie do końca zrozumiałem. Byłem zdumiony i dziwnie zawstydzony, że nie przemyślałem sprawy prezentu dla Emily.

Tamtej nocy kochaliśmy się z namiętnością, o jakiej istnieniu nie miałem pojęcia.

— Zmieniłaś to mieszkanie w prawdziwy dom — szepnąłem, bawiąc się jej włosami, gdy po wszystkim leżała w moich ramionach. — To twój dom. Zawsze powinien być twój.

— Będzie — odparła, całując mnie. — Zobaczysz, zestarzejemy się tu. Dwoje staruszków w fotelach na biegunach.

Przytuliłem ją. Z jakiegoś powodu jej słowa obudziły we mnie dziwny niepokój. Nie podobało mi się to uczucie, ten odwieczny lęk przed śmiercią. Wolałem o nim nie myśleć.

— Bez względu na to, co się ze mną stanie, przeniosę prawo własności na ciebie — powiedziałem.

Przez chwilę leżała nieruchomo. W końcu oparła się na łokciu, a jej długie włosy łaskotały mnie w pierś.

— Jak to?

— Daję ci to mieszkanie.

— Sandy, nie...

— Ćśśś. — Pocałowałem ją. — Wesołych świąt, Emily. To mieszkanie jest moim prezentem dla ciebie.

To wydarzyło się przeszło dwa lata temu i od tamtej pory dużo się zmieniło. Po pierwsze, nigdy nie dokonałem zmian w akcie notarialnym. Po drugie, uświadomiłem sobie, że nie kocham już żony.

Zostałem — dosłownie — wyrwany z zamyślenia. Usłyszałem westchnienie Emily i poczułem szarpnięcie, gdy pociągnęła mnie w stronę domu.

— Co ty, do licha, wyprawiasz? — szczeknąłem.

— Pospiesz się, E!

Pobiegłem za nią tak szybko, jak pozwalały mi moje krótkie łapy. Byliśmy na kamiennych schodach, gdy poczułem ten sam ludzki zapach, który przyniosła do domu poprzedniego dnia. Jednak kiedy się obejrzałem, żeby zobaczyć, przed kim ucieka moja żona, drzwi zatrzasnęły się za nami z głuchym szczęknięciem.

Od razu poszedłem do kuchni i wychłeptałem wodę z miski. Wciąż nie panowałem nad językiem i kiedy piłem, robiłem straszny bałagan: niemal połowa wody zawsze lądowała na ziemi, tworząc przede mną miniaturową kałużę. Kiedy zaspokoiłem pragnienie, miałem ochotę zwinąć się w kłębek i zasnąć, jednak Emily najwyraźniej nie zamierzała iść do pracy i wróciła na swój posterunek przy oknie.

Westchnąłem.

Zwlokłem się z posłania i podszedłem do niej.

— Hej — powitała mnie zmęczonym, pełnym napięcia głosem. Usiadła przy mnie na podłodze i mimo moich protestów przytuliła. Ukryła twarz w mojej sierści, oddech miała ciężki, głęboki. Chciała czegoś ode mnie, ale nie miałem pojęcia, o co jej chodzi. A może — jeśli mam być szczery — nie chciałem jej niczego dawać.

To trwało przez całe trzy dni. Ukradkowe spojrzenia na korytarze i podwórze, gdy w pośpiechu wychodziliśmy na spacer, i machinalne napełnianie misek jedzeniem i wodą. No i wypady do pobliskiego sklepu Pioneer, skąd wracała z zadziwiającą ilością produktów potrzebnych do pieczenia niezliczonej liczby ciast, jakby zamierzała otworzyć cukiernię. Piekła ciasta z owocami, czekoladowe rogaliki, babeczki i rozmaite ciasteczka z kremem maślanym, które piętrzyły się na blatach i zapełniały spiżarnię szybciej, niż Emily była w stanie je zjeść. Zupełnie jakby zapomniała, że pracuje w Caldecote Press.

Ale jeśli dni były fatalne, to noce jeszcze gorsze. Pierwszego dnia, kiedy przywiozła mnie do domu, oboje spaliśmy jak niemowlęta. Jednak odkąd znalazła pamiętniki, Emily co noc budziła się z krzykiem. Jakby tego było mało, od kilku dni działo się z nią coś złego.

Za pierwszym razem obudził mnie zapach. Kiedy otworzyłem oczy, Emily spała obok mnie na podłodze otulona ciepłą narzutą. Zaniepokojony jej bliskością i tym, co oznacza, poszedłem do biblioteki i przez resztę nocy spałem na fotelu.

Następnej nocy nie zdziwiłem się, gdy znalazłem ją skuloną na podłodze, z rzęsami i policzkami mokrymi od łez. Trzymała mnie za łapę, jakby potrzebowała fizycznego dowodu na to, że nie jest sama. Tym razem była tak blisko, że gdybym wstał, z pewnością bym ją obudził.

Wmawiałem sobie, że nie czuję niczego poza zniecierpliwieniem i złością, że opuściła ją cała odwaga, którą tak bardzo w niej podziwiałem. Jednak to, co czułem, nie miało tak naprawdę żadnego znaczenia. Dzięki temu wpadłem jednak na pomysł, jak pomóc mojej żonie i przy okazji sobie.

Nazajutrz rano ocierałem się o jej nogi, robiłem maślane oczy i łasiłem się do niej jak nieszczęśliwie zakochany uczniak.

— Rozchmurz się, kobieto — szczeknąłem.

Jednak Emily nie ułatwiała mi zadania.

Parsknąłem poirytowany i zamierzałem dać jej spokój, ale nurtowało mnie jedno pytanie: co przez to osiągnę? Jęknąłem. Nadszedł czas, by wytoczyć ciężkie działa. Przez cały kolejny dzień i weekend robiłem, co mogłem, żeby ją oczarować. Stawałem na tylnych łapach, turlałem się po podłodze, siedziałem blisko niej. Bez rezultatu. Doszło do tego, że zmusiłem ją, żeby wróciła do kuchni i piętrzących się w niej słodkości. Nie obchodziło mnie, czy przytyje. I tak zamierzałem się z nią rozwieść, kiedy znów stanę się człowiekiem.

Kto w takiej sytuacji by się przejmował?

W poniedziałek rano, kiedy stało się jasne, że mój plan nie działa, postanowiłem zmienić taktykę. Wszedłem do jej sypialni i zacząłem wywlekać ubrania z szafy. Buty nie stanowiły problemu, bo stały na najniższej półce. Gorzej było z sukienką, która wisiała na wieszaku. Wystarczyło jednak kilka mocniejszych pociągnięć zębami, by ona także wylądowała na podłodze.

Tak czy inaczej, Emily wracała do pracy.

Emily

Wszyscy jesteśmy naznaczeni przez nasze matki; znamię to wabi nas jak przyjaciel, a czasami jak wróg. Sprawia, że stajemy się wierną kopią oryginału. Godzimy się z tym lub walczymy, choć najszczęśliwsi z nas nie mają pojęcia o istnieniu tego piętna.

fragment książki *Córka mojej matki*

Rozdział trzynasty

— Co, u licha? — wykrztusiłam.

Einstein stał nad stertą moich ubrań, butami i aktówką, które zawlókł do kuchni.

Spojrzał na mnie i zaszczekał.

— Odejdź — fuknęłam. Nie posłuchał.

Zirytowana jego zachowaniem, poszłam w końcu pod prysznic i się ubrałam. Zapakowałam nawet ciasta i ruszyłam w stronę drzwi. Widząc to, machnął głową, jakby uznał zadanie za wykonane, i z cichym westchnieniem zwinął się w kłębek w rozlanej na podłodze złocistej plamie słońca.

Pojechałam do budynku Trigate, choć nie wiem po co. Od czterech dni nie pojawiłam się w pracy, wysłałam tylko e-mail do Nate'a Clarksona, w którym informowałam go o wyjątkowej sytuacji. Od tamtej pory nie odpisywałam na e-maile, nie odbierałam telefonów ani nie odpowiadałam na wiadomości.

Włożyłam przypadkowe rzeczy, choć uświadomiłam to sobie dopiero, gdy Wanda, stojąca przy głównym wejściu czarnoskóra strażniczka o pełnych kształtach, uniosła na mój widok brwi i spytała:

— Ubierałaś się po ciemku?

Zerknęłam pospiesznie na jaskrawożółty sweter narzucony na brązowo-czarną kwiecistą sukienkę, i czarne mokasyny, które zwykle zakładam do spodni. Prawie nie pamiętałam, jak się ubierałam, a już z pewnością nie pamiętałam, żebym wkładała coś tak fatalnego.

— To ostatni krzyk mody — odparłam, wciskając jej do rąk papierową torbę pełną czekoladowych babeczek.

— Ostatni krzyk mody — mruknęła. — Chyba wśród bezdomnych. — Zajrzała do torby. — Mmm, bardzo słodkich bezdomnych.

W drodze do swojego gabinetu nie spotkałam nikogo znajomego. Ukradkiem zostawiłam resztę słodyczy w pokoju socjalnym i spróbowałam odzyskać kontrolę nad swoim życiem, zatopiwszy się w lekturze maszynopisu. Gdyby zamknięte drzwi nie były czymś dziwnym, kiedy w pokoju nie odbywa się prywatna konferencja czy rozmowa, mogłabym je zamknąć na cztery spusty, żeby nikt mi nie przeszkadzał.

Niebawem okazało się, że powinnam była tak zrobić.

— Wróciłaś.

Podniosłam wzrok i zobaczyłam stojącą w drzwiach Victorię. Zmusiłam się do uśmiechu i odruchowo zmrużyłam oczy.

— Tak, wróciłam. Sytuacja kryzysowa została zażegnana.

Może walczyłam o uznanie, ale nie byłam głupia. Najwyraźniej Victoria mi nie uwierzyła.

— Gotowa na ważne spotkanie? — spytała.

Ważne spotkanie?

— Chyba wiesz o ważnym spotkaniu, prawda?

— Oczywiście. — Odparłam z lekką drwiną, mającą zatuszować to, że o niczym nie wiedziałam.

Gdyby rzeczywiście była miła, dałaby mi znać i powiedziała, gdzie odbywa się to „ważne spotkanie". Zamiast tego wyszła bez słowa. Cała Victoria. Na szczęście exodus pracowników Caldecote, którzy tłumnie ruszyli w stronę głównej sali konferencyjnej, sprawił, że nie musiałam przekopywać poczty i służbowych notatek w poszukiwaniu informacji o „ważnym spotkaniu".

Caldecote Press było małym wydawnictwem, które wbrew ogólnie panującym, komercyjnym trendom stawiało na bardziej ambitną literaturę. Byłam dumna z tego, że dostałam pracę u jednego z nielicznych wydawców, którzy dochowali wierności książkom z przesłaniem. Często zapominałam jednak, że właścicielem Caldecote jest konglomerat medialny Trigate.

Charles Tisdale nigdy nie uległ presji Trigate, który uparcie dążył do tego, byśmy zaczęli wydawać wielkie, komercyjne dzieła literackie i sensacyjne pozycje literatury faktu. Charles postawił na swoim, przekonując Trigate, że aby wypuścić na rynek takie książki, potrzeba pieniędzy, dużych pieniędzy, których Trigate nie chciał wydawać, przynajmniej na małego lokalnego wydawcę.

Robiliśmy więc swoje, przygotowując nagradzane pozycje, o których dużo się mówiło, ale które nie miały wystarczającej siły przebicia, by trafić na witryny i zawojować rynek. Jednak od czasu do czasu pojawiała się książka, która osiągała rekordową sprzedaż. Dzięki temu Caldecote nie stało na skraju bankructwa, choć nie było też w pełni wypłacalne.

Wszystkie krzesła w sali konferencyjnej były zajęte, spóźnialscy stali pod ścianami, próbując odgadnąć, o co właściwie chodzi. Otaczający mnie redaktorzy snuli domysły.

Birdie stanęła obok mnie z babeczką w ręku.

— Próbowałaś ich? Są obłędne. Ciekawe, skąd się wzięły?

Wzruszyłam ramionami.

— O co chodzi? — spytał jeden z redaktorów.

— Nie mam pojęcia — odparła Birdie, dotykając palcem lukru.

Kilka młodszych redaktorek spojrzało na mnie.

— Wiesz coś?

Nie wiadomo dlaczego nagle stałam się mentorką dla młodszych koleżanek. Przed śmiercią Sandy'ego pomagałam im pisać listy do agentów, recenzje na okładki i brałam udział w burzach mózgów.

Na szczęście nie musiałam nic mówić, bo w tej samej chwili do pokoju wszedł Charles Tisdale, ubrany w tweedową marynarkę, spodnie khaki i mokasyny z końskiej skóry. Miał zaczesane do tyłu siwe włosy i idealnie zawiązany krawat w granatowe, czerwone i zielone paski.

Gwar ucichł, choć tu i ówdzie słychać było prowadzone szeptem rozmowy. Jednak w chwili, gdy do sali weszła nieznajoma kobieta, w pokoju zrobiło się cicho jak makiem zasiał.

Birdie wstrzymała oddech.

— O, mój Boże! To Tatiana Harriman. Co ona tu robi?

Kobieta, która stała przed nami, była drobna, choć dziesięciocentymetrowe obcasy dodawały jej nieco wzrostu. Miała długie do ramion kruczoczarne włosy, ostrzyżone tak równo, że sprawiały wrażenie, jakby mogły przeciąć papier. Jeśli dobrze pamiętałam, skończyła pięćdziesiątkę. Kiedyś czytałam jakiś jej tekst i widziałam zdjęcie. W rzeczywistości wyglądała znacznie młodziej, miała ciało i twarz trzydziestopięciolatki.

— To nie wróży nic dobrego — uznała Birdie.

Nan Beeker złapała mnie za ramię.

— To znaczy, że plotka była prawdziwa!

— Jaka plotka?

— Że nas sprzedają — wyjaśniła Lori Monroe.

— Też to słyszałam!

Wszystkie spojrzały na mnie.

— Nawet jeśli nas sprzedadzą, wszystko będzie dobrze, prawda, Emily?

Sprzedadzą? Harriman? Mój ospały mózg próbował nadrobić zaległości.

— Panie i panowie — zaczął Charles — zaprosiłem was tu, by położyć kres plotkom. Wielu z was zapewne słyszało, że WorldPass Corporation zabiega o Trigate.

— Taa, o materiały cyfrowe Trigate — usłyszałam czyjś stłumiony głos.

W sali zapanowało nerwowe poruszenie.

— Proszę o spokój — rzekł spokojnie Charles. — Przyszedłem tu, żeby wam powiedzieć, iż Trigate i WorldPass rzeczywiście się połączyły.

Ludzie zaczęli szeptać.

— Co w tej sytuacji stanie się z Caldecote? — padło z sali pytanie.

— Nie ma powodu do obaw — ciągnął Charles. — Zapewniono mnie, że Caldecote Press to sprawa nadrzędna.

— Tak, jasne — rzucił ktoś drwiąco.

Tatiana Harriman rozejrzała się po sali niczym nauczyciel, który z grupy uczniów próbuje wyłowić twarze tych najbardziej niepokornych.

— By udowodnić swoje zaangażowanie w Caldecote, WorldPass zatrudniło Tatianę Harriman, która od tej pory będzie kierowała naszym prestiżowym wydawnictwem.

Tatiana wyprostowała się i uśmiechnęła, zupełnie jakby nie zauważyła zaskoczenia, jakie odmalowało się na twarzach zebranych.

— Nie ma mowy! — parsknął ktoś.

— To szaleństwo — dodał ktoś inny.

— Proszę państwa! — Charles próbował przekrzyczeć narastającą kakofonię niezadowolonych głosów. — Jestem dinozaurem — rzekł z uroczym uśmiechem, który tak bardzo kochałam. Byłam przekonana, że gdyby nie on, nadal byłabym zastępczynią redaktora podlegającą Victorii. To Charles pokazał mi co i jak, zabierał mnie z sobą na spotkania, bym mogła nauczyć się wszystkiego tego, czego nie chciała uczyć mnie Victoria. — Sposób, w jaki wydaję książki, jest przestarzały, tak więc od dziś nie będę już prezesem Caldecote Press, choć pozostanę doradcą tak długo, jak długo Tatiana będzie mnie potrzebowała.

Sądząc po jej minie, Tatiana Harriman była święcie przekonana, że nie potrzebuje niczyjej pomocy.

— A teraz pozwólcie, że przedstawię wam panią Tatianę Harriman.

Charles wyjął z kieszeni notatki i sięgnął po okulary do czytania. Niepotrzebnie. Każdy z nas wiedział, że kobieta, która przed nami stoi, to legenda.

Była najmłodszą redaktorką naczelną w poczytnym brytyjskim tabloidzie „Sass", zanim ten został wchłonięty przez WorldPass. To dzięki WorldPass zaczęła kierować amerykańskim magazynem „House of Mirth". W rekordowym czasie sprawiła, że ten przeciętny miesięcznik stał się sprzedającym się pismem, nim WorldPass przerzucił ją do idącego na dno „Chronicles", magazynu literackiego, który nie przynosił zysków, jednak był często cytowany przez światowych przywódców.

WorldPass utrzymywało, że Tatiana Harriman uratowała magazyn, podczas gdy etatowi redaktorzy twierdzili, że go pogrążyła. Nie żeby to miało jakieś znaczenie. Teraz przyszła tu, do Caldecote Press, i nie trzeba było być geniuszem, żeby wiedzieć, że jej pojawienie się oznacza jedno: zyski.

Zadrżałam na samą myśl o tym. *Intencje Ruth* kiepsko radziły sobie na rynku. Victoria życzyła mi jak najgorzej, teściowa chciała odebrać mieszkanie, a całkiem niedawno odkryłam, że przed śmiercią mój mąż miał liczne romanse. Czy mogło wydarzyć się coś gorszego?

Birdie zerknęła na mnie.

— Wszystko w porządku, kochanie?

Zmusiłam się do uśmiechu.

— Tak. Nic mi nie jest.

Jednak gdy podniosłam głowę, stwierdziłam, że Tatiana Harriman patrzy prosto na mnie.

☩

Nazajutrz, z samego rana, w moim gabinecie pojawiła się Victoria. Tym razem miałam na sobie spódnicę i bluzkę, które do siebie pasowały, i nawet umyłam włosy. Poprzedniego wieczoru upiekłam mniej niż dwa dni temu, choć słowo „mniej" wciąż oznaczało „bardzo dużo". Większość wypieków zdołałam przemycić do pokoju socjalnego.

— Uwielbiam Tatianę! — pisnęła zachwycona.

— Tatianę?

— Dla ciebie panią Harriman. À propos, widziałaś notatkę, którą wysłała wczoraj? O tym, jak ważne jest, żebyśmy byli zdrowi, dobrze się odżywiali i ubierali odpowiednio do pracy? Tę samą, w której napisała, że ktokolwiek przynosi do pracy wszystkie te ciasta, ma przestać?

Musiałam wyglądać na zakłopotaną i odrobinę skrępowaną, szczególnie że dobrze wiedziałam, kto znosi do pracy wszystkie te słodkości.

Victoria spojrzała na mnie i pokręciła głową.

— Czy ty w ogóle czytasz jeszcze e-maile? Zresztą nieważne. Mamy o siebie dbać, zdrowo się odżywiać i ubierać jak przystoi ludziom, którzy pracują w biurach, a nie w studenckich kawiarniach.

— Tak powiedziała?

— Ten fragment o studenckich kawiarniach ja wymyśliłam. — Victoria wzruszyła ramionami. — Moim zdaniem to doskonały pomysł. Za czasów Charlesa piątki na luzie trwały zazwyczaj cały tydzień, nie mówiąc o tym, że sposób, w jaki ubierali się pracownicy biura, był nie do przyjęcia. Byłam zszokowana, gdy Lori Monroe paradowała po firmie w kusej bluzeczce, która odsłaniała kolczyk w brzuchu.

Victoria nie miała kolczyków ani w brzuchu, ani nigdzie indziej. Nie żebym chciała kogokolwiek potępiać. Byłam równie zaskoczona jak Victoria, gdy Lori przyszła do pracy z odsłoniętym brzuchem. Ale nie o to chodziło. Wiadomość, którą wysłała

Tatiana, była jasna i czytelna: koniec z siedzeniem w domu, pieczeniem ciast i użalaniem się nad sobą. Musiałam wziąć się w garść i podnieść sprzedaż *Intencji Ruth*.

Victoria wyszła, a ja rzuciłam się w wir pracy. Moja poczta głosowa pękała w szwach, a skrzynka e-mailowa groziła przepełnieniem. Kilka wiadomości oznaczono jako pilne — również tę o „ważnym spotkaniu" — jednak większość wysłano z działu produkcji, uparcie dopominającego się o maszynopis, nad którym pracowałam, i listę poprawek naniesionych przez autora.

Przed południem nadal tkwiłam z nosem w papierach, choć myślałam wyłącznie o jedzeniu. W końcu zostawiłam maszynopis i poszłam na lunch. Pomysł ze zdrowym odżywianiem był kiepski, więc udałam się do pobliskiego sklepu, w którym sprzedawano nafaszerowane konserwantami gotowe jedzenie.

— Emily!

Przy ladzie pojawiła się Birdie. Miała na sobie kostium, którego nigdy wcześniej nie widziałam i który wydawał się zbyt drogi dla pracującej w wydawnictwie przeciętnej asystentki. Minęła dział z tuczącym jedzeniem i zaczęła nakładać sobie na talerz sałatę i surowe warzywa.

— Ta kobieta to wariatka. Jest obłąkana i niesprawiedliwa — oznajmiła, chwytając szczypcami kostkę tofu i krzywiąc się z niesmakiem.

Tuż za nią pojawiła się Carla, kolejna zastępczyni redaktora, w skromnym czarnym kostiumie.

— To niedorzeczne — warknęła.

Ona również nałożyła sobie sałatkę i ugryzła kawałek marchewki.

— Nie może tego robić. Nie ma prawa mówić nam, jak mamy się ubierać. — Mówiąc to, pomachała marchewką. — Ani co jeść!

Formalnie rzecz biorąc, Tatiana wcale tego nie robiła. Udzielała nam tylko wskazówek dotyczących ubioru i zdrowego odżywiania. Żadna korporacja, przynajmniej poza granicami Kalifornii, nie tolerowała w miejscu pracy gołych brzuchów.

Naturalnie nie powiedziałam tego na głos, tylko nałożyłam sobie kolejną porcję cheddara i purée z ziemniaków.

— Lepiej, żeby nowa szefowa nie widziała, co jesz. Cheddar i purée nie są chyba najzdrowsze.

— Ziemniaki to warzywa.

Birdie zachichotała.

Carla przewróciła oczami.

— Po pierwsze, wątpię, żeby był tu choć jeden prawdziwy ziemniak...

— To prawda.

— ...a nawet jeśli jest, to podrobiony i sztucznie konserwowany, a tłusty ser i tak zabija wszystkie wartości odżywcze, jakie mógłby mieć. — Mówiąc to, uśmiechnęła się z dumą. — Redaguję książkę na temat diet.

Birdie spojrzała na mnie.

— Jeśli się pospieszymy, może uda nam się wywlec Carlę na zaplecze i udusić ją tofu.

— Tak tylko mówię — bąknęła Carla.

W odpowiedzi nałożyłam sobie kolejną porcję tłuczonych ziemniaków.

Jednak kiedy się odwróciłam, za moimi plecami stał nie kto inny jak Tatiana Harriman we własnej osobie.

— Purée z serem cheddar? — spytała. — Przypuszczam, że podpisujesz się pod teorią, iż cukier kukurydziany to warzywo, a dżem truskawkowy to owoc.

Birdie i Carla zamknęły pojemniki z jedzeniem i ustawiły się w kolejce.

— Jesteś Emily, prawda? — spytała Tatiana.

— Tak, Emily Barlow.

— Charles wyraża się o tobie bardzo pochlebnie.

— Charles był wspaniałym szefem.

Zmierzyła mnie wzrokiem. W wiśniowym kostiumie i czarnych szpilkach nie pasowała do tego małego zatłoczonego miejsca. Obcięte na pazia, idealnie ułożone włosy i małe okrągłe okulary w czarnych oprawkach świadczyły o tym, że jest wytrawnym graczem. Nie miałam pojęcia, skąd się tu wzięła. Jej pojawienie się nie pasowało do wizerunku kobiety idealnej i służbowej notatki o zdrowym odżywianiu.

Wtedy zobaczyłam pojemnik ze świeżo wyciśniętym sokiem pomarańczowym. Dookoła pełno było przetworzonego, pełnego konserwantów jedzenia, jednak sklep oferował świeżo wyciśnięty sok przez dwadzieścia cztery godziny na dobę.

— Witamina C — wyjaśniła, jakby czytała w moich myślach.

Odwróciła się, stanęła na początku kolejki, wręczyła sprzedawczyni trzy dolary i nie czekając na resztę, bez słowa wyszła ze sklepu.

Mniej więcej tydzień później niektóre z młodszych redaktorek otoczyły mnie w damskiej toalecie.

— Ona zachowuje się niedorzecznie.

— Jakby to była moja wina, że autor nie dotrzymał terminu.

— Obwinia mnie o to, że okładka mojej styczniowej książki była paskudna.

Nie musiałam pytać, kim jest „ona".

Birdie spojrzała na jedną z redaktorek.

— Myślisz, że dzieje ci się krzywda? Mój szef poprosił mnie, żebym pokazała Tatianie okładkę jego kolejnej książki. Zmierzyła mnie od stóp do głów i powiedziała: „To jakiś żart, prawda?". A to nie była nawet moja okładka!

Carla się skrzywiła.

— Dziś rano słyszałam, jak mówiła Letty Mayhew, że jej ostatnia książka była równie inspirująca, jak gnijący ząb dla dentysty.

Miałam niejasne wrażenie, że Sandy pokochałby Tatianę Harriman.

Odwróciłam się i spojrzałam w lustro, z trudem rozpoznając własne odbicie.

— A jeśli mnie zwolni? — spytała Carla podniesionym głosem. — Nie może mnie zwolnić! Latem remontuję domek letniskowy w Montauk.

Ktoś otworzył drzwi łazienki.

— Czyżby zwołano zebranie, o którym nikt mnie nie poinformował?

Birdie, Carla i pozostałe redaktorki obejrzały się za siebie. Ja nie musiałam. W lustrze wyraźnie widziałam Tatianę Harriman.

Stała w drzwiach niczym termolokacyjny pocisk, który lądował między nami niezależnie od tego, gdzie się spotykałyśmy. Odwróciłam się od lustra i spojrzałam na nową szefową.

Tatiana patrzyła na nas z chłodną dezaprobatą.

— To nie jest piżama party, gdzie zamrażamy staniki i używamy ciepłej wody, żeby śpiące koleżanki sikały do łóżek.

Najwyraźniej przyjęcia, na których bywała jako nastolatka, nie ograniczały się do plecenia warkoczy i śpiewania *Kumbaya*.

Żadna z moich koleżanek nie czekała na więcej. Czmychnęły jak spłoszone myszy.

Ja również skierowałam się do drzwi.

— Wiesz, Emily, w tym biznesie matkowanie stadku kaczątek zaprowadzi cię donikąd. Podobnie jak bezmyślna uprzejmość.

Można by sądzić, że będzie chciała ze mną porozmawiać na temat książek albo kiepskiej pracy, jednak uwaga na temat bycia miłym niemal zwaliła mnie z nóg.

— Ludzie wykorzystują tych, którzy są dla nich mili — ciągnęła. — Żeby przetrwać, trzeba wygrywać, a to niekoniecznie oznacza bycie miłym.

— Sugeruje pani, że życie to gra, w której wygrywa tylko jedna ze stron? A może chciała pani powiedzieć, że tak właśnie będzie wyglądało życie w nowym Caldecote Press?

Uśmiechnęła się smutno.

— A więc nie zawsze jesteś miła. To dobrze. Co do gier, to nie masz racji. Zwycięstwo jednej ze stron nie zawsze oznacza porażkę drugiej. Chcę tylko powiedzieć, iż ciągła uprzejmość sprawia, że ludzie zaczynają się zastanawiać, co masz do ukrycia. — Podeszła do lustra i poprawiła idealnie ułożone włosy. — Co chcesz ukryć, Emily?

Moja matka zadawała mi dokładnie to samo pytanie.

Rozdział czternasty

Odkąd rozkleiłam się w ramionach Maxa Reagera, unikałam go jak zarazy. Niestety, kiedy wychodziłam z metra, na rogu Central Park West i Siedemdziesiątej Drugiej zobaczyłam jego i dzieciaki kilka metrów od bram Dakoty.

Katie stała na chodniku, zanosząc się płaczem. Jej bracia bliźniacy stali z boku, oparci o kierownice hulajnóg, a ich znudzone miny mówiły: „już to przerabialiśmy", zupełnie jakby dziewczynka przyzwyczaiła ich do częstych napadów złości.

Zapłakana Katie szarpała swoją hulajnogę, podczas gdy Max skupiał się na czymś, co trzymał w rękach. Miał na sobie workowate spodnie, kurtkę i przewieszoną przez ramię torbę.

— Masz to naprawić! — zawodziła Katie.

Nie usłyszałam, co odpowiedział Max, ale zawodzenie przybrało na sile. Jej napad złości najwyraźniej nie robił na nim większego wrażenia, bo ze stoickim spokojem przyglądał się przedmiotowi, który trzymał w ręku. Nie mogłam się ruszyć.

W końcu oddał to coś Katie.

— Nic więcej nie da się zrobić.

— Nie! Masz go naprawić!

Twarz dziewczynki była czerwona i mokra od łez. W rączce trzymała coś, co z daleka wyglądało jak różowy zegarek.

— To ty go zepsułaś, Katie, nie ja. — Po tych słowach Max odwrócił się w stronę chłopców. — Dobra, chłopcy, gotowi?

Bliźniacy natychmiast się ożywili, a Katie cisnęła hulajnogę na ziemię. Max zerknął na siostrzenicę.

— Jak chcesz. Chłopaki, coś mi się wydaje, że Lupe ma w zamrażarce lody.

— Taaak! — pisnęli malcy i wskakując na hulajnogi, popędzili do wejścia.

Max poszedł za nimi, zostawiając zapłakaną Katie z tyłu.

— Wnieście je, panowie. Żadnego jeżdżenia w budynku.

Dziewczynka natychmiast przestała płakać, zacisnęła dłonie w piąstki i przez chwilę stała nieruchomo.

— Zaczekajcie! — krzyknęła i ruszyła pędem w stronę kamienicy.

Usłyszawszy ją, Max się obejrzał.

— Weź hulajnogę — przypomniał.

Twarz Katie poczerwieniała i przez chwilę myślałam, że dziewczynka dostanie kolejnego ataku. Jednak kiedy stało się jasne, że Max nie zamierza odpuścić, wróciła posłusznie i wzięła hulajnogę. Gdy podeszła do niego, położył rękę na jej ramieniu i razem ruszyli do wejścia.

— Co powiesz na lody czekoladowe? — spytał.

Nie usłyszałam, co odpowiedziała, ale jeszcze mocniej przytuliła się do jego uda.

Był to pełen czułości, uroczy gest, który sprawił, że musiałam się odwrócić. Zaraz jednak skarciłam się za to, że zachowałam się jak sentymentalna idiotka, i zawróciłam, żeby obejść budynek i dać im czas na powrót do mieszkania. Cokolwiek czułam do Maxa, sprawiało, że miałam mętlik w głowie.

Wyszłam na Siedemdziesiątą Trzecią i ruszyłam podjazdem w stronę tylnego wejścia. Przeszłam przez furtkę i wjechałam windą do głównego holu. Niezauważona przez nikogo przemknęłam korytarzem na pierwszym piętrze i zamierzałam wsiąść do windy, przekonana, że do tego czasu Max i dzieciaki weszli już do mieszkania.

O mało nie poślizgnęłam się na wyłożonej płytkami podłodze.

— Hej — usłyszałam głos Maxa.

Dzieciaki odwróciły się jak na zawołanie. Chłopcy nie wydawali się szczególnie zainteresowani, ale Katie zmrużyła oczy.

— Dawno cię nie widziałem — powiedział Max z tym samym krzywym uśmiechem. — Gdybym cię nie znał, pomyślałbym, że mnie unikasz.

Nagle, nie wiedzieć czemu, ogarnął mnie spokój.

— Ale znasz mnie, prawda?

Wzruszył ramionami i rozłożył ręce.

— Jak ktoś mógłby unikać słodkiego, miłego i absolutnie nieszkodliwego Maxa Reagera?

Uśmiechnęłam się wbrew sobie.

— Nie odpowiadaj — dodał pospiesznie. — Każda odpowiedź będzie atakiem na moją męskość.

Tym razem się roześmiałam.

Katie spiorunowała mnie wzrokiem.

— Jak się nazywasz? — spytała, biorąc Maxa za rękę.

— Emily. Emily Barlow.

Drzwi windy otworzyły się i nie miałam innego wyboru, jak tylko wejść do środka. Z Maxem, trójką dzieciaków, ich hulajnogami i mną panował tam spory ścisk. Max i ja stanęliśmy naprzeciwko siebie.

— Będziemy jedli lody — oznajmił jeden z bliźniaków.

Uniosłam brwi.

— Przed obiadem?

— Daj spokój — odparł Max. — Zjedz z nami.

— Tak, zjedz z nami — powtórzyli bliźniacy.

Katie najwyraźniej nie podzielała entuzjazmu braci.

— Dzięki, ale nie mogę — odrzekłam.

Max spojrzał na mnie jak na tchórza.

— Mój pies. Einstein. Muszę go wyprowadzić.

Max się uśmiechnął.

— Jak chcesz. Chodźcie, dzieciaki.

Na spacerze serce waliło mi jak młotem. Einstein jak zwykle nie chciał załatwić się na chodniku i uparcie czekał, aż oboje z portierem odwrócimy się, dając mu chwilę pozornej prywatności. Kiedy skończył, jedna po drugiej delikatnie podnosił łapy, przez co miałam wrażenie, że czegoś szuka. Zupełnie jakby chciał skorzystać z chusteczek do rąk.

Po chwili zwiesił głowę i podreptał w kierunku bramy. Zdążyłam już zapomnieć o Maksie, jednak gdy wysiadłam z windy, bliźniacy siedzieli po turecku przed drzwiami mojego mieszkania.

— Hej — rzuciłam zaskoczona.

Einstein zerknął podejrzliwie na chłopców i przysiadł na zadzie.

— E, to nasi sąsiedzi. Bądź miły.

Miałam wrażenie, że znudzony wzruszył ramionami, wyprostował się i wszedł do mieszkania. Nie czekając na zaproszenie, chłopcy podreptali za nim.

Kiedy usadowił się na posłaniu i stracił zainteresowanie mną i bliźniakami, chłopcy wzięli mnie za ręce.

— No chodź. Jeśli się nie pospieszymy, lody się roztopią. Niemal wywlekli mnie z kuchni.

— Naprawdę nie mogę.

— Musisz. — Zamknęli za mną drzwi. — Wujek Max powiedział, że bez ciebie mamy nie wracać.

— Naprawdę tak powiedział?

Nie stawiając oporu, poszłam za nimi.

W zalanej słońcem kuchni Katie raczyła nianię opowieściami o przygodach, jakie przydarzyły im się w Central Parku. Zapewne ani słowem nie wspomniała o ataku złości, którego świadkiem byłam na ulicy.

Gdy chłopcy wpadli do kuchni i usiedli na wysokich taboretach, Beau, potężny golden retriever, dźwignął się z podłogi.

Max stał oparty o blat i na mój widok się uśmiechnął.

— To miło, że do nas dołączyłaś.

— Nie dałeś mi wyboru.

— Tak, wiem, to jedna z moich wad.

Katie nie przerywała opowieści.

— Widzę, że wiesz, co robić, żeby dziewczynki przestały płakać.

— Tak, to cały ja. Chociaż chciałbym wiedzieć, dlaczego ostatnio tak dużo kobiet płacze w moim towarzystwie.

Uśmiechnął się uroczo i wyjął z zamrażarki trzy pojemniki lodów.

Dzieciaki zaczęły piszczeć z radości.

— Używasz lodów, żeby przekupić płaczące dziewczyny. Wysyłasz chłopców, by zmusili mnie do przyjścia. To dość pokrętna taktyka, nie sądzisz?

— W Navy Seals nie używa się pokrętnych taktyk — odparł, rozdzielając lody na sześć porcji. Przerwał i spojrzał na mnie. — Robi się co trzeba, żeby jak najlepiej wykonać zadanie.

— Jesteś żołnierzem?

Uśmiech zniknął z jego twarzy, a łyżka do lodów na chwilę zawisła w powietrzu.

— Byłem.

— To znaczy, że już nie jesteś?

Spojrzeliśmy na siebie, w jego oczach czaiła się ciemność.

— Przepraszam — bąknęłam, choć nie wiedziałam dlaczego.

Po chwili ciemność zniknęła, jakby nigdy jej tam nie było.

— Nie musisz przepraszać. Chyba tylko za to, że nazwałaś mnie żołnierzem. Byłem w Navy Seals, nie w zwykłym wojsku.

— Och, wybacz.

— Już to zrobiłem.

Kiedy zjedliśmy lody, chłopcy uparli się, że pokażą mi swój pokój zabaw. Zerknęłam na Maxa, jednak on tylko wzruszył ramionami.

— Oni tu rządzą.

Mieszkanie było przeszło dwa razy większe od mojego. Wychodząc z kuchni, skręciliśmy w prawo, jeszcze raz w prawo i ruszyliśmy korytarzem biegnącym wzdłuż południowej ściany budynku. Gdy weszliśmy do pokoju, zatrzymałam się. Czułam, że Max zrobił to samo za moimi plecami.

— Dziecięca wersja nirwany — powiedział. — Moja siostra daje się ponieść emocjom.

— Chodź, Emily — pisnęli bliźniacy.

Na ścianach, oprawione w kolorowe ramki, wisiały zabawne rodzinne zdjęcia. Idąc korytarzem, zauważyłam pozowane fotografie w drogich ramkach.

Kiedy chłopcy zobaczyli, że przyglądam się zdjęciom, jeden przez drugiego zaczęli mi wyjaśniać, kto jest kim. Po paru chwilach do pokoju wpadła Katie, która odepchnęła braci i przejęła rolę przewodnika.

— To nie jest wujek Max — warknęła. — To wujek Marcus.

Wujek Marcus był podobny do wujka Maxa, choć wydawał się starszy i bardziej poważny.

— Mój starszy brat — wyjaśnił Max.

— A to wujek Max z wujkiem Peterem.

— Kolejny brat? — spytałam.

— Partner Marcusa — sprostował Max. — Mieszkają w Tribece.

— A to ciocia Mary i wujek Howard.

— Mary to moja druga siostra — dodał Max. — Melanie, Mary, Marcus i ja. W tej kolejności.

— Twoi rodzice lubią imiona zaczynające się na literę M?

— Musiałabyś zapytać moją mamę. — Przyjrzał się zdjęciom, jakby nie widział ich od bardzo dawna. — Mary jest lekarzem w nowojorskim szpitalu Presbyterian, a Howard prawnikiem w jednej z tych kancelarii, które mają w nazwie całe mnóstwo nazwisk. Mieszkają na Upper East Side.

Katie dźgnęła paluszkiem kolejne zdjęcie.

— To nasza mama i tata.

— Melanie i Ben — dodał Max. — Ben jest facetem z Wall Street, który mimo kryzysu nie stracił pieniędzy.

Obejrzałam zdjęcia dziadków, kuzynów i dalszej rodziny. Dzieci, z pomocą Maxa, wyjaśniały mi, kto jest kim.

Na środku ściany, pośród innych zdjęć, wisiała stara fotografia kobiety w toczku à la Jackie Kennedy i mężczyzny w wojskowym mundurze.

— Twoi rodzice?

— Kathryn i Dan.

— Jesteście blisko?

— Wszyscy jesteśmy blisko. My, dzieci, mieszkamy w No-wym Jorku, a rodzice kilka godzin stąd, w Pensylwanii, gdzie dorastaliśmy.

— Twój ojciec wciąż jest wojskowym?

Max się uśmiechnął.

— Służył w marynarce wojennej — sprostował. Z jego oczu można było wyczytać, że bardzo kocha ojca. — W młodości był piekielnie dobrym żeglarzem, zawsze dużo od nas wymagał.

Katie i bliźniacy stracili zainteresowanie rozmową i bawili się w najlepsze.

— Miałeś do niego żal, że stawiał poprzeczkę tak wysoko?

Nie odpowiedział od razu.

— Jasne. Czasami. Ale przede wszystkim go podziwiałem. Dzięki niemu czułem, że mogę zrobić, co tylko chcę. Popierał każdą moją decyzję, pod warunkiem że była przemyślana i po-trafiłem ją uzasadnić.

— Musi być wyjątkowym człowiekiem.

— Tak. Jest emerytowanym kapitanem.

— Aż tak wysoko?

— To odpowiednik pułkownika.

— A więc jednak wysoko?

Max pokiwał głową i się uśmiechnął.

— Tak.

Jeszcze raz spojrzałam na fotografie, a Max stanął obok mnie.

— Rozumiem, że do tej pory nie miałaś do czynienia z wojskowymi?

— Pochodzę z domu kobiet, a dokładniej z domu kobiet, które nie wierzyły w wojnę. Nie było wśród nas facetów.

— A twój ojciec?

Zawahałam się.

— Z tego, co wiem, była to przelotna przygoda na wiecu pokojowym. Mama nie pamiętała nawet jego imienia.

Wyczułam jego zaskoczenie. Nie zdziwiło mnie to. Był mężczyzną z dużą, kochającą się rodziną. Już wcześniej, gdy porównywałam nasze historie rodzinne, było mi siebie żal, jednak teraz niemal nienawidziłam go za to, co miał. Byłam zazdrosna i choć wiedziałam, że to niedorzeczne, nie potrafiłam tego zmienić.

— Kiedyś moja matka była kimś ważnym. — Czułam, że powinnam stanąć w jej obronie. — Napisała artykuł, który ukazał się w „New York Timesie".

— Była pisarką?

— Właściwie nie. Była feministką. Napisała artykuł o tym, dlaczego ładne dziewczyny nie odnoszą sukcesów. — Mówiąc to, uśmiechnęłam się smutno. — Teraz to już niemodne, ale wtedy artykuł rozpętał burzę. Prawdziwą burzę — dodałam, przewracając oczami. — Mama była dumna jak nigdy. Wycięła artykuł z gazety. Twoja siostra oprawia w ramki rodzinne fotografie i wiesza je na ścianie, a moja mama oprawiła w ramki artykuł z „New York Timesa". Niezależnie od tego, gdzie mieszkałyśmy, wieszała go na ścianie. — Zawahałam się. — I nagle, pewnego dnia, artykuł zniknął ze ściany i nigdy tam nie wrócił. Nawet wtedy, gdy na stałe zamieszkałyśmy w jednym miejscu.

— Dlaczego?

Zamrugałam.

— Nie mam pojęcia. — Zanim Max zdążył cokolwiek powiedzieć, odsunęłam się. — Wygląda na to, że widziałam już wszystkich członków rodziny Reagerów... oprócz ciebie. Gdzie się podział wujek Max?

To pytanie nie uszło uwagi dzieciaków. Cała trójka podbiegła do ściany, pokazując trzy różne zdjęcia. Maxa w stroju marynarza. Maxa w mundurze. I Maxa stojącego na ośnieżonym szczycie, który nawet ja rozpoznałam.

— Kiedy zdobyłeś Everest? — spytałam.

— W maju.

— W ubiegłym roku?

— Tak.

— Myślałam, że zdobycie Everestu wymaga lat przygotowań.

— Nie dla kogoś, kto służył w Navy Seals.

— Ty i twoje Navy Seals.

Próbowałam dowiedzieć się czegoś więcej, ale dzieciaki nie dały mi dojść do słowa.

— Chodź, pobaw się z nami! — nalegały.

Z odsieczą przyszła Lupe, która oznajmiła, że obiad jest gotowy.

— Nie! — pisnęły zgodnie dzieciaki.

— Czas na wyżerkę, żeglarze — oznajmił Max.

Dzieci ustawiły się gęsiego i marszowym krokiem ruszyły do kuchni.

— Chodź — zwrócił się do mnie. — Póki wybrzeże jest czyste.

Wyszliśmy na korytarz i odprowadził mnie pod drzwi. Wziął mnie za rękę.

— Chcę ci coś pokazać.

Pociągnął mnie w górę schodów i byłam pewna, że prowadzi mnie do swojego mieszkania. Serce zabiło mi mocniej, jednak posłusznie szłam za nim, aż stanęliśmy przed drzwiami, których nigdy dotąd nie widziałam. O dziwo, były otwarte i po minucie znaleźliśmy się na dachu budynku w gęstniejącej ciemności.

— John Lennon udzielał tutaj wywiadu. Tam zrobiono mu zdjęcie. — Max wskazał cienką poręcz, za którą rozpościerał się widok na Central Park.

— Można tak po prostu tu wchodzić?

— Nie wiem. Ale co tam...

— Mam wrażenie, że nie szukasz pozwolenia, tylko wybaczenia. To niepodobne do kogoś, kto służył w marynarce wojennej.

Roześmiał się i pociągnął mnie w stronę poręczy.

— Powiedzmy, że w wojsku popełniłem całe mnóstwo błędów.

Park rozciągał się przed nami niczym czarny aksamit otoczony ozdobnymi ścianami budynków z wapienia i piaskowca.
Latarnie rozświetlały mrok jak rozrzucone wzdłuż drogi dia-
menty.

— Tu, na górze, można zapomnieć o szaleńczym tempie,
w jakim żyje to miasto — rzekł, spoglądając w mrok.

— To trochę tak, jakby się było na szczycie góry.

Zerknął na mnie i się uśmiechnął.

— Tak.

Przez dłuższą chwilę staliśmy w milczeniu.

— A więc teraz jesteś alpinistą?

— Nie, ale kiedy skończyłem służbę, potrzebowałem... czegoś
innego.

Wyczułam w jego głosie napięcie.

— Pomyślałem, a co tam, zdobędę Everest. Taki kaprys.

— Jesteś szalony?

Nie odpowiedział od razu.

— Pewnie tak. Dlatego rodzina przekonała mnie, żebym
zamieszkał w Nowym Jorku, spędził z nimi trochę czasu i za-
stanowił się, co chcę robić w życiu.

— No i jak? Zastanowiłeś się już?

— Nie.

Ledwo go znałam, ale miałam wrażenie, że nie pozostawia
niczego przypadkowi.

— Twoja kolej — rzucił.

— Na co?

— Żeby opowiedzieć mi o swoich kłopotach.

Zdumiało mnie to, że naprawdę o wszystkim mu powiedziałam.
O tym, jak zginął mój mąż, o pamiętnikach, które znalazłam za
obrazem, o tym, że w dniu, gdy spotkaliśmy się na dziedzińcu,
dostałam list od prawnika mojego męża dotyczący prawa własności mieszkania.

— Wygląda na to, że potrzebujesz prawnika — stwierdził. —
Mogę cię umówić z mężem mojej siostry Mary. Jestem pewny,
że ktoś w kancelarii Howarda będzie mógł ci pomóc.

— Nie chciałabym nadużywać twojej uprzejmości.

Odwrócił się i obrócił mnie ku sobie.

— Hej — szepnął — odkąd nie służę w marynarce, zmieniłem się. Poza tym polubiłem rolę rycerza.

Roześmiałam się, jednak spoważniałam, gdy jego wzrok spoczął na moich ustach. Wiedziałam, że chce mnie pocałować, jednak jego rycerskość — a może coś innego — sprawiła, że tego nie zrobił.

— Nie, naprawdę — szepnęłam, mimowolnie wczepiając się palcami w jego koszulę. — Nie mogłabym.

Zawahał się, jakby nie do końca wiedział, o czym mówię. Jednak gdy przyciągnęłam go do siebie, pochylił się i mnie pocałował. Z jego ust wydobył się głęboki jęk.

— Boże, wiedziałem, że będziesz tak smakowała — szepnął. Czułam na skórze jego gorący oddech. — Pragnąłem cię, odkąd zobaczyłem cię po raz pierwszy.

— Od dnia, kiedy znalazłeś mnie leżącą na podwórzu?

Zachichotał i dotknął językiem moich warg.

— Jeszcze zanim zobaczyłem cię w parku. Stałaś na rogu ulicy, patrząc przed siebie niewidzącym wzrokiem.

— Pociągają cię obłąkane i zagubione starsze kobiety?

— Raczej nie nazwałbym cię starszą kobietą. A już na pewno nie obłąkaną. — Spojrzał mi w oczy. — Ale tak, wydajesz się zagubiona. Zupełnie jakbym patrzył na kogoś, kim sam kiedyś byłem. Dlatego wiem, że sobie poradzisz.

Czułam jego rękę na plecach.

— A ty? Z czym ty musiałeś sobie poradzić, Max?

Miałam wrażenie, że wypuści mnie z objęć i się odsunie.

— Proszę. Ja nie mam przed tobą tajemnic.

Usłyszałam westchnienie.

— Kto to wie? Afganistan? Irak? Wszyscy słyszeli te opowieści setki razy. Miałem szczęście.

— To znaczy?

— Wciąż żyję.

Kiedy stało się jasne, że nie zamierzam zadawać więcej pytań, pocałował mnie.

Ujął w dłonie moją twarz i zanurzył palce we włosach. Delikatnie kąsał zębami moje wargi. Wydawało mi się niemożliwe, że ktoś tak silny może być jednocześnie tak delikatny. Mogłabym całować się z nim przez całą wieczność. Jednak w końcu do głosu doszła dawna Emily, ta przy zdrowych zmysłach. Byłam wdową i miałam mnóstwo problemów, z którymi nie potrafiłam sobie poradzić. Nie potrzebowałam kolejnego, szczególnie jeśli był nim mężczyzna, który musiał się zmierzyć z własnymi demonami.

— Dzięki za propozycję pomocy, ale muszę załatwić to sama.

Wyślizgnęłam się z jego objęć i wróciłam do środka drzwiami, których nigdy dotąd nie widziałam.

Rozdział piętnasty

Bez względu na to, gdzie mieszkałyśmy, matka uwielbiała organizować przyjęcia. Nie miało znaczenia, że wynajmowałyśmy jeden pokój i korzystałyśmy ze wspólnej łazienki na korytarzu. Lillian Barlow musiała otaczać się ludźmi.

Gośćmi mojej matki byli ekscentryczni nowojorscy intelektualiści. Była wśród nich Willa, jej najlepsza przyjaciółka, i ludzie poznani w WomenFirst, łącznie z mężczyzną, którego nazywała Profesorem, ponieważ mówiąc, posługiwał się słynnymi cytatami. Mama drażniła się z nim, twierdząc, że nie ma w głowie żadnej oryginalnej myśli. W odpowiedzi Profesor raczył ją kolejną porcją cytatów, po czym kłócili się i lądowali w łóżku. Pod warunkiem, że wśród gości nie było innego mężczyzny, który bardziej jej się podobał.

Goście pili i debatowali o sytuacji na świecie, podczas gdy matka oczarowywała ich urzekającą mieszanką dowcipu i dzikości. Przez krótki czas, gdy była żoną ojca Jordan, przyjęcia stały się mniej huczne. Jednak małżeństwo nie trwało długo i wkrótce zostałyśmy we trzy. Mama wciąż toczyła boje, Jordan była jej oczkiem w głowie, a ja obsługiwałam rozwrzeszczaną hołotę, nazywaną przez matkę przyjaciółmi.

Pewnej nocy w naszym domu pojawiła się kobieta, której dawno nie widziałam, a którą zawsze kochałam. Wzięłam płaszcze i upewniłam się, że goście mają co pić. Kiedy podawałam jej martini, spojrzała na mnie i się roześmiała.

— Za każdym razem, gdy cię widzę, jesteś coraz bardziej dorosła — zauważyła i rozejrzała się, szukając mojej matki. —

Nic dziwnego, że nie potrzebujesz męża, Lillian. Masz Emily, która zajmuje się wszystkim tym, czego ty nie lubisz robić.

Matka spojrzała na mnie z drugiego końca pokoju. Jej twarz nie zdradzała żadnych emocji, kąciki ust uniosły się nieznacznie, ale nie był to uśmiech.

— Tak, Emily to doskonała gospodyni. Zastanawia mnie tylko, czy naprawdę taka jesteś, Em? A może ukrywasz przed światem swoje prawdziwe „ja"? — Urwała. — Proszę, powiedz, że moja córka chce być kimś więcej niż gospodynią domową i kelnerką.

Jej przyjaciele wybuchnęli śmiechem.

— Na Boga, Lillian, nie naskakuj na nią tylko dlatego, że jest dobra w czymś, z czym ty zupełnie sobie nie radzisz.

Słysząc to, mama spoważniała. Wzruszyła ramionami, uśmiechnęła się i uniosła kieliszek, choć nie miałam pojęcia, czy wznosi toast za moje zwycięstwo, czy swoją porażkę.

⌘

Dzień po tym, jak Tatiana przyparła mnie do muru w damskiej toalecie, zadzwoniła do mnie asystentka niejakiej Heddy Vendome z Vendome Children's Books. Bezczelna, odważna i głośna Hedda rządziła niepodzielnie w świecie wydawnictw dla dzieci, gdzie wszyscy byli cisi i konserwatywni. Nic dziwnego, szczególnie że wydawane przez nią książki dla młodzieży i książki z obrazkami dla dzieci były wielokrotnie nagradzane. Jak się okazało, Hedda chciała zjeść ze mną lunch.

Byłam tak zaskoczona, że przyjęłam zaproszenie. W czasach, kiedy matka organizowała przyjęcia, to właśnie ona zmierzyła mnie wzrokiem od stóp do głów, gdy podałam jej martini.

Nie widziałam jej wiele lat, choć czasami natykałam się w gazetach na jej zdjęcia. Byłam pewna, że ma sześćdziesiąt pięć lat, ale ona zarzekała się, że sześćdziesiąt, a ubierała się, jakby niedawno skończyła czterdzieści. Nie żeby miało to jakieś znaczenie. Jednak w dobie koncernów wydawniczych rzadko zdarzało się, by którykolwiek z pracowników był bardziej znany niż bohaterowie wydawanych przez niego książek.

Spotkałyśmy się w Michael's przy Zachodniej Pięćdziesiątej Piątej. Bywała tu większość ludzi pracujących w wydawnictwach, a wielu z tych, którzy pociągali za sznurki, jadało tu regularnie. Pani Vendome miała własny stolik. Kiedy przybyłam na miejsce,

Heddy jeszcze nie było. Kierowniczka sali zaprowadziła mnie do stolika, dzięki czemu mogłam przyjrzeć się gościom i skojarzyć niektóre znane nazwiska z twarzami.

Hedda weszła z rozmachem, zatrzymując się po drodze, przesyłając całusy i odpowiadając na pozdrowienia. Kiedy podeszła do stolika, o mało nie wstałam i nie dygnęłam.

— No, no — zaczęła zachrypniętym głosem nałogowej palaczki. Była reliktem minionej epoki, z włosami ufarbowanymi na rudo i narysowanymi ołówkiem brwiami. — Dzięki Bogu wcale nie jesteś podobna do matki. — Roześmiała się i mnie uściskała. — Nie widziałam cię, odkąd ubrana w szkolny mundurek serwowałaś martini znajomym twojej matki. Boże jedyny, brakuje mi tego. Człowiek budził się rano pełen energii, gotowy walczyć w słusznej sprawie. Przez długi czas twoja matka stała na pierwszej linii. Ach, jak ja ją podziwiałam. — Urwała i ku mojemu zaskoczeniu spojrzała mi w oczy i dotknęła mojego policzka. — Choć jestem pewna, że życie z nią wcale nie było łatwe.

Musiałam wstrzymać oddech, bo opuściła rękę.

— Ale dość o mnie i moich spostrzeżeniach na temat twojej matki. Porozmawiajmy o mnie i moich spostrzeżeniach na temat całej reszty!

Z teatralnym westchnieniem opadła na krzesło.

— Nie masz pojęcia, co bym dała za martini i papierosa. Niestety mój lekarz zabrania mi pić, a burmistrz nie pozwala palić. Mężczyźni!

Roześmiała się tak głośno, że ludzie siedzący przy sąsiednich stolikach spojrzeli w naszą stronę. Wielu uśmiechnęło się, widząc, że to Hedda. Nagle dotarło do mnie, że nie można jej nie lubić.

— A teraz powiedz mi, kochanie, jak się miewasz? Opowiedz mi o wszystkim. Jak tam twoja okropna praca w Caldecote? Co myślisz o Tatianie Harriman?

Nie mogłam uwierzyć, że Hedda chce wyciągnąć ode mnie poufne informacje. Była znana z tego, że wszędzie miała swoich ludzi.

— No...

— Nie przejmuj się. I tak wszystko wiem. Gdybym była dwadzieścia lat młodsza i miała sztuczne piersi, byłabym Tatianą Harriman.

Zamówiła za nas obie: sałatkę Cobb i dodatek do dania głównego, słynne frytki Michael's.

Podczas lunchu mówiła o nieistotnych rzeczach, przedstawiając mnie każdemu, kto podszedł do naszego stolika.

— Boże, nie wiesz nawet, jak tęsknię do czasów, gdy poznałam twoją matkę — wyznała, kiedy kelner zabrał jej talerz. — Ona wiedziała, jak załatwić sprawy. Była przebiegłą bestią, ale wiedziała, o czym mówi. — Mówiąc to, Hedda bawiła się szklanką z wodą. — Właśnie dlatego chciałam się z tobą spotkać.

— Jesteśmy tu z powodu mojej matki?

— Pośrednio. Słyszałam, że wiesz, co sprzedaje się w tym biznesie.

Najwyraźniej nie miała pojęcia o *Intencjach Ruth* ani o moich ostatnich napadach nicnierobienia.

— Miewałam dobre momenty — przyznałam. — Ale my nie wydajemy książek dla dzieci.

— Och, przyjaźnię się z Libby Meeker.

— Z Meeker Books?

W przeszłości spędzałam więcej czasu, niż powinnam, w słynnej księgarni dla dzieci, której właścicielką była Libby, szukając książek do swojej kolekcji.

Nie pamiętam dokładnie, kiedy książki stały się moją ucieczką od rzeczywistości, ale to w nich odnalazłam siebie, spotkałam bohaterów tak realnych, że stali mi się bliżsi niż dzieciaki, z którymi chodziłam do szkoły. W ulubionych opowieściach dorośli byli mądrzejsi od tych śmiejących się i kłócących w pokoju gościnnym mojej matki.

— Libby mówi, że rozumiesz książki dla dzieci. I choć nie masz pewnie doświadczenia w tej dziedzinie, chętnie podejmę ryzyko. Chcę, żebyś pracowała dla mnie w Vendome.

Praca w Caldecote mogła być ryzykowna, ale uciekanie w świat książek dla dzieci nie było rozwiązaniem. Poza tym nie miałam siły ani ochoty zaczynać wszystkiego od nowa, zwłaszcza w wydawnictwie dla dzieci, które nie mogło się przecież różnić od innych wydawnictw.

— Pochlebia mi to, ale...

— Nie musisz już teraz podejmować decyzji. Wiem, że cię zaskoczyłam, ale uwierz mi, to rozsądny krok. Przemyśl to sobie.

Nagle do lokalu wpadła jej asystentka.

— Musimy iść, pani Vendome. Samochód czeka.

Czar prysł.

— Słyszałam o twoim mężu. — Hedda wyciągnęła rękę ponad stołem i uścisnęła mi dłoń. — Bardzo mi przykro.

✠

Oszołomiona wróciłam do biura. Nie zdążyłam odłożyć torebki, kiedy Tatiana wezwała mnie do swojego gabinetu.

— No i jak tam lunch? — spytała bezceremonialnie.

Wiedziała o lunchu? Choć z drugiej strony nie powinno mnie to dziwić. Tatiana Harriman nie zaszłaby tak daleko, gdyby nie miała pojęcia, co w trawie piszczy.

— Było miło, dziękuję.

Zmierzyła mnie uważnym wzrokiem.

— Nie podoba mi się to, że chwilę po tym, jak pojawiam się w Caldecote, ty idziesz na lunch z naszą konkurentką.

— Hedda? Konkurentką? Ona wydaje książki dla dzieci.

— A więc to prawda. Byłaś na lunchu z Heddą Vendome.

Czułam się, jakbym grała w nową wersję szachów, w której nie obowiązują dawne reguły.

— Tak. Skąd wiesz?

— Mam przyjaciela w Random House, który uwielbia plotkować. Niestety nie zdążył zadzwonić, żeby poinformować mnie, że niektórzy z moich pracowników chcą pracować dla konkurencji. Choć do głowy by mi nie przyszło, że to przez ciebie ludzie zaczną przebąkiwać, że są niezadowoleni. To, że Hedda pracuje w wydawnictwie dla dzieci, jeszcze pogarsza sprawę. Wygląda na to, że moi pracownicy są tak nieszczęśliwi, że chcą się przerzucić na coś innego, niekoniecznie związanego z tym, czym zajmuje się Caldecote Press... — Urwała i zacisnęła usta, jakby chciała stłumić złość.

— Nie pracuję dla konkurencji. Znam Heddę od dziecka.

Mówiłam prawdę.

Tatiana zmrużyła oczy i zabębniła w biurko jaskrawoczerwonymi paznokciami.

— To znaczy, że nie chcesz odejść?

— Oczywiście, że nie.

To również było prawdą.

Sądząc po jej minie, moja odpowiedź jej nie przekonała.

— Tatiano, naprawdę myślisz, że gdybym szukała nowej pracy, umówiłabym się na spotkanie w Michael's? Żeby wszyscy od razu o tym mówili?

— Masz rację. A wydaje mi się, że znam się na ludziach. Pewnie bijesz się z myślami, ale nie jesteś głupia. — Pokiwała głową. — Kto wie, może twoja przyjaźń z Heddą w przyszłości wyjdzie nam na dobre? W końcu powieści dla młodzieży są ostatnio bardzo popularne. — Uśmiechnęła się. — Na tym skończymy.

Mogłam odejść.

Byłam przy drzwiach, ale mnie zatrzymała.

— Następnym razem, gdy Hedda do ciebie zadzwoni, oczekuję, że mnie o tym poinformujesz.

Einstein

Rozdział szesnasty

Mówi się, że psy domowe pochodzą od wilków. Zwierząt stadnych. Brutalnych. Może spodobałoby mi się bycie wilkiem, choć świadomość, że musiałbym walczyć o swoją pozycję w hierarchii Canis lupus, skutecznie studziła mój zapał. Jeśli wspinanie się po szczeblach nowojorskiej socjety było trudne, walka o przetrwanie w wataszce wilków mogłaby być zabójcza. Dosłownie. Tak więc dopóki tkwiłem w ciele Einsteina, nie miałem wyboru, jak tylko trzymać się blisko tych, z którymi mieszkałem, czyli Emily.

W ciągu dnia spędzałem czas w towarzystwie dziewczyny zajmującej się wyprowadzaniem psów. Greta, Gretchen, a może Grace — nieważne — przychodziła po mnie w południe i zabierała razem z sześcioma innymi psami do Central Parku. Będąc człowiekiem, uwielbiałem ten park, jednak spacery na smyczy, w towarzystwie stada cuchnących psów, były męczarnią, którą trudno opisać. Ale i tak wolałem to niż siedzieć samemu w domu, kiedy Emily była w wydawnictwie. Nocami moją żonę ogarniał kulinarny szał i systematycznie zaniedbywała pracę, którą przynosiła do domu. Widziałem, jak rozpada się na kawałki, które, jeden po drugim, roztrzaskiwały się w drobny mak.

Zastanawiałem się, jak rozwiązać ten problem, kiedy doszło do tragedii: przyjechała siostra Emily. Nie było tajemnicą, co sądziłem o Jordan Barlow. Moja szwagierka mogła nienawidzić mnie za to, że byłem bogaty, ale ja nienawidziłem jej bez powodu. A także za to, że za każdym razem, gdy pojawiała się w mieście, zakłócała panującą w moim życiu harmonię.

— Halo! — zawołała, choć portier na pewno powiedział jej, że Emily nie ma w domu. A to oznaczało, że oczarowała go, żeby dał jej klucz. Albo Emily dodała nazwisko Jordan do listy ludzi, którzy mieli dostęp do mieszkania, czemu — jako Sandy — stanowczo się sprzeciwiłem.

— Emily?! — zawołała znowu.

Stałem w cieniu, patrząc, jak zamyka drzwi i chowa klucz do kieszeni. Niemal od razu wyczułem woń tanich perfum o zapachu mydła i cytryny, zmieszaną z zapachem marihuany. Jej włosy, jasne jak u Emily, sięgały do połowy pleców. Mimo panującego chłodu miała na sobie kilka warstw koszulek, długą cienką spódnicę i japonki.

Kiedy wyszedłem z cienia, wzdrygnęła się zaskoczona.

— Jejku, a ty kim jesteś?

Warknąłem, głównie dlatego, że mogłem. Jako człowiek musiałem sprawiać wrażenie miłego, choć oboje znaliśmy prawdę. Jordan bynajmniej nie wyglądała na przestraszoną. Wręcz przeciwnie, roześmiała się. Tak. Roześmiała.

— Cholera, ale z ciebie brzydal.

Istota niższego gatunku byłaby zdruzgotana, lecz ja odwróciłem się na pięcie i podreptałem w stronę biblioteki i mojego ulubionego skórzanego fotela.

— Jesteśmy wkurzeni? — Zachichotała i cisnęła na podłogę marynarski worek.

Minęła mnie w drzwiach. Ponieważ nie miałem nic lepszego do roboty, zapomniałem o fotelu i poszedłem za nią do kuchni. Od razu podeszła do lodówki.

— Co tu jest grane? To wszystko, co Emily ma w lodówce? Ciastka i ciasteczka? Żadnego prawdziwego jedzenia? Emily zawsze miała w lodówce prawdziwe jedzenie.

W spiżarni nie znalazła niczego poza starymi płatkami śniadaniowymi, babeczkami, rogalikami i całym asortymentem płatków owsianych, wiórków czekoladowych i cukrowych ciasteczek.

Spojrzała na mnie.

— Co się z nią dzieje?

Jakby oczekiwała, że odpowiem.

Wziąwszy garść ciasteczek, zaczęła krążyć po mieszkaniu. Wykonała kilka telefonów — żadnego do mojej żony — poczytała, przespała się, obudziła i znowu czytała. Znowu zasnęła, tym razem na sofie, z książką na piersi, kiedy usłyszałem zgrzyt zamka i trzask zamykanych drzwi.

Wybiegłem na korytarz. Widok leżącego na podłodze płóciennego worka wyraźnie zaskoczył Emily, łzy napłynęły jej do oczu. Po mojej śmierci nie płakała tygodniami, ale odkąd znalazła pamiętniki, zalewała się łzami z byle powodu.

Kolejna rzecz, co do której nie czułem się winny.

— Jordan?

Gdzieś w głębi mieszkania książka spadła na podłogę, po czym usłyszałem otępiające mlaskanie gumowych klapków.

— Emily! — pisnęła Jordan.

Na dźwięk jej głosu ciemność w oczach Emily rozproszyła się i po raz pierwszy od wielu tygodni ujrzałem w nich iskierkę światła.

— Jordie — szepnęła, obejmując siostrę. — Dlaczego nie dałaś znać, że przyjeżdżasz? Czekałabym na ciebie.

— Nie wiedziałam, kiedy dotrę na miejsce. Skumplowałam się ze stewardem, który wziął mnie na pokład. Udawałam, że jestem jego dziewczyną i praktycznie przyleciałam za darmo.

Emily odsunęła się od siostry i spojrzała na nią.

— Hej, ci złodzieje z linii lotniczych codziennie okradają takich jak my, więc nic im się nie stanie, jeśli pomogą wrócić do domu z Ameryki Południowej dziewczynie, która próbuje naprawić świat. Uwierz mi, nie mam wyrzutów sumienia, że udawałam dziewczynę faceta, który jest gejem.

Emily pokręciła głową i się uśmiechnęła.

— Przecież nic nie mówię.

— Znam to spojrzenie.

— Jordan, nie posłałam ci żadnego... — urwała. — To kiepski początek. No dalej, chcę usłyszeć wszystko na temat Domów dla Kobiet Bohaterek.

Jestem prawie pewny, że moja szwagierka pobladła, jednak wzięła się w garść i odzyskała rezon, zanim moja żona zdążyła cokolwiek zauważyć.

— Zrobiłam sobie przerwę — oznajmiła Jordan.

— Przerwę? Przecież dopiero zaczęłaś dla nich pracować.

— To nic wielkiego. Wielu ludzi tak robi. Ja... zamierzam rozmawiać z WomenFirst. Pomyślałam, że mogłabym spróbować z dawną organizacją mamy.

— Jordan?

Szczeknąłem.

— Halo, niech ktoś się mną zajmie. — Mieliśmy rozkład zajęć. Emily wracała do domu i wyprowadzała mnie na spacer. Jordan jeszcze na dobre się u nas nie rozgościła, a już wywracała moje życie do góry nogami.

— Och, wybacz, E.

— E?

— Skrót od Einstein. Muszę go wyprowadzić.

Jordan spojrzała na mnie.

— Ja to zrobię. Dopiero wróciłaś do domu.

Nie mogłem uwierzyć własnym uszom, gdy Emily się zgodziła. Warknąłem, żeby wyrazić swój niepokój.

— Nie martw się, Einsteinie — dodała moja szwagierka. — Obiecuję, że przyprowadzę cię z powrotem.

Mógłbym przysiąc, że zachichotała.

Emily spojrzała na mnie, a zaraz potem na Jordan.

— Tylko mi nie mów, że ty i Einstein się nie dogadujecie.

— Taa, dajesz wiarę? Zupełnie jak z tym kretynem Sandym.

Emily zamarła. Ja, prawdę mówiąc, też. Wiedziałem, że Jordan mnie nie lubi, ale powiedzieć coś takiego własnej siostrze zaledwie kilka miesięcy po tym, jak rzekomo zginąłem?

— Chryste, Em, przepraszam. Kogo obchodzi, że uważałam go za dupka? Kochałaś go. — Jordan pogłaskała Emily po ramieniu. — Palnęłam bez zastanowienia.

Zgodnie z obietnicą, nie zabrała mnie w głąb parku i nie spuściła ze smyczy w nadziei, że ucieknę. Załatwiłem się, a kiedy wróciliśmy do domu, Emily zamówiła obiad w naszej ulubionej restauracji z jedzeniem na wynos.

— Na jak długo przyjechałaś? — spytała.

— Nie wiem. Wszystko zależy od tego, jak mi pójdzie z WomenFirst. Choć lepiej, żebym znalazła coś od razu. Potrzebuję pieniędzy.

Emily przestała grzebać łyżką w zupie.

— Po to przyjechałaś?

Jordan uśmiechnęła się nerwowo.

— Nie, Emily, nie przyjechałam po pieniądze. — Rozluźniła się. — Choć pomyślałam, że mogłabym wyprowadzać Einsteina, kiedy ty będziesz w pracy.

— Nie! — szczeknąłem.

Zignorowały mnie.

— Rozumiem, że ktoś go wyprowadza, kiedy ciebie nie ma w domu.

Emily przyjrzała się siostrze, ale nie odpowiedziała. Jadły i rozmawiały o nieistotnych rzeczach, co było szaleństwem, zważywszy na to, że Jordan ostatni rok spędziła za granicą, a Emily straciła męża. Wydawałoby się, że powinny mieć sobie dużo do powiedzenia.

Dopiero kiedy sprzątały kuchnię, Emily zgodziła się zadzwonić do dziewczyny, która wyprowadzała mnie na spacer, i zrezygnować z jej usług.

Pięknie. Po prostu pięknie.

Przez trzy dni próbowałem odnaleźć się w nowej sytuacji. Z marnym skutkiem. Po pierwsze, Jordan była niewyobrażalnym flejtuchem. Po wizycie w sklepie spożywczym zostawiła ślady po szklankach na blacie stołu, okruchy krakersów na sofie i plamy po musztardzie na moich eleganckich płóciennych serwetkach. Po drugie, Emily po głębokiej depresji popadała w stan nagłego pobudzenia, kiedy rankiem w pośpiechu wyprowadzała mnie na spacer. A po trzecie, mimo że pomogłem — tak, pomogłem — Emily wrócić do pracy, od dawna nie miałem żadnego kontaktu z przebiegłym starcem.

Powróciła panika, która narastała z każdym kolejnym dniem spędzonym w tym przeklętym małym ciele. Ziajałem i śliniłem się, co jeszcze bardziej potęgowało mój niepokój.

Odkąd pojawiła się Jordan, Emily nie sypiała ze mną na kuchennej podłodze. Gdyby nie moja zraniona duma, poszedłbym do jej sypialni i spał razem z nią na łóżku. Wtedy jeszcze nie byłem tego świadomy, ale przy Emily panika nie miała nade mną takiej władzy.

Czwartego dnia po przyjeździe Jordan panika zmieniła się w przeczucie nadciągającego nieszczęścia. Coś miało się wydarzyć. Czułem to.

— Jordan! — zawołała Emily z pokoju gościnnego, szykując się do pracy. — Zabierzesz Einsteina na długi spacer? Wydaje się podenerwowany. Myślę, że musi się wybiegać.

— Jasne, jak chcesz — mruknęła Jordan.

Kiedy tylko Emily zamknęła za sobą drzwi, usłyszałem szelest pościeli — to Jordan przewróciła się na drugi bok i zasnęła. Próbowałem zrobić to samo. Skupiłem się na oddychaniu — wdech i wydech, wdech i wydech... Powtarzałem sobie, że wszystko będzie dobrze. Starzec wróci. Zobaczy, że Emily regularnie chodzi do pracy, i wszystko odkręci. Tak właśnie będzie.

Wyciągnąłem się w promieniach słońca, które wpadały do pokoju przez wschodnie okna, jednak ciepło stało się nie do wytrzymania. Przeniosłem się na kuchenną podłogę i do łazienki, gdzie położyłem się na chłodnych płytkach i wdychałem zapach taniego szamponu Emily. Jako człowiek nienawidziłem go, ale będąc psem, uważałem, że pachnie niebiańsko.

Tego ranka nie udało mi się jednak zasnąć.

Koło południa poczułem, że muszę wyjść na spacer. W końcu Einstein miał już swoje lata i wstrzymywanie moczu nie było jego mocną stroną. Tymczasem Jordan wciąż spała. Na to przynajmniej wskazywała panująca w pokoju cisza. Dlatego zaszczekałem. Raz i drugi.

— Odejdź — usłyszałem stłumiony jęk.

Znowu szczeknąłem, a kiedy to nie odniosło skutku, warknąłem i zawyłem. Skowyt był tak niesamowity, że instynkty wzięły nade mną górę i zerwałem się z podłogi, kiedy Jordan nagle otworzyła drzwi.

— Zamknij się, popaprańcu!

Przynajmniej się obudziła.

Czując jej zapach, musiałem odwrócić głowę. Od razu wiedziałem, że poprzedniej nocy była z przyjaciółmi... mężczyznami... że piła, paliła trawkę, a później... — przekrzywiłem głowę — wczesnym rankiem jadła tanie meksykańskie żarcie.

Zanim zdążyła zatrzasnąć mi drzwi przed nosem, chwyciłem w zęby smycz i stanąłem przed nią.

Nie wyglądała na zadowoloną.

— Palant — warknęła.

— Zdzira.

— Dupek.

— Jędza.

Zmierzyła mnie wściekłym spojrzeniem i bąknęła coś pod nosem, ale włożyła zwiewną spódnicę i podkoszulek.

Kiedy wyszliśmy z mieszkania i zjechaliśmy windą do wyjścia, poczułem świeże powietrze i natychmiastową ulgę. Byłem pewny, że w parku dojdę do siebie. Jordan zawsze spuszczała mnie ze smyczy. Jednak zaraz po tym, jak załatwiłem swoją potrzebę, zaczęła wlec mnie do domu.

— Hej! — Zaparłem się łapami o chodnik i pociągnąłem ją w stronę parku.

— Nie ma mowy — warknęła. — Jestem spóźniona.

Spojrzałem na nią z niedowierzaniem. Ty spóźniona? A co ja mam powiedzieć? Co z długim spacerem, na który miałaś mnie zabrać?

Niedługo potem zostałem sam. Jordan zjadła miskę płatków i przegryzając bajgla, w pośpiechu wyszła z domu.

Brakowało mi powietrza. Czułem się, jakbym się dusił. Ogarnęła mnie panika, która przypominała ukrytą w moim ciele tykającą bombę. Próbowałem liczyć. Starałem się zasnąć. W korytarzu dałem upust potrzebie, którą czułem, odkąd obudziłem się w ciele Einsteina: goniłem własny ogon. Biegałem w kółko, aż dostałem zawrotów głowy i przewróciłem się na bok. Podszedłem do okna z nadzieją, że widoczni w dole ludzie dostarczą mi chwilowej rozrywki, jednak widziałem tylko ludzi, którzy byli ludźmi i którzy cieszyli się życiem, podczas gdy ja zostałem uwięziony w ciele psa.

Myśl o tym sprawiła, że poczułem nieopisaną złość.

Zadziwiające, jak ciało psa wzięło górę nad wybitnym ludzkim umysłem. Gdyby nie to, że przez cały czas miałem się na baczności, już dawno dałbym się ponieść prymitywnym, pierwotnym instynktom. Za każdym razem, gdy do głosu dochodził jeden ze zmysłów, niezależnie od tego, czy był to smak, węch, czy widok czegoś ruchomego, psie ciało musiało się poderwać, zbadać, ugryźć i przeżuć. Gdyby mój umysł nie miał nad nim całkowitej kontroli, nie byłbym w stanie usiedzieć w miejscu, cierpliwie zaczekać i ocenić sytuację.

W dniu, kiedy do głosu doszła prymitywna część mojego „ja", mój koszmarnie wrażliwy nos wyczuł dziwny zapach. Zaintrygowany powlokłem się do kuchni, żeby zbadać sprawę. Odkryłem pudełko Lucky Charms i resztkę płatków z mlekiem, które Jordan zostawiła na stole.

Żeby wszystko było jasne, jako człowiek nienawidziłem płatków kupowanych w sklepie, jednak dla psa pełne cukru Lucky Charms pachniały bosko. Wspiąłem się na kuchenne krzesło i próbowałem wejść na stół. Nic nie mogło stanąć między mną a moją nagrodą.

Kiedy już byłem na stole, ominąłem otwarte pudełko, przycupnąłem nad miską i zacząłem chłeptać resztkę mleka i rozmiękłych kolorowych pianek.

Nie było tego dużo, ale nawet ta ilość wystarczyła, by moje zmysły zaczęły pracować na najwyższych obrotach. Niczym pies Pawłowa zacząłem się ślinić. Ochota na płatki Lucky Charms wypełniła całe moje ciało. Zrobiłem więc jedyną rzecz, jaką mogłem zrobić: przewróciłem pudełko, rozsypując jego zawartość na eleganckim drewnianym stole. Nie mogłem się opanować, zjadłem wszystkie puszyste pianki i chrupiące kuleczki.

Na chwilę zapomniałem o tym, że jestem psem. Przestałem myśleć o nieuchwytnym staruchu i nie dbałem o to, co przyniesie przyszłość. Jadłem i jadłem, a gdy na stole nie została ani jedna kolorowa pianka, wsunąłem głowę do pudełka i jeden po drugim zjadłem ostatnie smakołyki.

Na koniec wylizałem dno pudełka. Dopiero gdy podniosłem głowę, stwierdziłem, że otacza mnie ciemność. Spojrzałem w prawo i w lewo, jednak wszystko spowijał wszechobecny mrok. Zaskomlałem. Niewiarygodna siła pierwotnych zwierzęcych instynktów wzięła górę nad ludzkim intelektem.

Dźwignąłem się ze stołu, oszołomiony otaczającym mnie mrokiem. Potrząsnąłem głową, próbując pozbyć się tego, co — jak mi się wydawało — było pudełkiem. Szczekając i skomląc, tańczyłem na stole, nie zważając na twarde pazury drapiące drewno. Byłem pewny, że zostałem zaatakowany przez przeklętego skrzata z opakowania płatków Lucky Charms.

Miska i łyżka spadły na podłogę, w ślad za nimi poleciała cukierniczka. Tuż po niej przyszedł czas na solniczkę i pieprzniczkę. Warczałem i potrząsałem głową tak długo, aż w końcu pozbyłem się pudełka. Nagle, nie wiadomo dlaczego, poczułem żądzę zemsty. Niewiele myśląc, rzuciłem się na pudełko, rozrywając je niczym potwór z piekła rodem, który próbuje zaspokoić trawiący go głód. Paniczny strach przerodził się w coś bardziej podstępnego. Byłem bezmyślny i tchórzliwy, ale władza uderzyła mi do głowy. W końcu zwyciężyłem. Pudełko zostało zniszczone, część połknąłem, zostawiając na stole smętne resztki.

Zeskoczyłem na krzesło i podłogę, ślizgając się na rozsypanym cukrze i odłamkach rozbitej porcelany. Nic nie mogło mnie zatrzymać. Jak burza wpadłem do spiżarni i zjadłem wszystko, co było w zasięgu moich łap i pyska. Zawinięte w papier babeczki. Ciastka domowej roboty. Ukryty w chłodnym mroku spiżarni, targałem i jadłem bez końca.

Jakiś czas później usłyszałem szczęk otwieranych drzwi.

— Einstein?! — zawołała Emily. — Jordan?!

Do tego czasu bitwa dobiegła końca, a ja leżałem wyciągnięty na kuchennej podłodze, z brzuchem pełnym smakołyków. Nie mogłem się ruszać i miałem wrażenie, że umieram. Co ja takiego narobiłem?

Jak przez mgłę usłyszałem Emily, która podniosła smycz ciśniętą przez Jordan na podłogę.

— Einsteinie? Gdzie jesteś, piesku?

Pospieszne kroki w korytarzu.

Nie widziałem, jak weszła do kuchni, ale miałem świadomość, że stanęła jak wryta, ujrzawszy na podłodze smugi lukru, rozmiękłe płatki czekoladowe i Bóg jeden wie, co jeszcze. Jęknęła.

Poczułem ulgę, wiedząc, że wróciła do domu, że nie jestem sam i że się mną zaopiekuje. Jednak to uczucie nie trwało długo. Minęło, gdy tylko spróbowałem się poruszyć, miałem wrażenie, że lada chwila eksploduję.

Nie będę wdawał się w szczegóły, powiem tylko, że wyrzuciłem z siebie wszystko, co zjadłem.

— Einsteinie! — pisnęła Emily.

Godzinami nie mogłem dojść do siebie. Na szczęście Emily zajęła się mną jak prawdziwa Florence Nightingale. Gdybym nie był taki biedny, może miałbym wyrzuty sumienia. Jednak w takim stanie, będąc psem, przed północą, kiedy w końcu poczułem się lepiej, zapomniałem o całym wydarzeniu. Było, minęło i takie tam. Tymczasem Emily i Jordan zniosły to znacznie gorzej.

— Mówiłam ci, żebyś nie zostawiała płatków na stole!

— Nie przyjechałam tu, żeby być twoją służącą!

— Nie traktuję cię jak służącą! Prosiłam tylko, żebyś nie zostawiała jedzenia na stole. To ty chciałaś wyprowadzać Einsteina. Płacę ci za to! Nawet nie przyszło ci do głowy zapytać, czy możesz tu zamieszkać. Po prostu się pojawiłaś. Bez zapowiedzi!

— Rozumiem. To znaczy, że teraz potrzebuję zaproszenia, żeby zatrzymać się u siostry, kiedy jestem w mieście. Wiedziałam, że powinnam była zamieszkać u ojca.

— Więc dlaczego tego nie zrobiłaś?

Hm, moja zawsze taktowna żona trafiła w czuły punkt.

— No co? — ciągnęła. — Zapomniałaś przywieźć nieodpowiednie prezenty? To dlatego nie zatrzymałaś się u ojca? Nie masz nieprzyzwoitych lalek dla swojej ośmioletniej siostrzyczki? Starych numerów „National Geographic" z nagimi dzikuskami dla trzynastoletniego brata?

Zaczynało robić się ciekawie.

Jordan zesztywniała.

— Nie mam już piętnastu lat, Emily.

— Fakt, masz dwadzieścia dwa lata i z tego, co słyszałam, ostatnim razem, gdy zamieszkałaś u ojca, podburzałaś dzieci przeciwko rodzicom.

— Chciałam, żeby zaczęły myśleć!

— Nie wątpię. Ale nawet ja wiem, że rodzice zwykle mają coś przeciwko, gdy obcy ludzie mówią ich dzieciom, jak mają myśleć.

— Chyba że są tobą. Przyznaj, Emily, ty zawsze masz prawo mówić ludziom, co i jak mają myśleć.

Moja żona zamrugała, próbując się uspokoić.

— Nie chcę się z tobą kłócić.

— Więc tego nie rób.

Niemal usłyszałem, jak Emily zgrzyta zębami. Gdyby była bystra, wspomniałaby, że odkąd Jordan pojawiła się w naszym mieszkaniu, nie sprząta po sobie, nie chowa jedzenia i zniszczyła mój ulubiony stolik. Gdyby nie płatki z mlekiem, które zostawiła na stole, nie oszalałbym. W tym domu obsługiwano tylko jedną osobę/stworzenie/psa: mnie.

— Dlaczego nie zatrzymałaś się u ojca? — spytała Emily z cichym westchnieniem. — Po co tak naprawdę przyjechałaś?

Gdyby zadała podobne pytanie parę lat temu, Jordan obraziłaby się i wypomniała Emily, że zawsze ma o niej jak najgorsze zdanie, a kilka minut później poprosiłaby ją o pieniądze. Nie spodziewałem się, że tym razem będzie inaczej. Jak dotąd moje przewidywania się sprawdzały. Jednak Jordan zawsze miała w zanadrzu jakieś niespodzianki.

— Cóż... — zaczęła i uśmiechnęła się podekscytowana — jeśli naprawdę chcesz wiedzieć, piszę książkę!

Emily patrzyła na nią tępo. Nawet ja wiedziałem, że nienawidziła tabunów przyjaciół i nieznajomych, którzy namawiali ją, żeby wydała coś, co zwykle okazywało się marnej jakości zapisami dziwnych — a bywało, że i żenujących — osobistych przeżyć.

Jordan też to zauważyła.

— Wiedziałam! Wiedziałam, że się nie ucieszysz!

— Oczywiście, że się cieszę, Jordan, ale...

— Ale co?

— Napisałaś ją już?

Parsknięcie.

— Nie całą. Myślisz, że jestem aż tak naiwna? Zamierzam zdobyć pieniądze, a dopiero później ją napisać. Przedstawię swoją propozycję i dostanę zaliczkę.

Żyłka na skroni Emily zaczęła pulsować.

— Doskonale, Jordan. Życzę ci szczęścia.

— Tylko tyle? Życzysz mi szczęścia? Jesteś redaktorką. Moją siostrą. Mogłabyś mi pomóc.

Z niemą fascynacją patrzyłem na skroń Emily i wyobrażałem sobie krew pulsującą w jej żyłach.

— W porządku. Napisz książkę, a ja powiem ci, co o niej myślę.

— Przecież mówię, że najpierw muszę zdobyć pieniądze.

— Rzadko się zdarza, żeby nieznany autor bez dorobku i referencji wydał książkę, nie napisawszy jej ani nawet nie mając części maszynopisu.

— Mówisz tak, żeby nie musieć mi pomagać. Rozumiem. Nigdy nie chcesz mi pomóc!

— To nieprawda.

— W takim razie udowodnij to. Posłuchaj chociaż, o czym chcę napisać. Czy to takie trudne?

Patrzyły na siebie przez dłuższą chwilę, zanim w końcu usłyszałem głos Emily:

— Dobrze. O czym ma być ta książka?

Gniew Jordan minął równie szybko, jak się pojawił, zastąpiony radosną ekscytacją.

— O mamie!

Nawet ja byłem zaskoczony. Emily rzadko i niechętnie mówiła o swojej osławionej matce.

— O czym ty gadasz, Jordan?

Jordan zaczęła bez ładu i składu opowiadać o jakiejś biografii/wspomnieniach wielkiej Lillian Barlow i życiu z nią. — Każdy, kto słyszał, że to moja matka, chce wiedzieć, jaka była naprawdę. Książkę zamierzam zatytułować *Córka mojej matki*. Czyż to nie wspaniały pomysł?

Można by pomyśleć, że Jordan strzeliła Emily między oczy.

— Dużo o tym myślałam i przyszło mi do głowy — mówiła Jordan — że byłoby cudownie, gdybyś to ty, jej druga córka, ją zredagowała.

Cisza.

— Nie mogę — odparła wreszcie Emily zmęczonym głosem.

Z mojego punktu widzenia — obojętnego, choć spostrzegawczego obserwatora — moja szwagierka była jak naładowana emocjami kolejka górska. Jechała to w górę, to w dół, robiąc przy tym niesamowicie dużo hałasu.

— Nie możesz czy nie chcesz? — parsknęła Jordan.

— To konflikt interesów.

— Tylko jeśli tak na to spojrzysz. Przeczytaj to, co napisałam. Nie ma tego dużo.

Emily się wzdrygnęła.

— Nie.

— Wiedziałam! Odkąd pamiętam, zawsze otaczałaś się książkami. Zawsze coś czytałaś. Grube tomiska i cienkie książeczki. Czytałaś wszystko, co wpadło ci w ręce, a nie chcesz rzucić okiem na fragment mojej książki!?

Spuściła z tonu, dopiero gdy Emily się odwróciła.

— Proszę, Em, nie bądź taka. Przeczytaj chociaż kawałek. To nie zajmie ci dużo czasu.

— Powiedziałam nie.

Emily wyszła z pokoju, a Jordan miała na tyle zdrowego rozsądku, by za nią nie iść.

⌗

Przez kolejne dwa, trzy dni mój żołądek dochodził do siebie po niefortunnym wypadku z płatkami Lucky Charms. Emily i Jordan prawie ze sobą nie rozmawiały. Przychodziły i wychodziły, mijając się w wąskich korytarzach niczym statki na Kanale Panamskim. Nie miałbym nic przeciwko temu, gdyby nie to, że ignorując siebie nawzajem, zaczęły ignorować również mnie.

W tym czasie nie dawała mi spokoju jedna myśl. Doszedłem do wniosku, że skoro nie mogę liczyć na pomoc starca, sam muszę znaleźć sposób, by uporządkować swoje życie. Emily była w tej kwestii bezużyteczna, bo nie potrafiła pomóc samej sobie. Jordan nie nadawała się do niczego, zresztą i tak nie poprosiłbym jej o pomoc. Nawet gdybym umiał skorzystać z telefonu i zadzwonić do swojego prawnika, wątpię, żeby ten chciał ze mną rozmawiać. Pewnie odłożyłby słuchawkę.

Zostawała więc matka. Może i była jędzą, ale wiedziała, jak i co załatwić. Natychmiast. Nie miałem pojęcia, co dokładnie mogłaby zrobić w tej sprawie, ale uznałem, że jeśli ktokolwiek może mi pomóc, to tylko Althea Portman. Była jedyną osobą, która potrafiła czynić cuda. Czyż nie wyszła za mąż za mojego bogatego ojca? Czy jako jedna z nielicznych artystek bez dorobku nie trafiła do najznamienitszych galerii, które organizowały jej wystawy indywidualne? Jaki człowiek potrafiłby dokonać wszystkich tych rzeczy? Jeśli chciałem, by

167

uczyniła dla mnie jeden ze swoich cudów, musiałem znaleźć sposób, żeby sprowadzić ją do Dakoty i przekonać, że Einstein to ja.

Łatwiej powiedzieć niż zrobić.

Odpowiedź pojawiła się niespełna godzinę później, gdy ktoś z administracji wsunął pod drzwi karteczkę z informacją. Miałem słaby wzrok, ale na tyle dobry, żeby dostrzec zapisane wielkimi czerwonymi literami słowo OPÓŹNIENIE. Fundusz remontowy za moje mieszkanie nie był opłacany od dnia mojej niefortunnej śmierci.

Opłaty za mieszkania spółdzielcze na Manhattanie są zatrważająco wysokie. Fundusz remontowy w Dakocie wynosił więcej niż przeciętna miesięczna rata za kredyt hipoteczny. Jako człowiek nie musiałem się tym przejmować, bo wszystkim zajmował się mój księgowy. Tym bardziej nie rozumiałem, dlaczego o tym zapomniał.

Zaintrygowany postanowiłem zdobyć nieco więcej informacji. Na biurku w pokoju Emily znalazłem list z kancelarii Gruber, Hartwell i Macon. Mając mgliste wyobrażenie o tym, jak działa świat Vandermeer Regal Portman, wydedukowałem, że teraz, kiedy ja, Sandy Portman, nie żyję, zgodnie z umową przedmałżeńską mieszkanie stanie się własnością rodziny Portmanów. Nic nowego.

Mrużąc oczy i przekrzywiając głowę, przeglądałem dokumenty mojej żony, aż odkryłem, że Fundusz Rodzinny Portmanów poinformował Emily, że dopóki będzie mieszkała w Dakocie, rodzina jej zmarłego męża zawiesi opłacanie funduszu remontowego.

Hm. Moim zdaniem było to dość ryzykowne posunięcie. No bo co powstrzyma zarząd Dakoty od wystąpienia na drogę sądową przeciwko Funduszowi, jeśli ten przestanie uiszczać opłaty?

Nigdy dotąd nie zastanawiałem się nad tym, ile zarabia Emily, jednak stojąc w jej pokoju, uświadomiłem sobie, że moja żona nie należy do osób, które nie płacą rachunków, i gdyby tylko miała pieniądze, uiściłaby opłaty. Przyszło mi do głowy, że wydała fortunę, próbując ocalić mnie, jego, Einsteina. Ale i tak nie czułem się winny.

Miałem za to instynkt samozachowawczy i zastanawiałem się, co by się stało, gdybym znalazł sposób na zapłacenie zaległych rachunków.

Gdybym tylko mógł, uśmiechnąłbym się. Nie miałem wątpliwości, że jeśli pokrzyżuję plany mojej matce, Althea Portman w mgnieniu oka pojawi się w Dakocie. Wówczas będę miał okazję udowodnić jej, kim naprawdę jestem.

Musiałem tylko wymyślić, jak zapłacić zaległe rachunki i przekonać własną matkę, że jestem jej synem.

Emily

Wiem, że moja siostra Emily mnie kocha. Wiem również, że głęboko wierzy w to, iż to ona była „tą dobrą", tą, która robiła wszystko jak należy, podczas gdy ja łamałam wszelkie zasady i lekceważyłam wszystkich oprócz siebie. Jednak życie nie jest tak czarno-białe, jak jej się wydaje.

Czasami, żeby poczuć się bezpiecznym, potrzeba czegoś więcej niż białych sztachetowych płotów. Bywa i tak, że za buntem jednostki kryje się coś innego niż zwykła chęć łamania zasad.

fragment książki Córka mojej matki

Rozdział siedemnasty

Einstein stał w przedpokoju w ten sam dziwny sposób, w jaki zawsze czekał na mój powrót. Jednak tym razem nie chciał wyjść na spacer ani dostać smakołyka. W pysku trzymał powiadomienie o niezapłaconym funduszu remontowym.

Ze zdumienia otworzyłam usta.

— Skąd to masz?

W odpowiedzi potrząsnął głową.

— Nie mogę uwierzyć, że grzebałeś w moich rzeczach!

Szczeknął, pozwalając, by dokument upadł na podłogę.

Podniosłam powiadomienie.

— To nie twoja sprawa.

Warknął.

Zmierzyłam go wściekłym spojrzeniem.

— Rozumiem, że też tu mieszkasz, ale dopóki nie znajdziesz sposobu na wysupłanie tych pieniędzy, bądź tak miły i się nie odzywaj.

Spiorunował mnie wzrokiem.

— Ekhem.

Na dźwięk głosu podskoczyliśmy jak oparzeni.

W otwartych drzwiach stała Jordan z plecakiem przerzuconym przez ramię. Patrzyła z niedowierzaniem to na mnie, to na Einsteina.

— W normalnych okolicznościach pomyślałabym, że ci odbija, Em, skoro gadasz do psa. Ale przysięgam, że on ci odpowiada. To jakieś szaleństwo.

Po tych słowach skrzywiła się i poszła do pokoju.

Einstein odprowadził ją wzrokiem, a gdy zaszczekał, przysięgam, że usłyszałam słowo „bachor".

— Nie mów tak o mojej siostrze.

Otrząsnęłam się. Jordan ma rację. Przemawiam do psa, jakby był człowiekiem.

— Doprowadzasz mnie do szału — syknęłam.

W odpowiedzi wziął w zęby upomnienie i znów potrząsnął głową.

Niezależnie od tego, czy mnie rozumiał, czy nie, zaległe rachunki wisiały nade mną niczym ciemna burzowa chmura. Wiedziałam, że rodzice Sandy'ego chcieli wykorzystać narastające długi, żeby wykurzyć mnie z mieszkania, ale nie zamierzałam się poddawać. Wyprowadzić się i pozwolić, żeby Portmanowie położyli łapę na naszym mieszkaniu, to jak przyznać, że wszystko, co łączyło mnie z Sandym, było jednym wielkim kłamstwem.

Teraz, kiedy pogodziłam się z zapisaną w pamiętnikach brutalną prawdą, wróciłam do miejsca, w którym tkwiłam, kiedy wychodziłam za Sandy'ego. Mogłam wściekać się na niego za jego kłamstwa, ale wierzyłam, że mu na mnie zależało i że na swój sposób kochał mnie miłością głębszą niż powierzchowne uczucia, do których był przyzwyczajony. Gdyby mnie nie kochał, nie tuliłby mnie tak, jakby bał się, co się stanie, jeśli wypuści mnie z objęć. Koniec, kropka. Nie brałam po uwagę żadnej innej opcji. To, że obiecał mi to mieszkanie, potwierdzało tylko prawdę o łączącym nas od początku głębokim uczuciu.

Nie mogłam zaprzeczyć, że przez cały czas, gdy byliśmy razem, powtarzał, że mnie pragnie i potrzebuje. Nigdy jednak nie powiedział, że mnie kocha.

Na fundamencie mojego życia pojawiły się kolejne pęknięcia, kiedy uświadomiłam sobie, że pragnę, by obietnica Sandy'ego okazała się prawdą. Musiałam wierzyć, że nie poświęciłam wszystkiego — domu podarowanego mi przez matkę, mojej miłości i dumy — dla mężczyzny, który nigdy mnie nie kochał.

Powtarzałam sobie, że nie wierzyłam ślepo w każde jego słowo. Moja siła nie była iluzją. Nie byłam słaba. To, w co wierzyłam, naprawdę istniało. Żeby to udowodnić, zamierzałam zatrzymać nasze mieszkanie. A to oznaczało, że będę zmuszona zapłacić zaległe rachunki, choćby tylko po to, żeby zyskać na czasie.

Odchyliłam głowę i zamknęłam oczy.

— Potrzebuję cudu.

Einstein zaszczekał.

Gdy nie zwróciłam na niego uwagi, zaszczekał jeszcze raz.

— O co chodzi, E?

Podszedł do schodów prowadzących do apartamentu Sandy'ego i spojrzał za siebie. Kiedy zobaczył, że nie zamierzam się ruszyć, znowu zaszczekał.

Niepewnym krokiem weszłam na górę. Einstein stał przy eleganckim starym biurku. Widząc mnie, warknął i trącił nosem najniższą szufladę.

— Co znowu? — spytałam ostrożnie.

Szczeknął i znów trącił szufladę.

Dziwne. Przez ułamek sekundy poczułam coś, co mogłam określić jednym słowem: nieziemskie. Uczucie to jednak minęło, a ja otworzyłam szufladę i zajrzałam do środka.

— Tu nic nie ma.

Einstein warknął poirytowany i wsadził pysk w głąb szuflady.

Serce waliło mi jak młotem, gdy na niego patrzyłam. Drżąc, włożyłam rękę nieco głębiej. Dopiero po chwili wymacałam maleńkie wyżłobienie w drewnie.

Einstein podszedł do mnie, trzymając w zębach ostro zastrugany ołówek. Czułam się jak ktoś, kto stracił kontakt z rzeczywistością. Bez słowa sięgnęłam po ołówek i włożyłam go w zagłębienie, podważając je, aż tylna ścianka odpadła. Kiedy opróżniłam zawartość schowka, znalazłam rejestr z rachunku oszczędnościowego.

— Skąd wiedziałeś, że to tu jest? — szepnęłam.

W odpowiedzi szczeknął i trącił mnie wilgotnym nosem.

Otworzyłam skórzaną okładkę i usiadłam, gdy zobaczyłam, że to wspólny rachunek, na którym widnieją imiona moje i Sandy'ego. Stan konta sprawił, że zakręciło mi się w głowie. Miałam wystarczająco dużo pieniędzy, by opłacać fundusz remontowy przez kolejnych kilka miesięcy. Za taką sumę mogłam kupić tymczasowe odroczenie wyroku.

Rozdział osiemnasty

Mimo feministycznych przekonań i absolutnej wiary w to, że kobieta powinna utrzymywać się sama, moja matka miała słabość do mężczyzn. Starych, młodych, nieważne, byle ją adorowali.

Tamtego lata, gdy miałam osiem lat, zabrała mnie do Hamptons na Long Island. Zatrzymałyśmy się w wielkim, krytym gontem domu na plaży, dwupiętrowej baśniowej krainie, własności jednego z wielu mężczyzn, którzy ulegli urokowi mojej matki. Mogła w nim mieszkać przez miesiąc i cały ten czas wypełniały niekończące się przyjęcia.

Profesor pojechał z nami, podobnie jak inni przyjaciele matki, którzy na co dzień mieszkali w mieście. Prawie każdego wieczoru w domu pojawiał się tajemniczy przystojny mężczyzna. Pochodził z Włoch i mówił z akcentem, który sprawiał, że nawet znajome słowa brzmiały jak poezja. Znałam matkę wystarczająco dobrze, by wiedzieć, że znalazła nową zabawkę. Nie przejmowała się Profesorem ani tym, że mieszka w domu, który należy do innego mężczyzny.

Matka i jej grupa przyjaciół pieczeniarzy rozmawiali o polityce, sytuacji kobiet (w tym o szklanym suficie), Karolu Marksie i eleganckich biurach, w których urzędowali dyrektorzy wielkich korporacji. Krótko mówiąc, ci sami ludzie dyskutowali o tych samych rzeczach. Pewnej nocy przysypiałam na sofie, kiedy Włoch nachylił się i wziął moją matkę za rękę.

— Mówisz o pragmatycznym świecie, w którym istnieje

pewien zestaw reguł ustalonych przez opinie, niekoniecznie będące opiniami większości — powiedział. — Reguły te decydują o tym, kto odnosi sukcesy, a kto jest skazany na porażkę. A co z władzą, mocą, której nie widzisz? — Odwrócił jej dłoń i na oczach wszystkich dotknął jej środka. Ja również patrzyłam. Było mi gorąco i czułam się zakłopotana. — Tam, skąd pochodzę, ludzie wierzą, że Bóg spogląda głęboko w nasze serca i to on decyduje, kogo warto ocalić.

W pokoju zapadła cisza. Matka siedziała nieruchomo, trzymając w drugiej ręce zapomnianą szklaneczkę martini.

Jej przyjaciółka Willa roześmiała się nerwowo.

— To niedorzeczne.

Profesor rozsiadł się w fotelu, jakby rozważał słowa Włocha. Po chwili matka posłała swojemu rozmówcy zuchwały uśmiech.

— Kim jesteś i kto cię zaprosił na moje przyjęcie?

— Ty mnie zaprosiłaś — odparł, jakby robił aluzję, której nie rozumiałam.

Słysząc to, matka się roześmiała.

— Rzeczywiście. W takim razie w porządku. Ale skoro jesteś pewny, że Bóg istnieje, powiedz mu, żeby przestał zaglądać do serc tu obecnych i zajął się ważniejszymi sprawami.

Wstałam z sofy, nienawykła do rozmów o Bogu. Spodziewałam się, że lada chwila wszyscy wybuchną śmiechem, powiedzą mamie, jaka jest mądra, i wrócą do swoich rozmów.

Jednak mężczyzna nie zamierzał odpuszczać.

— Ale gdyby zajrzał do twojego serca, co by zobaczył, Lillian?

Jej imię zabrzmiało w jego ustach jak najpiękniejsze słowo.

Matka drgnęła. Przyjaciele rozmawiali szeptem, aż Willa przerwała pełną napięcia ciszę:

— Emily, skarbie, podaj mi tę butelkę wina.

Matka zamrugała.

— Ta rozmowa nie ma sensu. Emily, już po północy, dlaczego nie jesteś w łóżku?

Nie spojrzała jednak na mnie, patrzyła na mężczyznę. Na krótką chwilę znowu zapadła cisza. Przerwał ją rozbawiony całą sytuacją Profesor. Kilka lat później znalazłam słowa, które wówczas zacytował:

Bo tak jak oczy nietoperzy są oświetlane blaskiem dnia,
tak też i rozum naszej duszy jest oświetlany przez rzeczy
najbardziej z natury widoczne. *

Byłam dzieckiem i nie rozumiałam tych słów, ale miałam pewność, że moja matka wiedziała, o co chodzi. Odstawiła drinka i spojrzała na Włocha.

— Gdyby ten twój Bóg zajrzał w głąb mnie, gdybyś zrobił to ty, a nawet ja, wszyscy znaleźlibyśmy mnie. Nic więcej, nic mniej. Nigdy nie udawałam kogoś, kim nie jestem.

Włoch uśmiechnął się, wziął szklankę i wręczył ją mojej matce.

— Za nieznośnie piękną kobietę, która jest równie inteligentna, jak urocza.

Minęło wiele lat, zanim zrozumiałam, że Lillian Barlow nigdy nie była kobietą, którą interesowała introspekcja. Czy bała się tego, co mogłaby odkryć? A może już to odkryła i wcale jej się to nie podobało?

⚜

Wyjeżdżając na Long Island, wzięłam stos książek, żeby dotrzymały mi towarzystwa, ponieważ nikt z dorosłych, którzy pojawiali się w wielkim domu, nie miał dzieci. Rozmowa o zaglądaniu w głąb siebie była jedyną, która zwróciła moją uwagę, inne dyskusje mnie nie interesowały.

Zamieszkałam w pokoju z maleńką toaletką i łóżkiem, nad którym rozpięto biały baldachim, z widokiem na ocean i dobiegającym zza okna szumem fal, które kołysały mnie do snu i uspokajały, gdy czytałam. Czułam się jak księżniczka serwująca nieistniejącą herbatę wypchanym zwierzętom w czyimś pokoju. Była to dziecięca zabawa, jakże inna od typowych sobót w mieście, gdy parzyłam prawdziwą herbatę dla mamy, która leżała w łóżku do późnego popołudnia, kiedy do mieszkania zaczynali schodzić się jej przyjaciele.

Obiecałam sobie, że zostanę w tym domu na zawsze. Zanurzę stopy w gorącym piasku i zbuduję zamki, a gdy matka i jej przyjaciele wrócą do miasta, ukryję się wśród wypchanych zwierząt i lalek.

---

* Arystoteles, *Metafizyka*, przekł. K. Leśniak, PWN, Warszawa 1983.

Każdego ranka po śniadaniu szłyśmy na plażę. Mama kładła się na leżaku, przygotowując szkice artykułów albo pisząc listy do redaktorów w całym kraju z wykazem bieżących skarg. Kiedy pracowała, ja czytałam albo stałam na brzegu. Patrzyłam na ocean, ale nigdy do niego nie weszłam.

Pewnej nocy, pod koniec miesiąca, gdy dorośli bawili się w najlepsze, siedziałam sama w pokoju, znudzona i zmęczona upałem. Miałam dość udawanych herbatek w towarzystwie zabawek. Przeczytałam wszystkie książki, począwszy od *Eloise*, a skończywszy na *Młodym czytelniku*, którego kupiła mi matka. Lillian Barlow uznała, że powinnam wiedzieć wszystko o prądach podwodnych i tsunami, ale nie pomyślała o tym, żeby nauczyć mnie pływać.

Tamtej nocy, kiedy wyszłam z pokoju, nie zamierzałam iść na plażę. Ubrana w nocną koszulę zeszłam po schodach, minęłam dorosłych, rozbawionych „małą kobietką Lillian", i wyszłam tylnym wejściem, byle dalej od hałasu.

Wysoko nad moją głową wisiał blady srebrzysty księżyc, a czarne niebo upstrzone było gwiazdami. Przeszłam przez wydmy, czując pod stopami miękki, ciepły piasek. Plaża była pusta, a wody oceanu sięgały aż po horyzont. Spojrzałam w niebo, mając w pamięci słowa Włocha. Leżąc na piasku, zastanawiałam się, czy Bóg rzeczywiście na mnie patrzy, a jeśli tak, to co widzi.

✠

Kiedy zostałam redaktorką, fascynowały mnie maszynopisy, które ćwiczyły umysł. W college'u dowiedziałam się, że czytanie pomaga oswoić się z trudnymi myślami, a nawet przetrawić trudne do przełknięcia prawdy. Kiedy Jordan próbowała przekonać mnie do *Córki mojej matki*, byłam pewna, że niezależnie od tego, co napisze, nie przełknę tego.

Odkąd powiedziała mi o książce, prawie ze sobą nie rozmawiałyśmy. Nie potrafiłam ubrać w słowa tego, co czułam. Zagrożenie. A może zazdrość? Wiedziałam, że jej wersja życia z mamą będzie różniła się od mojej. Kochałam siostrę, ale nie chciałam czytać, jak doskonale dogadywała się z naszą matką.

Kiedy wyszłam do pracy, Jordan spała. W torebce miałam rejestr z rachunku oszczędnościowego, który znalazłam dzięki Einsteinowi, ale wciąż nie wiedziałam, co z nim zrobić.

Prawie nie zwracałam uwagi na panujący w metrze ścisk. Idąc ulicą, nie dostrzegałam ludzi, którzy przepychając się i potrącając, spieszyli się do pracy. Kiedy dotarłam do Caldecote, byłam zdezorientowana jak po nieprzespanej nocy. Wróciły sny, przez co poczułam się jeszcze bardziej zmęczona.

Wysiadając z windy, zauważyłam, że w biurze panuje dziwne poruszenie.

— O co chodzi? — spytałam Birdie.

— Nie mam pojęcia. Ale słyszałam, że to dobre wieści.

Weszłyśmy do sali konferencyjnej w momencie, gdy Tatiana podchodziła do długiego stołu. Po chwili do pokoju wbiegła Victoria, która rzuciła się na krzesło obok Nate'a, zanim ktoś zdołał ją uprzedzić.

— Przepraszam — bąknęła z fałszywym uśmiechem.

Kiedy Tatiana zajęła miejsce u szczytu stołu, w sali zapadła cisza.

— Poprosiłam was o spotkanie, ponieważ chciałam coś ogłosić.

Wśród zgromadzonych dało się wyczuć zaciekawienie.

— Byłam na obiedzie z przyjaciółką, która pracuje w magazynie „People". Wspomniała coś o książce, którą otrzymała — choć trudno w to uwierzyć — razem z batonikiem.

Zamarłam.

— Była tak zaintrygowana tym staromodnym sposobem promocji, że przeczytała książkę. Co więcej, okazało się, że to jedna z naszych książek. A do tego świetna. — Tatiana urwała i powiodła wzrokiem po twarzach zgromadzonych. — Moja przyjaciółka była nią tak zauroczona, że magazyn „People" nie tylko zamieści recenzję książki, ale historia autorki i jej ocalonego syna trafi na pierwszą stronę.

Ludzie zaczęli wiwatować, nawet ci, którzy nienawidzili wszystkiego, co popularne.

— Co to za książka? — zapytał ktoś.

— *Intencje Ruth*.

Minęła chwila, zanim dotarło do mnie, co właśnie usłyszałam. Nie mogłam w to uwierzyć. To niesamowite. Oniemiałam, gdy Victoria poderwała się z krzesła i pisnęła:

— Boże jedyny! To moja książka!

Zaszokowana, odwróciłam się w jej stronę.

— Victorio...

— Naturalnie Emily pomogła mi pisać e-maile i organizować pewne rzeczy, ale nie potrafię opisać mojej radości, kiedy zadzwoniłam do autorki i zaproponowałam jej kupno maszynopisu. Od początku wiedziałam, że *Intencje Ruth* to książka, którą musimy wydać!

Nie wiedziałam, co powiedzieć. Szok, zaprzeczenie i żal zniknęły jak za dotknięciem czarodziejskiej różdżki. Jednak na ich miejscu nie pojawiło się nic użytecznego, co pozwoliłoby mi powstrzymać Victorię, która pokrótce streściła historię, opowiedziała, jak bardzo byłyśmy nią poruszone i jak walczyła o to, by umieścić *Intencje Ruth* na liście bestsellerów „New York Timesa". Prawie jej nie słyszałam. Widziałam tylko, jak porusza ustami, podczas gdy wszyscy słuchają jej z uwagą i rosnącym niezadowoleniem. Mercy Gray z działu sprzedaży wyglądała na zmieszaną. Nate uparcie wpatrywał się w notatnik, udając zbyt zajętego, by zwracać uwagę na to, co się dzieje. Widziałam jednak, że niczego nie pisał.

No i była jeszcze Tatiana. Siedziała na krześle i jak zwykle patrzyła na mnie. Ostatnio czytałam artykuł napisany przez znanego niegdyś nowojorskiego redaktora, który twierdził, że wstydliwy sekret współczesnych wydawnictw polega na tym, iż w dobie bilansów i korporacji nie ma czegoś takiego jak „zespół redakcyjny", jest tylko rywalizacja. Czy Tatiana przyglądała się mojej reakcji na czyjś sukces? A może za jej nieprzeniknionym, uporczywym spojrzeniem kryło się coś innego?

✠

W oceanie, kiedy nocą otworzysz oczy pod wodą, widzisz tylko mętny mrok.

Z *Młodego czytelnika*, którego kupiła mi matka, dowiedziałam się, że wody oceanu zajmują około siedemdziesięciu procent powierzchni ziemi, otaczając kulę ziemską prądami pokonującymi tysiące mil. Możliwe zatem, że wody, które rozbijają się o brzegi Long Island, docierają tu z Afryki, Ameryki Południowej, a nawet z Hiszpanii. Tamtej nocy, gdy leżałam na plaży za krytym gontem eleganckim domem, pod wiszącym wysoko w górze, czarnym jak atrament niebem, czułam, jak afrykańskie albo południowoamerykańskie wody obmywają moje stopy.

W pewnej chwili usiadłam, podciągnęłam kolana pod brodę i ukryłam je pod materiałem koszuli.

Kiedy w końcu wstałam, by wrócić do środka, spojrzałam na dom. Na jasne od świateł okna, na pijanych, głośnych gości. Czując, że nie jestem gotowa, by zmierzyć się z panującym w domu gwarem, odwróciłam się w stronę oceanu. Niskie fale łagodnie rozlewały się po piasku. Bezpieczne. Delikatne i jakże inne od tego, co widywałam w ciągu dnia. Uniosłam rąbek koszuli i weszłam na palcach do wody. Była zimna i próbowałam umknąć przed kolejną falą. Śmiałam się i tańczyłam, dumna z siebie, że wykazałam się taką odwagą.

Byłam zaskoczona, gdy kolejna fala zwaliła mnie z nóg. Próbowałam się podnieść, ale woda cofnęła się w głąb oceanu, ciągnąc mnie z sobą. Młóciłam rękami, próbując się czegoś złapać, jednak podwodny prąd ściągał mnie coraz dalej od brzegu. Byłam nie tyle przerażona, ile zdumiona, że przydarzyło mi się coś takiego.

— Nie! — krzyknęłam, gdy kolejna fala wciągnęła mnie pod wodę.

Krzyczałam za każdym razem, gdy się wynurzałam. Walczyłam tak długo, jak mogłam. Koszula nocna coraz ciaśniej oplatała moje nogi. Kiedy nie byłam w stanie dłużej walczyć, zdałam się na łaskę otaczającego mnie żywiołu. Wypływałam na powierzchnię, szłam na dno i unosiłam się na wodzie. Wtedy, równie nagle, jak mnie wciągnęły, fale podniosły mnie do góry i pchnęły w kierunku brzegu. Oszołomiona, parskając i charcząc, upadłam na twardy mokry piasek. Prawie nie czułam chłodu. Zamiast tego spojrzałam na bezkresne czarne niebo i zastanawiałam się, skąd przypłynęła woda, która mnie porwała, a potem wypluła na brzeg. Z Hiszpanii? Afryki? A może sam Bóg zajrzał do mojego wnętrza i uznał, że warto mnie ocalić?

✠

Po tym, jak Victoria przypisała sobie sukces *Intencji Ruth*, ludzie w pokoju zaczęli mówić jedni przez drugich. Kiedy wreszcie odzyskałam głos i byłam gotowa coś powiedzieć — choć nie do końca wiedziałam co — Tatiana przeszła do innych spraw.

Serce waliło mi jak młotem. A gdy pół godziny później weszłam do gabinetu Victorii, czułam, że płoną mi policzki.

— Nie wierzę, że przypisałaś sobie zasługi za *Ruth*, kiedy tak naprawdę nie chciałaś mieć z tą książką do czynienia. — Mój gniew był niewspółmierny do tego, co się stało. Powinnam z kimś o tym porozmawiać, rozeznać się w sytuacji, poszukać rozwiązania. Sęk w tym, że nie myślałam racjonalnie. — *Ruth* to moja książka — warknęłam.

W najlepszym wypadku Victoria powinna poczuć się niezręcznie, jednak wcale nie wyglądała na zmieszaną. Jej udawana troska i fałszywy uśmiech zniknęły.

— Mylisz się, Emily. Może faktycznie odkryłaś *Ruth*, ale zrobiłaś to, pracując dla mnie. To ja zaakceptowałam ofertę, nie ty. Ja zadzwoniłam do autorki i kupiłam książkę, nie ty. Czy ci się to podoba, czy nie, *Intencje Ruth* to moja książka. Jeśli spodziewasz się pochwał za redagowanie książki, która była niemal gotowym, idealnym produktem, proszę bardzo. Nie krępuj się i powiedz to wszystkim przy okazji kolejnego zebrania.

Stojąc tam, miałam wrażenie, że dawna „ja" znajduje się gdzieś daleko poza moim ciałem, a nowa nie ma pojęcia, co zrobić.

Przekonałam się, że Bóg niekiedy czyni cuda. To on sprawił, że Sandy pojawił się na zebraniu, na którym w ogóle miało go nie być; to on ocalił Einsteina w chwili, gdy kończyły mi się pieniądze. Całkiem możliwe, że tamtej nocy to właśnie On wydarł mnie falom oceanu. Jednak życie nauczyło mnie, że Bóg odbiera swoje dary równie łatwo, jak je rozdaje.

Prawie się roześmiałam na myśl, że wrzucił mnie z powrotem do oceanu i tym razem pozwolił utonąć.

Einstein

Rozdział dziewiętnasty

Emily wpadła do domu jak burza, a wściekłość, z jaką przestawiała garnki i patelnie, nie miała nic wspólnego z gotowaniem. Jordan spędzała popołudnie poza domem i ani chybi zacieśniała więzy z kolejnym facetem podobnym do tych, których zapach wyczuwałem, odkąd pojawiła się w naszym domu.

Nie żebym przejmował się którąś z nich. Od dwudziestu czterech godzin czekałem w napięciu, czy Emily zrobiła użytek z pieniędzy i zapłaciła zaległe rachunki. Jednak kiedy zadzwonił dzwonek do drzwi i poczułem znajomy zapach mojej matki, zerwałem się z podłogi i szczeknąłem podekscytowany. Wreszcie coś zacznie się dziać.

Brzęk garnków ustał jak nożem uciął, jednak Emily nie pojawiła się w korytarzu. Wyczułem, że zamarła bez ruchu, starając się nie panikować. Tylko dlaczego miałaby panikować? Nikt tak po prostu nie pojawiał się w Dakocie, chyba że mieszkał w kamienicy, został wciągnięty na listę osób upoważnionych do wejścia albo był moją matką.

Znowu zadźwięczał dzwonek, a tuż po nim usłyszałem szczęk klucza w zamku. Kto jak kto, ale moja matka była kobietą z jajami.

Emily także musiała to usłyszeć, bo wybiegła na korytarz w chwili, gdy moja matka wpadła do mieszkania niczym przekupka na targ. Wściekła i oburzona.

— Pani Portman, co pani tu robi? — jęknęła moja żona.

Niewielu ludzi w Nowym Jorku ośmieliłoby się zwrócić w ten sposób do Althei Portman. Matka miała wielu wpływowych przyjaciół w świecie sztuki i nowojorskiej socjety i bez skrupułów potrafiła te znajomości wykorzystać. Jednak nie zawsze miała taką władzę i nie zawsze jej pragnęła.

Kiedy Althea O'Brien poślubiła mojego ojca, Waltera Vendermeera

Regala Portmana, była kopciuszkiem z biednej dzielnicy, przymierającą głodem artystką, która się wybiła. Zanim poszedłem do szkoły, zabierała mnie do mieszkania w Dakocie, gdzie urządziła sobie pracownię. W tamtych czasach miała długie rudawobrązowe włosy, które związywała tylko wtedy, gdy sięgała po farby i wkładała przyduży podkoszulek, który chronił jej ubrania.

W Dakocie malowaliśmy i bawiliśmy się. Jeśli rozlałem farbę na podłogę, „nic się nie stało!". Jeśli malowałem po ścianach, „cudownie!".

Pewnego razu pomazałem jedną z wielkich białych ścian czarnym markerem. Mama była pochłonięta martwą naturą, nad którą pracowała od jakiegoś czasu, a ja przycupnąłem na podłodze i w dolnym rogu na ścianie korytarza namalowałem serce opatrzone dopiskiem „Kocham Mamusię".

Kiedy zobaczyła moje wyznanie, roześmiała się, wzięła mnie na ręce i wirując po pokoju, piszczała:

— Zobacz, ile tu jest miłości!

Tak, to była wielka miłość. Kochałem ją tak bardzo, jak bardzo mały chłopiec może kochać swoją mamę.

Codziennie wieczorem przy kolacji w naszym domu nieopodal Piątej Alei mój niezwykle oficjalny ojciec pytał mamę, jak szło jej malowanie.

„Cudownie, kochanie".

W towarzystwie ojca mama nosiła eleganckie garsonki i rodzinne klejnoty, żartując, że próbuje przydać blasku jego nieokrzesanej żonie. Potrafiła wstać od stołu, podejść do ojca i nie zważając na służących, usiąść mu na kolanach. Już jako dziecko wiedziałem, że ojciec nienawidził takich zachowań, ale też je kochał. Fascynacja zawsze brała górę nad zdrowym rozsądkiem i rodzice odchodzili od stołu, zostawiając mnie samego. Nie żebym miał coś przeciwko temu. W tamtym okresie rodzice byli naprawdę szczęśliwi, a moje życie — idealne, zupełnie jakby nie mogło stać się nic złego.

Jednak przewrotny los potrafi wywrócić wszystko do góry nogami.

Miałem pięć lat, kiedy mama załatwiła sobie wystawę w jednej z debiutujących manhattańskich galerii. Nikt nie wiedział, jak to zrobiła, choć mówiono, że udało się to dzięki znajomościom ojca. Wystawa stała się wydarzeniem, o którym plotkowało całe miasto, tym bardziej wyczekiwanym, że niewielu spośród znajomych rodziców malowało, a jeszcze mniej wystawiało swoje prace. Wszystkie ważne osobistości potwierdziły swoją obecność, wystawa odniosła ogromny sukces, a jeden z uznanych krytyków ogłosił, że oto narodził się nowy talent.

Dzień po otwarciu wystawy wróciliśmy do Dakoty, jednak tym razem mama miała na sobie kostium Chanel, zamiast zwiewnych spódnic i rozwianych włosów. Byłem oszołomiony, kiedy pod kamienicą czekali na nas robotnicy. Minęły godziny, zanim miejsce, które tak bardzo kochałem, zostało posprzątane, a meble przykryte białymi płachtami. Kiedy wychodziliśmy, zauważyłem mężczyznę, który pokrywał moją miłosną deklarację grubą warstwą kleju, na którą położył nową tapetę w grube beżowe pasy.

Mama już nigdy niczego nie namalowała. Wykorzystała swój sukces, by stać się kimś — nie jako malarka, ale osoba, która znała się na sztuce.

Nienawidziłem tego wspomnienia i nie myślałem o tym od lat. Lecz gdy jako pies siedziałem w przedpokoju, zdałem sobie sprawę, że właśnie wtedy moje życie się zmieniło, a moja niewinna przeszłość zniknęła, jakby ktoś ukrył ją pod grubą warstwą kleju i drogiej tapety. Już nigdy nie zobaczyłem, jak mama siedzi ojcu na kolanach. W ciągu zaledwie kilku miesięcy wolna i pobłażliwa matka, którą tak bardzo kochałem, zniknęła zastąpiona przez wytworną kobietę, przyjmującą ludzi dyskutujących o sztuce. Ta właśnie kobieta stała teraz w korytarzu mojego mieszkania, ubrana w elegancką garsonkę z ostatniej kolekcji Chanel, z torebką Kelly i obcasami, które stukały na drewnianej podłodze.

— Emily — zaczęła lodowato — chyba wiesz, dlaczego tu jestem.

Nie patrzyła na moją żonę. Ściągając brwi, rozglądała się po mieszkaniu, jakby spodziewała się zobaczyć mnie, albo raczej Sandy'ego. Nagle zamrugała i się przygarbiła — napięcie opuściło jej ciało.

— Pani Portman... — zaczęła łagodnie Emily.

Na dźwięk jej głosu matka wyprostowała ramiona.

— Czas, żebyśmy porozmawiały.

Serce dudniło mi w piersi i czułem się jak pięciolatek, który desperacko chce, żeby matka go przytuliła. Gdyby tylko zwróciła na mnie uwagę, gdybym znalazł sposób, żeby przekonać ją, że Einstein to ja, wszystko byłoby dobrze.

Potrząsnąłem identyfikatorami.

Odwróciła się. Kiedy mnie zobaczyła, ze zdumienia otworzyła szeroko oczy. Przekrzywiła głowę i spojrzała na mnie, jakby coś nie dawało jej spokoju. Gdyby to było możliwe, rozpłakałbym się.

Pognałem w jej stronę i zatańczyłem na tylnych łapach.

— Mamo! — zaszczekałem. — Tak, to ja!

Kobieta, która mnie urodziła, stała nieruchomo, patrząc na mnie w milczeniu. Nagle drgnęła i zmrużyła zielone oczy.

— Na Boga, Emily, trzymaj tego parszywego psa z daleka ode mnie.

Rozdział dwudziesty

Przyznajcie się, jesteście z siebie zadowoleni. Widzieliście reakcję mojej matki. Ba, wiedzieliście, jak zareaguje, i kpiliście z mojej naiwności. Ale pytam: skoro moja żona rozpoznała mnie podświadomie, nawet nie zdając sobie z tego sprawy, to czy kobieta, dzięki której przyszedłem na świat, nie powinna poczuć tej wyjątkowej więzi, nawet jeśli byłem psem?

— Dokładnie tego się po tobie spodziewałam, Emily — ciągnęła moja matka. — Braku zrozumienia dla wszystkiego, co przedstawiał sobą mój syn. On nigdy nie zgodziłby się na psa. Tak samo, jak nigdy nie obiecałby ci tego mieszkania.

Emily przygryzła wargę i stała w milczeniu.

— Ale nie w tym rzecz. Przyjechałam tu, ponieważ dowiedziałam się, że zapłaciłaś zaległy rachunek za fundusz remontowy. Powiedz, Emily, skąd wzięłaś na to pieniądze?

Widząc, że Emily się waha, miałem ochotę krzyknąć: „Powiedz jej prawdę!".

— Mieliśmy wspólne konto bankowe. W świetle prawa pieniądze należą teraz do mnie i wykorzystałam je, żeby opłacić zaległe rachunki.

Matka zacisnęła usta w wąską kreskę.

— Skoro Sandy zostawił ci wspólne konto, dlaczego nie skorzystałaś z niego wcześniej?

Emily drgnęła.

— Dowiedziałam się o nim dopiero niedawno.

— Niedawno?

Tak, dobrze, powiedz jej!

Emily zastanawiała się przez chwilę, po czym wypaliła:

— Właściwie to odkrył je Einstein. Pies.

Grzeczna dziewczynka!

Matka spojrzała na nią zmrużonymi oczami.

— Mam uwierzyć, że zwierzę znalazło wyciąg z konta bankowego?

Na krótką chwilę moja matka złagodniała i miałem wrażenie, że lada moment wyciągnie rękę, żeby pocieszyć niezrównoważoną synową.

— Mówię ci, Altheo, to niesamowite. Einstein dokładnie wiedział, gdzie go szukać. A jeszcze wcześniej, kiedy ustawiłam sonatę Mozarta, położył się w bibliotece na ulubionym fotelu Sandy'ego.

Dwie najważniejsze kobiety w moim życiu patrzyły na siebie w milczeniu. Nawet ja nie mógłbym lepiej tego zaplanować. Matka nagle złagodniała, a Emily przemawiała w moim imieniu.

Ale kiedy przyjrzałem się temu bliżej, zrozumiałem swój błąd.

— Na Boga, Emily, co się z tobą stało? — Matka otrząsnęła się, wyrzucając kolejne słowa. — To, w jaki sposób opłaciłaś zaległe rachunki, nie ma znaczenia. Pozostaje faktem, że mieszkanie nie należy do ciebie. Nie wiem, ile razy mam ci to powtarzać, zanim w końcu pogodzisz się z prawdą.

— To jest mój dom — upierała się Emily. — Mieszkałam tu przez ostatnie dwa lata i wydawałam swoje pieniądze, wymieniając zepsute urządzenia i stare tapety, malując, skrobiąc i naprawiając. Doprowadziłam to miejsce do porządku.

Jakby miało to jakiekolwiek znaczenie.

Emily, Emily, Emily.

— Dość — westchnęła ze znużeniem moja matka. — Spójrzmy prawdzie w oczy. Nie masz żadnego dowodu, że mój syn cokolwiek ci obiecał. Gdyby było inaczej, już dawno byś go przedstawiła. Co do pieniędzy, które zainwestowałaś w mieszkanie, rozsądniej by było, gdybyś wpłaciła je na konto oszczędnościowe. Tu nic ci z nich nie przyjdzie. Bądźmy szczere, obie wiemy, że fundusz remontowy wynosi więcej niż twoja miesięczna pensja. To proste, Emily: nie stać cię na to mieszkanie.

Moja żona się wzdrygnęła.

— Czas, żebyś się wyprowadziła i ułożyła sobie życie. Jesteś młoda, na pewno kogoś znajdziesz.

Odwróciłem się, żeby spojrzeć na matkę. Stare skołatane serce Einsteina waliło jak oszalałe. Jak to możliwe, że jest aż tak obojętna?

— Nie zamierzam się poddać — powiedziała stanowczo Emily. — Znajdę dowód.

Matka wyprostowała się i zacisnęła usta.

— Żebyśmy się dobrze zrozumiały: ty chcesz wystąpić przeciwko mnie? W innych okolicznościach byłoby to fascynujące — dlaczego moja żona wybrała właśnie ten moment, żeby postawić się mojej matce? — ale w tamtej chwili nie było w tym nic ciekawego, ponieważ nie chodziło o nie i ich wzajemne pretensje. Wizyta mojej matki miała związek ze mną i nadszedł czas, by się o tym przekonały.

— Matko — szczeknąłem, siadając grzecznie przed Altheą Portman. Uśmiechnąłem się, z trudem panując nad pragnieniem, by mnie rozpoznała.

— To ja — zaszczekałem, domagając się uwagi.

Zignorowała mnie, więc się przesiadłem, tym razem nieco bliżej. Zapach jej perfum był przytłaczający. Sprawił, że zakręciło mi się w głowie i zatęskniłem za matką, którą kochałem i którą straciłem dziesiątki lat temu.

— Mamo, proszę! To ja! — szczekałem, trzęsąc się z nadmiaru emocji, i podszedłem jeszcze bliżej. Zanim zdążyłem pomyśleć, polizałem ją po nodze.

Moja matka syknęła przez zaciśnięte zęby i przez ułamek sekundy pomyślałem, że dystyngowana Althea Portman mnie kopnie.

— Jestem twoim synem! — Ni to zaskomlałem, ni to warknąłem.

W przeciwieństwie do naiwnej Emily, potrafiłem to udowodnić.

Podbiegłem do ściany, poślizgnąłem się na drewnianej podłodze i uderzyłem w mahoniowe drzwi. Chwyciłem zębami luźny kawałek tapety, której Emily nie zdążyła wymienić.

— Co on wyprawia?

— Einstein! — krzyknęła Emily.

Ale było już za późno. Warcząc, szarpałem tapetę, wkładając w to całą siłę.

Emily podbiegła do mnie, ale zanim zdążyła mnie odciągnąć, a może dzięki sile, z jaką mnie szarpnęła, tapeta odkleiła się od ściany, odsłaniając ukryte pod warstwą kleju serce i wyznanie sprzed kilkudziesięciu lat: „Kocham Mamusię".

Matka pobladła.

Ja tymczasem usiadłem obok napisu i wbiłem w nią uporczywe spojrzenie, mając nadzieję, że zrozumie. Emily spoglądała to na mnie, to na ścianę.

Widziałem mięśnie drgające na szyi mojej matki, ale jej oczy nie zaszkliły się od łez, a na twarzy nie malowało się zrozumienie.

— Masz się stąd wynieść — syknęła. — I nie łudź się, dopilnuję, żebyś ty i ten paskudny pies raz na zawsze zniknęli z tego mieszkania.

Po tych słowach wyszła, zostawiając mnie z Emily i z uczuciem pustki i bólu. Mój plan zawiódł. Nagle dotarło do mnie, że moja matka nigdy nie zrozumie, że Einstein to ja. Althea Portman nie wierzy w nic, co wykracza poza granice realnego świata, i jak nikt potrafi dostrzec granice rzeczywistości. Może dokonała cudu, wychodząc za mojego ojca i zyskując uznanie w świecie sztuki, jednak nie wierzy w nic, czego nie da się zobaczyć czy dotknąć. Ale kim byłem, by ją obwiniać? Gdyby nie to, że przyszło mi żyć w ciele psa, sam nigdy bym nie uwierzył.

Straciłem nadzieję. Byłem zbyt przygnębiony, by złorzeczyć na starca. Zresztą nic by to nie dało. Staruch pojawiał się i znikał, kiedy miał na to ochotę. Moje nazwisko i pieniądze nic dla niego niego znaczyły. Poza tym nie miałem już nazwiska ani pieniędzy. Byłem Einsteinem. Psem. W dodatku paskudnym.

Położyłem się na podłodze. To, że własna matka nie dostrzegła we mnie swojego jedynego dziecka i pozostała niewzruszona na widok ukrytego pod tapetą, zapisanego niewprawną dziecięcą rączką wyznania, sprawiło, że musiałem pogodzić się z tym, przed czym tak długo się broniłem: nie mogłem nic zrobić.

Przez resztę wieczoru i w nocy byłem niepocieszony. W południe następnego dnia, kiedy Jordan wyprowadziła mnie na spacer, stałem na chodniku, spoglądając na mijających mnie ludzi — nianie z dziećmi, kobiety i mężczyzn — i szczerze ich nienawidziłem.

Jordan niecierpliwie pociągnęła za smycz. Jak to możliwe, że upadłem tak nisko, by kobieta, której nie szanuję, prowadziła mnie na smyczy?

Poczułem wściekłość i przygnębienie. Żeby nad nimi zapanować, zacisnąłem zęby, aż rozbolały mnie szczęki. To wtedy zrozumiałem, że czas położyć kres temu szaleństwu.

Nie myśląc o konsekwencjach, wyrwałem smycz z ręki Jordan i wypadłem na ulicę, prosto pod nadjeżdżający autobus M72.

— O mój Boże! — pisnęła Jordan. Inni ludzie zaczęli krzyczeć. Jak przez mgłę usłyszałem głos portiera. Jednak najważniejszy był nieustający ryk silnika, który przybierał na sile, w miarę jak autobus się zbliżał. Proszę, Boże, niech ten koszmar się skończy.

Nic z tego. Kierowca był przyzwyczajony do szalejących po nowojorskich ulicach kurierów na rowerach, schodzących z chodników, zdezorientowanych turystów i taksówkarzy maniaków. Rozpędzona stalowo-gumowa konstrukcja stanęła.

Kiedy moje serce znowu zaczęło bić, spojrzałem na kierowcę. On także patrzył na mnie zza ogromnej kierownicy, a na jego czole perliły się krople potu. Spodziewałem się, że zwymyśla Jordan za to, że nie upilnowała psa, jednak coś w jego wzroku mówiło mi, że wiedział, iż chciałem się zabić.

— Pieprz się! — zaszczekałem. — Nie waż się mnie osądzać!

Następnego dnia, kiedy Jordan zabrała mnie do parku, znowu spróbowałem.

— Tylko nie rób nic głupiego — pouczyła mnie.

Jakby mnie interesowało, co ma do powiedzenia.

Tym razem postawiłem na drzewo. Najszybciej jak mogłem zbiegłem ze zbocza i uderzyłem w pień ogromnego dębu, ale nabawiłem się tylko bólu głowy.

Kiedy to nie pomogło — i pojąłem, że Jordan nigdy więcej nie zabierze mnie na spacer — postanowiłem się otruć. Jako Sandy trzymałem środki przeciwbólowe w pudełku z lekarstwami, jednak po ryzykownej wspinaczce na blat łazienkowy odkryłem, że lekarstwa zniknęły i szafka jest pusta.

Wyłem i ujadałem, aż w końcu spadłem z blatu. Przez chwilę leżałem na podłodze z nadzieją, że skręciłem sobie kark. Najpierw poruszyłem łapami, a zaraz potem głową. Miałem ochotę się rozpłakać.

Łazienka Emily okazała się równie bezużyteczna, choć znalazłem w niej buteleczkę tylenolu z kodeiną, który przepisał jej lekarz po tym, jak wyrwała ząb mądrości. Butelka była pełna, jednak nakrętka, która miała chronić przed dziećmi, chroniła również przed psami. Musiałem się zadowolić sześcioma aspirynami i liczyć na to, że kwas acetylosalicylowy jest zabójczy dla psów.

Połknąwszy tabletki, położyłem się na grzbiecie, żeby oswoić się z byciem martwym. Jednak pół godziny później poczułem się znacznie lepiej. Ból głowy ustąpił i przypuszczałem, że rozrzedziłem krew Einsteina tak bardzo, że zapewniłem mu dodatkowy rok życia albo dwa.

— To niesprawiedliwe! — zawyłem.

Ale to nie był koniec. Obiecałem sobie, że znajdę sposób, by zakończyć to szaleństwo.

Emily

Mama wierzyła w sny, jednak w moje wierzyła tylko wtedy, gdy pasowały do jej własnych. Drażniło ją, że przekonania Emily były tak różne od tego, w co sama wierzyła. Choć tak naprawdę nasza matka wcale nie była inna. Była niewolnicą małego świata swoich własnych przekonań i snów.

fragment książki *Córka mojej matki*

Rozdział dwudziesty pierwszy

„Odbierz telefon, Emily. Jeśli tego nie zrobisz, będę musiała odwołać swoją pierwszą randkę, odkąd przeprowadziłam się do miasta, i osobiście doręczyć ci słodką przesyłkę".

Gapiłam się na telefon. Po chwili wahania podniosłam słuchawkę.

— Słodycze nie są konieczne, Birdie. Ja też mam randkę, z Julią.

— Co takiego? Przerzuciłaś się na kobiety?

Stałam w kuchni, patrząc na topiące się w kuchence mikrofalowej masło do kolejnej porcji wypieków. Przy odrobinie szczęścia promieniowanie mnie zabije. Albo wyleczy z nieuchronnie zbliżającego się alzheimera.

Roześmiałam się.

— Nie, przerzuciłam się na ciasta. Znowu. Choć tym razem przerabiam *Gotowanie z Julią* Julii Child.

— Moja dziewczynka. Lekarze nie doceniają właściwości leczniczych masła, nie mówiąc o cukrze.

Od czasu starcia z Victorią i Altheą złość zagnieździła się w mojej głowie niczym niechciany gość. Choć gdyby się nad tym zastanowić, przynosiła chwilową ulgę i wytchnienie od odrętwienia, rozpaczy i uczucia niepewności.

— Widziałam, jak wyszłaś z biura — ciągnęła. — O co chodziło? Poza tym pamiętam, jak mówiłaś, że *Intencje Ruth* to twoja książka.

— *Ruth* jest moją książką. Naprawdę widziałaś, jak wychodziłam z biura?

Tym razem parsknęła.

Skuliłam się.

— Myślisz, że ktoś jeszcze widział?

Do parsknięcia dołączył szyderczy śmiech.

— W porządku, więc wszyscy mnie widzieli.

— Tylko ci, którzy pracują na twoim piętrze, i wszyscy, którzy przypadkiem znaleźli się w holu. Zresztą nieważne. Dlaczego pozwoliłaś, żeby Victoria przypisała sobie zasługi za sukces *Intencji Ruth*?

Westchnęłam.

— A co miałam powiedzieć? Formalnie rzecz biorąc, to ona kupiła książkę.

— Co?! — krzyknęła Birdie zachrypniętym głosem. — Gdzie się podziała moja przyjaciółka Emily Barlow, która nie znosi, kiedy ludzie pieprzą od rzeczy?

Trzymając słuchawkę między brodą a ramieniem, wyjęłam masło z mikrofalówki.

— Nie jestem pewna, ale jej sobowtór jest tu i szykuje się na randkę z ciastem śliwkowym w polewie czekoladowej. Poza tym Victoria jest najmniejszym z moich zmartwień. Matka Sandy'ego uparła się, że eksmituje mnie z mieszkania.

— Althea Portman powinna umówić się z Victorią. Obie to wiedźmy. Kiedy w końcu wbijesz sobie do głowy, że potrzebny ci prawnik? Nawet ja wiem, że cukier w niczym ci nie pomoże.

— Ale...

— Żadnego „ale". Wiesz, że mam rację.

Wiedziałam i właśnie dlatego kilka godzin po wizycie teściowej pojawiłam się przed drzwiami Maxa.

Nic dziwnego, że poszłam tam niechętnie. Moja matka wyśmiewała moje listy i plany, a mimo to pozwalała, bym nadal opiekowała się naszą małą rodziną. Kiedy miałam dziesięć lat, a Jordan była chora, to ja wzywałam lekarza. Jako jedenastolatka, gdy przyszedł rachunek, przynosiłam go mamie razem z książeczka czekową. W wieku dwunastu lat oszczędzałam nam obu kłopotu i podrabiałam jej podpis.

Kiedy Jordan miała dwa lata, matka zmieniła nasze życie. Przez jakiś czas ubierała się w garsonki i obcięła włosy. Co rano wychodziła z domu z aktówką.

„Ruch kobiecy potrzebuje nowej twarzy, mówiła. Zamierzam im pokazać, że mogę nią być".

Pewnego dnia wróciła do domu i przestała wychodzić. Zdjęła nawet ze ściany oprawiony w ramki artykuł. Kobieta, która walczyła o równouprawnienie, siedziała w domu, piekła i planowała całonocne przyjęcia.

Niestety, mimo chwilowej transformacji, mama nigdy nie wyrzekła się swoich radykalnych poglądów. Siedziała w domu, jednak zaczęła protestować przeciw wszelkim „niesprawiedliwościom", które jej zdaniem miały miejsce w szkole, w której uczyłyśmy się Jordan albo ja. Gdy nie chodziło o szkolną stołówkę, walczyła o lepsze metody oceniania. Kiedy skończyły jej się pomysły, zainteresowała się okolicznymi delikatesami i pralnią chemiczną. Widząc ją, sklepikarze zamykali drzwi i wywieszali tabliczki „Zamknięte".

Co gorsza, wzięła na siebie obowiązek płacenia rachunków i umawiania wizyt u lekarzy. Nie byłoby w tym nic złego, gdyby nie to, że sobie nie radziła i miała mi za złe, kiedy próbowałam pomóc. Zarzucała mi, że jestem sztywna, gdy przypominałam, że lada chwila odetną nam prąd, i wybredna, gdy chciałam, żeby nie prała moich białych ubrań razem z czerwonymi i pomarańczowymi ubrankami Jordan. W końcu dostałam to, czego chciałam, a chciałam, żeby mama siedziała w domu i zachowywała się jak zwykła mama. Tyle że Lillian Barlow nie miała pojęcia, co to znaczy być zwykłą mamą.

Wystarczy powiedzieć, że stojąc przed drzwiami mieszkania Maxa, uświadomiłam sobie, iż nie potrafię prosić o pomoc.

Mało brakowało, a odwróciłabym się na pięcie i uciekła, ale w tej samej chwili drzwi się otworzyły.

Przede mną stał Max, wyższy ode mnie o dobre trzydzieści centymetrów. Żeby na niego spojrzeć, musiałam podnieść głowę. Trzymał w ręku klucze, jakby właśnie wychodził. Na mój widok zmrużył ciemne oczy. Patrząc na niego, wyczułam napięcie, nad którym starał się zapanować. Zniknęło dopiero po chwili, jakby mój widok go uspokoił.

— Emily, cześć — rzucił i zabrzmiało to jak wyćwiczona kwestia.

Jednak cokolwiek myślałam o Maksie i jego dziwnej reakcji, przestało mieć znaczenie, gdy zza jego ramienia wychynęła

197

kobieca twarz. Była młoda, po dwudziestce, śliczna jak modelka, i czepiała się ramienia Maxa, jakby miała do tego pełne prawo.

Byłam gotowa pomyśleć, że to jedna z jego sióstr — proszę, Boże, niech to będzie jedna z jego sióstr — ale pamiętałam, jak mówił, że jest najmłodszy z rodzeństwa. Nie mówiąc o tym, że w ogóle nie była do niego podobna.

— Ach, cześć — bąknęłam, czując się jak przyzwoitka, kiedy dziewczyna stanęła obok niego i zmierzyła mnie od stóp do głów. — Przyszłam nie w porę?

Odwróciłam się z nadzieją, że jeśli będę wystarczająco szybka, uniknę poniżenia.

— O co chodzi? — spytał, łapiąc mnie za ramię.

Nie powiedział nic więcej, ale w jego oczach widziałam taką samą troskę jak wtedy, gdy opatrywał moją rękę i tulił mnie, gdy się załamałam.

— To nic. Naprawdę.

— Emily? — Nic więcej.

— Wspominałeś, że twój szwagier jest prawnikiem i pomyślałam, że może jednak przydałaby mi się pomoc.

— Nie ma problemu. Pogadam z nim i was umówię.

— Dziękuję.

— Max — jęknęła jego urocza towarzyszka — spóźnimy się.

— Tak, no cóż — mruknęłam. Jąkając się, podałam mu numer swojej komórki, podczas gdy Panna Piękna stukała niecierpliwie obcasem.

Zaraz potem odwróciłam się na pięcie i pospiesznie ruszyłam w stronę schodów.

✠

Potrzebując odskoczni, głównie od swojego życia, namówiłam Jordan na spacer po Central Parku. Była sobota i wreszcie zrobiło się trochę cieplej. Koniec końców wylądowałyśmy na lunchu w Boathouse. Ponieważ był z nami Einstein, usiadłyśmy na zewnątrz i zamówiłyśmy frytki i hamburgery. Jordan rozsiadła się na krześle, wystawiając twarz do słońca. Dobrze było widzieć ją w takim stanie, spokojną, roześmianą, inną od Jordan, którą znałam na co dzień.

Nagle pochyliła się w moją stronę z błyskiem w oku.

— Wynajmijmy jedną z tych łódek i wypłyńmy na staw.

Central Park był miniaturowym światem pełnym cudów, których trudno oczekiwać po obsadzonym drzewami, ogromnym, prostokątnym trawniku w samym sercu miasta z betonu i stali. Były tu kamienne wieżyczki i zwieńczone blankami mury zamku Caldecote, stojące na granitowym wzgórzu z widokiem na Żółwi Staw i teatr Delacorte z pomnikiem Szekspira. Boiska do gry w krokieta i kręgli na trawie. Stuletnia karuzela, a nawet wijący się staw z łódkami wiosłowymi i gondolierem.

Przez chwilę tylko jej się przyglądałam.

— Jordan, jest z nami Einstein. — Nawet ja słyszałam, jak bardzo jestem zdenerwowana.

— I co z tego? Weźmiemy go ze sobą. To tylko łódka. Nic wielkiego.

Niestety mam bardzo dobrą pamięć. I choć od wypadku w oceanie minęły dziesiątki lat, od tamtej nocy nie wchodziłam do żadnego zbiornika wodnego większego niż wanna.

Jordan z diabelskim uśmieszkiem wstała od stolika.

— Daj spokój, Em.

— Sama nie wiem...

Zrobiła smutną minę.

— Proszę, Emily, naprawdę się staram.

Musiałam się uśmiechnąć.

— Dobrze. — Wstałam, próbując zapanować nad strachem, który dołączył do palety uczuć, jakie ostatnio zdominowały moje życie. — Wynajmijmy łódkę.

Einstein wydawał się równie niepocieszony jak ja. Jednak Jordan nie dała mu wyboru i wzięła go na ręce. Stałam na pomoście, powtarzając sobie, że najwyższy czas przestać się wygłupiać. Przecież to małe, stworzone przez człowieka jezioro nie może być głębokie.

Jordan chwyciła za wiosła, ja usiadłam na dziobie, zaciśnięte pięści trzymając na kolanach. Einstein spoglądał za burtę z wyraźnym niesmakiem.

Widząc nasze miny, Jordan się roześmiała.

Wypłynęliśmy na staw. Drzewa, na których pojawiły się pierwsze nieśmiałe pąki, otaczały jego brzegi niczym blado-zielona kryza. Widoczne za nimi przedwojenne apartamentowce przywodziły na myśl wiekowych strażników. Dakota, San Remo z bliźniaczymi światłami na szczycie dachu, a dalej, na północ, tuż za Muzeum Historii Naturalnej, Beresford, którego trzy wieżyczki upodabniały go do zamku cesarza.

Z każdym kolejnym ruchem wioseł Einstein wydawał się coraz bardziej spokojny i krok po kroku ostrożnie dreptał w kierunku dziobu. W końcu się zatrzymał i wyciągnął szyję, węsząc w świeżym zimnym powietrzu.

— Widzisz, nawet Einstein dobrze się bawi — powiedziała Jordan, nie przestając wiosłować.

Podobnie jak Einstein, ja również zaczęłam się odprężać.

— To był dobry pomysł, Jordan.

— Dziękuję. Od czasu do czasu miewam dobre pomysły.

Wyczułam w jej głosie sarkazm, ale postanowiłam to przemilczeć. Próbowałam się zrelaksować, nacieszyć słońcem po śnieżnej mroźnej zimie i długich tygodniach pochmurnego nieba.

— Jest cudownie.

Odchyliłam głowę, jak Jordan w czasie lunchu, i poczułam na twarzy ciepłe promienie słońca.

— Jak sprawa z pracą w WomenFirst? — spytałam, mając nadzieję, że uda nam się porozmawiać.

Jordan przestała wiosłować. Kiedy nie odpowiedziała, otworzyłam oczy.

— Nie jest dobrze — przyznała. — Posłuchaj, chodzi o to, że naprawdę muszę pożyczyć trochę pieniędzy.

Zapomniałam o słońcu i łódce i spróbowałam zapanować nad gniewem, który nagle znów wypłynął na powierzchnię mojego umysłu.

— Ile? — spytałam ostrożnie.

— Kilka tysięcy.

— Kilka tysięcy!

Einstein spojrzał na nas i przez chwilę miałam wrażenie, że przewrócił oczami.

— Oddam ci! Chociaż gdybyś kupiła ' moją książkę, nie byłabym spłukana. Skoro jednak to nie wypaliło, potrzebuję pożyczki.

— Pożyczki? Nie oddałaś mi ani centa z pieniędzy, które pożyczyłam ci w ciągu ostatnich czterech lat! Próbowałam być cierpliwa. Starałam się być wszystkim, czego potrzebowałaś. Kiedy popełniłam błąd, Jordan? Co mam zrobić, żebyś w końcu zrozumiała, że musisz dorosnąć?

Wzniosła oczy do nieba i jęknęła przeciągle.

— Nic! Nie możesz nic zrobić, bo nie jesteś moją matką! Nie musisz się mną opiekować. To nie jest i nigdy nie był twój obowiązek!

Siedziałyśmy w małej łódce, patrząc na siebie i słuchając gniewnych słów, które odbiły się echem od powierzchni wody.

— Ktoś musiał — szepnęłam w końcu. — Nasza matka z pewnością tego nie robiła.

Jordan otworzyła usta, jakby chciała coś powiedzieć, jednak nie usłyszałam co, bo w tej samej chwili zakołysało łódką. Usłyszałam plusk. Oczy Jordan otworzyły się ze zdumienia.

— Jasna cholera! Einstein wskoczył do wody.

Poderwałam się z ławeczki i wyjrzałam za burtę w chwili, gdy jego malutka głowa zniknęła w mętnej wodzie.

— Einstein!

— Emily, to pies! Nic mu nie będzie.

— Wcale nie! On tonie!

Łódka zachybotała się, gdy Jordan wyjrzała za burtę.

— Cholera, chyba masz rację.

— Pomocy! — krzyknęłam, jednak w pobliżu nie było innych łódek.

— Jasna cholera — powtórzyła niepewnie Jordan.

Pomyślałam, że zaraz zwymiotuję. Nie miało znaczenia, że staw był mały, że w niczym nie przypominał oceanu i że byłam dorosła. Nigdy nie nauczyłam się pływać.

Przekładając nogi przez burtę, poczułam paniczny strach.

— Co ty wyprawiasz, Em?

Łódka zakołysała się niebezpiecznie, centymetry dzieliły mnie od powierzchni wody.

— Daj spokój, Emily, nawet nie wiesz, co za dziadostwo jest w tej wodzie. Daj mu trochę czasu. Zobaczysz, wróci. Pamiętaj, że to pies! Psy potrafią pływać!

Ale ja nie słuchałam. Przechyliłam się przez burtę i niemal przewracając łódkę i tłumiąc krzyk, wpadłam do stawu.

Einstein

Rozdział dwudziesty drugi

Uderzając w taflę wody, wydałem pełne zaskoczenia szczeknięcie. Kiedy stałem na dziobie, na stercie kamizelek ratunkowych, uświadomiłem sobie, że to idealna szansa. Zaczekałem, gotowy do skoku, jednak popełniłem błąd i spojrzałem w dół. Gęsta jak błoto woda bez wątpienia była siedliskiem rozmaitych zarazków. Zakręciło mi się w głowie i poczułem bolesny ucisk w żołądku. Byłem zbyt przerażony, żeby skoczyć. Świadomość tego jeszcze bardziej mnie przygnębiła i to ona wypchnęła mnie za burtę. Dosłownie.

— A niech to! — zaszczekałem, lecąc w dół i modląc się, żebym nie miał siły płynąć. Przynajmniej przez jakiś czas.

Zderzenie z lodowatą wodą pozbawiło mnie na moment tchu. Z trudem łapałem powietrze, nabierając do pyska mułowatej wody. Glony paliły mnie w płuca i zacząłem się krztusić. Instynkt kazał mi walczyć, ale stłumiłem go i pozwoliłem, by moje ciało poszło na dno. Cieszyła mnie myśl, że niebawem będzie po wszystkim.

Wkrótce opadłem na dno. Woda była mętna, więc widziałem jedynie kontury tego, co od dawna leżało w stawie: zwój liny, gałęzie drzew. Niektórych rzeczy nie mogłem rozpoznać, ale nie dbałem o to, gdy poczułem pod łapami grząskie dno.

Gdzieś z góry dobiegał stłumiony krzyk. Rozpoznałem wściekły głos Jordan i drugi, należący do Emily, która starała się nie panikować. Kłóciły się. Jak zwykle. Czy życie nie jest zbyt krótkie, by marnować je na bezsensowne kłótnie? Jako Sandy popełniłem w życiu wiele błędów, ale nigdy nie traciłem czasu na sprzeczki. Jeśli byłem nieszczęśliwy, nie dawałem upustu złości i frustracji, tylko odchodziłem. Kiedy ktoś dzwonił, żeby mnie przeprosić, nie odbierałem telefonu.

Popełniłem inny błąd.

Myśl pojawiła się nagle, wyraźna i tak natarczywa, że nie mogłem jej zignorować.

Jednak nie miałem czasu pomyśleć o tym ani o czymkolwiek innym, bo nad moją głową i wokół mnie zamknęła się łagodna wilgotna ciemność, która niosła obietnicę szybkiej śmierci. Nagle drgnąłem, a jakaś część mnie próbowała oderwać się od dna.

Nie rób tego, upomniałem się w duchu. To twoja jedyna szansa.

Jednak moje ciało walczyło z umysłem. Czy naprawdę chciałem zakończyć to, co zostało z mojego życia? Czy naprawdę chciałem umrzeć w stawie w Central Parku, kilka kroków od domu, który tak bardzo kochałem?

Tak, powiedziałem sobie.

Mimo to instynkt samozachowawczy, jakaś pierwotna siła, wzięły górę. Krzyknąłem, czując, jak glony coraz ciaśniej oplatają się wokół moich łap. Szarpałem się i miotałem jak wtedy, gdy moja głowa utknęła w pudełku płatków śniadaniowych, jednak nie potrafiłem się uwolnić.

Tuż przy dnie woda była jeszcze bardziej lodowata i miałem wrażenie, że wysysa ze mnie resztki sił. Słabłem z każdą chwilą i choć wiedziałem, że muszę walczyć, nie byłem w stanie się ruszyć. Umysł miałem zamglony, pełen chaotycznych myśli. Nagle wyczułem obok ruch, usłyszałem stłumiony krzyk i poczułem, że coś ciągnie mnie na powierzchnię. To była Emily — nie widziałem jej, ale czułem jej obecność — która siłowała się z zalegającym na dnie gruzem.

Kiedy w końcu wynurzyliśmy się na powierzchnię, Emily szlochała, z trudem łapiąc powietrze. Zgromadzeni wokół siedzący na łódkach ludzie wyciągnęli nas z wody. Jordan wychyliła się za burtę i chwyciła Emily. Byłem zdenerwowany, nieszczęśliwy i zawstydzony tym, co się stało.

Nie chciałem umrzeć. Ani jako Sandy, ani jako Einstein. Tylko co innego mi pozostało?

Rozdział dwudziesty trzeci

Ciemną kuchnię rozświetlało światło ulicznych latarni, które wpadało przez okna z widokiem na wewnętrzny dziedziniec. Powrót do domu pamiętałem jak przez mgłę. Emily kąpała mnie, tuląc twarz do mojej szyi, jakby to, że otarłem się o śmierć, pozbawiło ją resztek sił.

W mieszkaniu panowała cisza, jednak węsząc w powietrzu, wyczułem, że Emily i Jordan są w domu i śpią. Skuliłem się na posłaniu z ręczników i zaskomlałem, gdy przeszył mnie znajomy prąd.

— Najwyższy czas, żebyś mnie zauważył — powiedział staruszek, wychodząc ze spiżarni z talerzem pełnym ciastek. — Śpisz jak zabity.

— Może dlatego, że jestem martwy.

— Sarkazm jest niestosowny.

— Ciągle to powtarzasz.

— Bo to prawda. Prawdą jest też, że jesteś prawdziwym utrapieniem.

Miał słomkowy kapelusz z szerokim rondem, biały garnitur i laskę.

— Mam na głowie inną sprawę. Południowca — wyjaśnił. — W Kentucky.

— Wyglądasz jak Mark Twain. Albo ten facet od smażonych kurczaków — zauważyłem.

Uśmiechnął się, sięgając po czekoladowego pieguska i wkładając go do ust.

— Człowiek musi kochać te zwykłe przyjemności. Masz mleko?

Nie czekał, aż odpowiem. Podszedł do lodówki, wyjął z niej karton jednoprocentowego mleka, a z szafki szklankę.

Leżałem, patrząc na niego w milczeniu, jednak w pewnej chwili nie wytrzymałem i powiedziałem na głos to, co wreszcie do mnie dotarło:

— To już koniec, prawda?

Starzec spojrzał na mnie, ani na chwilę nie przestając jeść.

— Co masz na myśli?

— Nie odzyskam swojego ciała.

Wzruszył ramionami.

— Pewnie nie.

Poczułem zawroty głowy. Nie miało znaczenia, że od pewnego momentu właśnie tego się spodziewałem — jego słowa wypowiedziane na głos były jak cios w zęby.

— Jesteś mądrym facetem, Alexandrze, i obaj wiemy, że już wcześniej się domyślałeś. Z ludźmi zawsze tak jest, prawda zagląda im w oczy, ale oni i tak nie chcą się z nią pogodzić. — Sięgnął po kolejne ciastko. — Ale nawet gdybym ci ją przeliterował, i tak byś mi nie uwierzył. Nie byłeś gotowy pogodzić się z losem. Nic, tylko się złościłeś.

— Złościłem! — szczeknąłem. — Oczywiście, że się złościłem. A skoro wydaje ci się, że znasz każdą moją myśl, pewnie wiesz, co chodziło mi po głowie. Pozwoliłeś mi wierzyć, że wszystko jest jeszcze możliwe.

Znowu wzruszył ramionami.

— Bo jest, Alexandrze. Nieustannie doświadczamy cudów. Kim jestem, żeby ci mówić, że nie możesz tego zrobić? Prawda jest taka, że wszystko może się zdarzyć. Sęk w tym, że to, co może się stać, a to, co prawdopodobnie się wydarzy, to zupełnie inna sprawa, zwłaszcza jeśli wciąż będziesz udowadniał, że jesteś równie uparty, jak trzeźwo myślący. — Parsknął. — Ten wypadek z drzewem musiał boleć.

Oczywiście, że o tym wiedział.

— Tak, autobus, drzewo, pigułki, łódka. Choć możesz być pewny, że w stawie dopiąłbyś swego, gdyby Emily cię nie uratowała. — Powinienem powiedzieć „znowu". — A to ty masz jej pomóc. — Pokręcił głową. — Emily nie umie pływać. Działała pod wpływem emocji i adrenaliny. I dobrze, bo jeszcze tego nam trzeba, żebyś zabił starego poczciwego Einsteina. Bycie mordercą jest znacznie gorsze niż pakowanie się w głupie, bezsensowne romanse.

Romanse.

Nie zamierzałem zbłądzić. Przez pierwsze dwa lata ignorowałem bezustanną kampanię mojej matki przeciwko Emily. Byłem oczarowany moją żoną i wszystkim, co robiła. Kiedy Emily nie pracowała nad jakimś projektem, który pochłaniał ją bez reszty, zajmowała się domem. Mieszkanie było w ciągłym remoncie, świadczyły o tym leżące na podłodze trociny oraz próbki płytek i farby na kuchennym blacie.

Początkowo cieszyła mnie myśl, że stara się stworzyć dla nas idealny dom. Jednak coś się zmieniło, a załatane cementem pęknięcia otworzyły się jak stare rany.

Pamiętam dzień, kiedy dotarło do mnie, że coś jest nie tak. Był wieczór. Wchodząc do mieszkania, usłyszałem staromodną muzykę z lat siedemdziesiątych i osiemdziesiątych. Emily fałszowała, nie dbając o to, że ktoś może ją usłyszeć. To wtedy zrozumiałem, że moja fascynacja nią słabnie.

Gdy usłyszała, że wróciłem, rzuciła wszystko, podbiegła do drzwi, po drodze zdejmując ubrudzoną farbą koszulę, objęła mnie i przytuliła twarz do mojej piersi.

— A gdzie się podziało „Kochanie, wróciłem"? — Roześmiała się, podnosząc głowę, by na mnie spojrzeć.

Odetchnąłem z ulgą, gdy jej niesłabnąca miłość przyćmiła moje niezadowolenie.

— Kiepski dzień dla trybiku w maszynie? — drażniła się ze mną, ani na chwilę nie wypuszczając z objęć.

— Tak — westchnąłem, otaczając ją ramionami. — Trybiki zaczynają myśleć o rewolucji. Odszedłbym, ale nie potrafię robić nic innego. Potrafię tylko zarabiać pieniądze. — To powinno wystarczyć, przynajmniej według mojego ojca, ale nie umiałem wynajdować firm, które mógłbym „podtuczyć" i sprzedać większym firmom za naprawdę duże pieniądze. Nie, ja byłem dobry w wyszukiwaniu podupadających, łatwych do przejęcia biznesów, które dzieliłem, paczkowałem i wypuszczałem na rynek jak części kradzionych samochodów, sprzedawane w podłej dzielnicy Staten Island.

— Co chce pan przez to powiedzieć, panie Portman? — Odsunęła się i spojrzała na mnie surowym wzrokiem nauczycielki besztającej ucznia. — Jest pan całkiem dobry w kochaniu mnie.

Kochać ją. Nigdy nie potrafiłem wypowiedzieć tych słów, przyznać się do uczucia, które obnażyłoby moją słabość. Zamiast tego tuliłem ją i obsypywałem pocałunkami, chcąc pozbyć się dręczącego przekonania, że nawet ona, Emily, nie może mnie uzdrowić.

W trzecim roku małżeństwa byłem ciągle niezadowolony. Pewnego dnia do mojego gabinetu wpadł ojciec i zwymyślał mnie za kolejną umowę, która — jak się wyraził — „uwłacza godności jego firmy". I wtedy coś we mnie pękło. Wysłuchałem go i licząc kroki, by zapanować nad gniewem, bez słowa wyszedłem z biura. Kazałem kierowcy zawieźć się do garażu, gdzie trzymałem własny samochód. Wsiadłem do BMW i pojechałem do Hamptons, miejsca, które zawsze mnie uspokajało. Jednak głód i złość kazały mi jechać aż do chwili, gdy zjeżdżając gwałtownie z drogi, o mało nie zabiłem siebie i sześcioosobowej rodziny.

Nie straciłem nad sobą panowania dlatego, że desperacko potrzebowałem ojcowskiej aprobaty. Coś we mnie pękło, ponieważ widok mojego ojca i jego pretensje potwierdziły, że pracowałem dla niego w tym samym budynku, w którym spędził większość swojego życia, budynku, w którym przed nim pracował ojciec jego matki, a jeszcze wcześniej jego ojciec. Czułem się zaszczuty, jakby całe moje życie zostało z góry zaplanowane. Jakbym zobaczył przyszłość, zaglądając do szklanej kuli Cyganki.

Wróciłem do domu, do śpiewającej, roztańczonej Emily, i zrozumiałem, że jej szczęście nie ma nic wspólnego z pieniędzmi czy rodziną. Odnosiła sukcesy, była ceniona w pracy, a wszystko to zawdzięczała wyłącznie sobie. Powinienem być z niej dumny, ale zamiast tego czułem złość. Odniosła sukces tam, gdzie ja poległem i — w przeciwieństwie do mnie — nie było na świecie rzeczy, z którą by sobie nie poradziła.

Pierwszy romans zrodził się z czystej, naturalnej potrzeby ucieczki przed wątpliwościami i frustracją. Kobieta była młoda i ładna, miała ciało, które aż prosiło się, by go dotknąć. Nawet nie znałem jej imienia.

Nieco później na firmowym przyjęciu kolega poklepał mnie po plecach.

— Słyszałem, że zabawiałeś się z nową dziewczyną z twojej firmy.

Potrzebowałem chwili, by zrozumieć, o co mu chodzi.

— Nie udawaj niewiniątka — dodał, chichocząc. — Nikt nie wierzył, że tak długo wytrzymasz. Robiliśmy zakłady. Aż dziw, że wytrzymałeś przeszło dwa lata. W końcu każdy z nas wymięka. — Facet spojrzał na mój brzuch, który nie był już płaski i umięśniony.

Zagotowało się we mnie ze złości. Byłem wściekły na Emily, że kusiła mnie swoimi lazaniami, wściekły na dom, który dla nas stworzyła; miejsce sprawiające, że miałem ochotę oglądać DVD, pić wino i rozmawiać do późna w nocy, zamiast dbać o kondycję.

Kiedy znów spotkałem tamtą młodą kobietę, poszliśmy do hotelu. Uprawialiśmy namiętny, gwałtowny seks, który otępił mój umysł. Po wszystkim przytuliła się do mnie i chciała więcej. A ja chciałem się jej pozbyć. Dotychczasowa złość przerodziła się w ten sam głód, który czułem, zanim poznałem Emily. Jednak tym razem do głodu dołączyło odrętwienie. Miałem wrażenie, że umieram.

Żeby wrócić do formy, zacząłem chodzić na siłownię. Dzięki temu głód wydawał się mniejszy. Jednak tydzień później wylądowałem w łóżku z kolejną kobietą. I jeszcze jedną. Zmieniałem kobiety jak pijak, który wlewa w siebie kolejne kieliszki. Czułem złudny spokój i wiedziałem tylko, że chcę się uwolnić od swojego życia. W tamten śnieżny lutowy dzień, kiedy wszystko poszło nie tak jak należy, moja matka zadzwoniła do mnie, żeby wyrazić niezadowolenie w związku z czymś, co zrobiła moja żona. Po kłótni z nią zadzwoniłem do Emily i zaprosiłem ją na kolację, żeby poinformować ją, że zamierzam się z nią rozwieść. Tak czy inaczej, chciałem raz na zawsze skończyć z martwotą i odrętwieniem.

A teraz ja, Sandy Portman, byłem martwy. Naprawdę martwy, choć przyszło mi żyć w ciele psa. Najśmieszniejsze w tym wszystkim było to, że dostałem to, co chciałem. Uwolniłem się od swojego dawnego życia. Przeszył mnie prąd.

Starzec skinął głową, sprawił, że ciastka zniknęły, i strzepnął z rąk okruchy.

— Dobrze, spójrzmy na to od innej strony. Poczyniłeś postępy — odezwał się.

— Chęć zakończenia tej farsy nazywasz postępem?

— Tak. To znaczy, że wreszcie pogodziłeś się z myślą, iż czas Sandy'ego Portmana się skończył.

Te słowa sprawiły, że znów poczułem rozpacz i zacząłem żałować, że wtedy, w stawie, nie dokończyłem tego, co zacząłem, bez względu na to, dokąd bym trafił. Do nieba, piekła czy czyśćca. No bo co to za życie, jeśli nigdy już nie odzyskam swojego ciała?

— Alexandrze, przestań się nad sobą użalać. Ustaliliśmy przecież, że poczyniłeś pewne postępy. A teraz odpowiedz sobie na pytanie: czy naprawdę wolisz odejść w zapomnienie i zniknąć, czy może w końcu pomożesz Emily? I nie mówię tu o ubieraniu jej, wysyłaniu do pracy ani pakowaniu pieniędzy w rozwiązanie problemu. Mówię o prawdziwej pomocy.

— A jeśli to zrobię? — Może mówiłem tonem nadąsanego dzieciaka. — Co będę z tego miał?

Starzec westchnął.

— Nie powinienem ci tego wyjawiać, ale wygląda na to, że nie mam wyboru. Jeśli mnie zapytają, powiem, że jesteś bardzo uparty.

— Mów co chcesz, ale zrzucanie winy na innych nie wygląda mi na zachowanie godne kogoś, kto sam siebie nazywa specjalistą od selekcji rannych.

— No cóż. — Wzruszył ramionami i się uśmiechnął. — Robię, co mogę.

— Przeczytałeś to w książce.

Słysząc to, oblał się rumieńcem.

— Nie o to tu chodzi. Posłuchaj. Jeśli nie chcesz zniknąć, musisz stać się kimś więcej niż zwykłym śmiertelnikiem, który ulega ludzkim pragnieniom.

Zawsze lubiłem swoje ludzkie pragnienia. On zresztą chyba też. W końcu to nie ja obżerałem się ciastkami.

— Od czasu do czasu każdy z nas popełnia błędy — mruknął. Wciągnął powietrze i zamknął oczy, jakby próbował odzyskać siły. — Potrafię to zrobić. Zrobię to. Najważniejsze jest odpowiednie podejście. Wiara.

— Kolejne mądre słowa, które znalazłeś w książce? — ironizowałem.

— Muszę już iść. Tym razem załatw to jak należy, Alexandrze. Pomóż Emily odzyskać równowagę. Pomóż jej odnaleźć siebie. Obiecuję, że doświadczysz wówczas niesamowitych rzeczy.

Po tych słowach zniknął. W jednej chwili rozmawialiśmy w kuchni, a w drugiej już go nie było. Ulotnił się jak za dotknięciem czarodziejskiej różdżki. Muszę przyznać, że poczułem się dziwnie podekscytowany. Starzec powiedział, że mogę być wielki. Naprawdę wielki. Muszę tylko pomóc Emily. Naprawdę jej pomóc.

Jeśli dobrze to rozegram, może spełnią się moje marzenia o wielkości.

Emily

Moja matka słynęła z przekonania, że „bycie ostrożnym"
jest dla słabych kobiet, których potrzeba bezpieczeństwa
przyćmiewa wszystko to, co naprawdę liczy się w życiu.
Dorastając, zauważyłam, jak bardzo zmieniło się jej
życie po tym, jak przyszłam na świat, i to, o czym
mówiła, wydało mi się dziwne. Jednak kiedy spytałam ją,
dlaczego przestała walczyć o prawa kobiet, spojrzała na
mnie obcym, tęsknym wzrokiem i odwróciła głowę.

fragment książki *Córka mojej matki*

Rozdział dwudziesty czwarty

Kiedy wróciłam do domu po pracy, Einstein nie czekał na mnie w przedpokoju.

— Einstein?!

W mieszkaniu panowała cisza.

— Jordan?!

Nic.

— Gdzie jesteście?

Na stojącym w korytarzu stoliku znalazłam liścik od Jordan.

Emily, wyszłam z przyjaciółmi. Nie czekaj na mnie z kolacją. W południe wyprowadziłam E. Jordan.

Wciąż jednak nie widziałam Einsteina.

Znalazłam go w kuchni, chodzącego w tę i z powrotem. Gdyby nie to, że był psem, mogłabym przysiąc, że się nad czymś zastanawia.

— Chodź, E, wyjdziemy, żebyś mógł się załatwić.

Widząc, że nie przestaje krążyć, weszłam do spiżarni, by wziąć jego ulubiony przysmak. Zwykle już sam widok pudełka sprawiał, że Einstein szalał ze szczęścia, zaczynał trząść się i ślinić. Tym razem ledwo na mnie spojrzał.

Potrząsnęłam pudełkiem i wyciągnęłam jeden z miniaturowych steków.

— Nie masz ochoty na smakołyk?

Poruszył nosem. Widząc to, wyciągnęłam ku niemu chrupiący przysmak. Podszedł i od niechcenia kłapnął zębami.

215

— Nie ma mowy. Najpierw spacer, później jedzenie.

Miałam wrażenie, że gdyby potrafił mówić, posłałby mi soczystą wiązankę.

Wywlokłam go na korytarz i do windy. Kiedy wysikał się przy krawężniku, dałam mu przysmak i przekonana, że chce jak najszybciej wrócić do domu, pociągnęłam go w stronę bramy. Jednak Einstein ani drgnął. Spojrzałam na niego i zobaczyłam, że patrzy na grupę biegaczy zmierzających w stronę Central Parku.

Chwilę później zaskomlał, jakby żałował, że nie może pobiec z nimi, a zaraz potem naprężył się i wyglądało na to, że coś przyszło mu do głowy. Z radosnym szczeknięciem wypluł ministeka i ruszył ulicą w kierunku przeciwnym do parku.

— O co chodzi?

Pociągnął mnie w stronę Columbus Avenue. Nie mogłam uwierzyć, kiedy zatrzymał się przy sklepiku z gazetami na końcu przecznicy i dosłownie wciągnął mnie do środka.

— Czego ty chcesz, E?

Mężczyzna za ladą spojrzał na mnie dziwnie. W wielu nowojorskich sklepach psy nie są rzadkim widokiem, ale szaleni właściciele, którzy zachowują się, jakby ich pupile decydowały o tym, co należy kupić... to już zupełnie inna bajka.

Einstein trącał nosem magazyny na niższych półkach. Mrużył oczy i przekrzywiał głowę, jakby przeglądał tytuły, aż w końcu spojrzał na pisma ustawione wzdłuż ściany. Rząd po rzędzie przyglądał się kolejnym magazynom, aż w końcu zatrzymał się i zaszczekał. Jego ciało drżało z radosnego podniecenia.

— O co chodzi, E?

Znowu zaszczekał i delikatnie uniósł się na tylnych łapach. Niewiele myśląc, jedno po drugim zaczęłam pokazywać palcem kolejne czasopisma.

— To?

Warknięcie.

— To?

Kolejne warknięcie.

Rząd za rzędem wskazywałam kolejne magazyny, aż dotarłam do tego, na którego widok mój pies oszalał z radości.

— Chcesz „Świat Biegacza"?

Radosne skomlenie.

Sprzedawca i ja spojrzeliśmy na siebie z niedowierzaniem.

— Pani piesek lubi czytać? — spytał ze śmiechem. Miał dziwny obcy akcent.

— Na to wygląda.

Einstein odwrócił się do lady, jakby był gotowy zapłacić za zakupy.

— Ale ja nie wzięłam pieniędzy, E. One nie są za darmo.

Sprzedawca wychylił się zza lady i spojrzał na mojego psa.

— Weź — zwrócił się do mnie. — Później przyniesiesz pieniądze.

— Ale tak nie można.

— Twój piesek chce poczytać — wzruszył ramionami — więc weź mu ten magazyn.

Spoglądałam to na sprzedawcę, to na Einsteina.

— W takim razie dziękuję — odparłam. — Jutro przyniosę pieniądze.

— Jasne. W porządku. A teraz już idźcie.

Einstein wyszedł na ulicę dumnym krokiem.

— Emily?

Odwróciłam się i zobaczyłam Tatianę, która szła w naszą stronę w obcisłym stroju treningowym, z butelką wody w ręku. Ciemne, sięgające brody włosy ściągnęła elastyczną przepaską. Mogłaby zagrać w reklamie zdrowej żywności.

— O, witaj — rzuciłam. — Nie wiedziałam, że mieszkasz w okolicy.

— W Majesticu. Właśnie idę na spinning.

Majestic był prestiżowym budynkiem przy Central Park West, gdzie mieszkali bogaci i sławni.

— Nie powinnaś przypadkiem nadrabiać zaległości w pracy? — spytała.

Otworzyłam i zamknęłam usta.

— Nie masz nic na swoją obronę? — Pokręciła głową. — Charles był wobec ciebie zbyt pobłażliwy. Ja taka nie jestem, Emily. Zaczynam się zastanawiać, czy nie za wcześnie dostałaś awans. — Mówiąc to, odkręciła butelkę. — Może nie jesteś jeszcze gotowa, żeby pracować na własną rękę?

— Właśnie, że jestem! — wybuchłam.

— Proszę, proszę, znowu pokazujesz pazurki.

Einstein spoglądał to na mnie, to na Tatianę, jakby przy-

217

słuchiwał się naszej rozmowie. Nie wiedzieć czemu, jego obecność sprawiła, że poczułam się jeszcze bardziej skrępowana.

— Powiedz mi, Emily, co takiego robisz, kiedy jesteś w biurze? Słyszałam, że masz zaległości we wszystkich swoich projektach. Do tego od miesięcy nie kupiłaś żadnej nowej książki.

Krew odpłynęła mi z twarzy. Einstein najwyraźniej to zauważył, bo przysunął się do mnie i szczeknął.

Tatiana nie zwracała na niego uwagi.

— Jak zamierzasz to wszystko nadrobić?

Einstein wyciągnął szyję. Spojrzał na mnie, na Tatianę, zaszczekał i szarpnął smycz. Kiedy Tatiana próbowała coś powiedzieć, zaczął ujadać z zajadłością, której nie spodziewałabym się po tak małym psie.

Nowa prezes Caldecote Press posłała mu drwiący uśmiech.

— Dobrze, Toto, zabierz ją jak najdalej od wstrętnej zielonej wiedźmy. Ale w biurze jej nie obronisz.

Po tych słowach ruszyła w dół Columbus Avenue, popijając wodę z butelki.

— To nie wróży nic dobrego — jęknęłam.

Einstein spojrzał na mnie i mogłabym przysiąc, że po raz kolejny ocenia mnie albo sytuację, jednak tym razem miałam wrażenie, że jest po mojej stronie.

⚜

Nazajutrz rano Jordan była w domu, ale wciąż spała, gdy wychodząc do pracy, zostawiłam Einsteina z jego magazynem.

— Tylko go nie zjedz — upomniałam go.

Oddałam pieniądze w kiosku z gazetami i złapałam metro na Pięćdziesiątą Dziewiątą. Byłam spóźniona, więc nic dziwnego, że dotarłam do Trigate w nie najlepszym nastroju.

— No, no, któż to dla odmiany przyszedł do pracy o rozsądniej porze?

Skrzywiłam się, słysząc głos Victorii, a ona spojrzała na mnie niewinnym wzrokiem kogoś, kto w życiu nie odważyłby się przypisać sobie sukcesu książki, nad którą ślęczał ktoś inny.

Skrzywiłam się jeszcze raz i przeszłam przez obrotowe drzwi, kierując się w stronę bramek. Przez chwilę grzebałam w torbie, szukając plastikowego identyfikatora rozmiaru karty kredytowej. Podeszłam do bramki, przeciągnęłam kartę przez czytnik i pchnęłam bramkę. Byłam już prawie po drugiej stronie, kiedy bramka zatrzymała się i utknęłam między metalowymi ramionami. Adiustator, który szedł za mną, wpadł na mnie siłą rozpędu.

Nick był potężnym mężczyzną i jęknęłam, czując na sobie jego ciężar.

— To nie moja wina — bąknął i pospiesznie uniósł ręce.

Próbowałam przejść dalej, ale pasek mojej torby zaplątał się w jedno z ramion. Za moimi plecami zaczęła tworzyć się kolejka.

— Ruszać się!

— Szybciej!

Nagle w holu pojawiła się Tatiana. Jak gdyby nigdy nic przeszła między ludźmi, włożyła swoją kartę i uwolniła mnie z zimnych metalowych objęć.

Jak zwykle wyglądała jak ktoś, kto przed chwilą wyszedł z okładki „Vogue'a". Miała długą do kolan ołówkową spódnicę, zwiewną jedwabną bluzkę i żakiet we wszystkich odcieniach brązu, złota i café au lait z domieszką fioletu. Całości — jak zwykle — dopełniały zabójczo wysokie szpilki.

Zdenerwowana, podziękowałam jej i czym prędzej minęłam bramki. Jednak Tatiana weszła za mną do windy.

Stałyśmy obok siebie bez słowa. Kiedy winda zatrzymała się na moim piętrze, odetchnęłam z ulgą i wysiadłam, ale Tatiana wysiadła razem ze mną. W przedsionku, za drzwiami zabezpieczającymi, nie mogłam udawać, że jej nie widzę.

— Kto cię teraz uratuje, skoro nie ma przy tobie twojego pieska? Posłuchaj, Emily, chcę usłyszeć odpowiedź. Jak zamierzasz nadrobić zaległości?

Wiedziałam, że odpowiadając: nie wiem, nie nabiję sobie plusów.

— Postaram się to zrobić jak najszybciej.

— Żadnych dat? Żadnych terminów? Wydaje mi się, że nie masz pojęcia, od czego zacząć.

Nikt nie mówił, że Tatiana Harriman nie jest bystra.

Poczułam gniew, frustrację i mnóstwo innych emocji, do których nie byłam przyzwyczajona. Nie wiedziałam, co z nimi zrobić.

Tatiana spojrzała na mnie wściekłym wzrokiem i podeszła krok bliżej.

— Wyczuwam twój gniew, Emily. Jesteś nieszczęśliwa, ale

nie robisz niczego, by to zmienić. Dlaczego nie powiesz mi, żebym się wypchała i dała ci spokój? Idź do domu, wsadź głowę do piekarnika i skończ ze sobą. To lepsze niż ta powolna śmierć, której wszyscy jesteśmy świadkami.

Otworzyłam usta ze zdumienia.

— Nie bądź taka zaskoczona. Znałam twoją matkę. Może była w połowie wizjonerką, w połowie wariatką, ale nie bała się mówić tego, co myśli. Więc powiedz mi, skąd się urwałaś?

Zamrugałam, choć nie po to, by powstrzymać łzy czy otrząsnąć się z szoku. Byłam wściekła. Nikt nigdy nie podsumował tak trafnie mojej matki. Nagle poczułam wyrzuty sumienia, że byłam wdzięczna komuś, że mnie rozumiał.

Kiedy nie odpowiedziałam, Tatiana zmrużyła oczy i pochyliła się w moją stronę.

— Do diabła, Emily, walcz. Walcz z tym wszystkim, co jest nie tak. Z tym, że Victoria przypisuje sobie twoje zasługi. Z chaosem, który zapanował w twojej głowie po stracie męża. To przez niego nie jesteś w stanie wydusić słowa.

Zaskoczyła mnie i przez sekundę miałam wrażenie, że obok mnie stoi zupełnie inna Tatiana. Czekałam, aż wyciągnie ręce i mnie przytuli. Ona jednak uniosła dumnie głowę.

— Prawda jest taka, że ci współczuję. Szczerze. Ale bez względu na to, jak dobra byłaś w przeszłości, jeśli nie weźmiesz się w garść, będziemy musiały się rozstać.

Zabrzmiał dzwonek windy, drzwi rozsunęły się z cichym szmerem i na korytarz wyszła Victoria.

— Och, Tatiano! — pisnęła.

Tatiana nawet na nią nie spojrzała.

— Mówię poważnie — dodała. — Stać cię na to. — Po tych słowach się odwróciła. — Proszę przytrzymać drzwi! — zawołała i wsiadła do windy.

Victoria spojrzała na mnie i na drzwi, za którymi zniknęła Tatiana.

— O co chodziło?

— O nic.

— Rozmawiałyście o spotkaniu redakcyjnym? — nie dawała za wygraną.

Stłumiłam jęk.

Odkąd w firmie pojawiła się Tatiana, bez przerwy chodziliśmy na jakieś spotkania. Spotkania dotyczące szaty graficznej, sprzedaży i marketingu. Nowością były spotkania przypominające burzę mózgów, które zamiast pobudzać nas do twórczego myślenia, przypominały walki gladiatorów.

Nieco ponad godzinę po rozmowie z Tatianą z ciężkim sercem udałam się do sali konferencyjnej na kolejną burzę mózgów, tym razem związaną z tytułami, które chcieliśmy kupić. Na miejscu zastałam Victorię z kolorową teczką, w której wszystko miało swoje miejsce. Usiadłam naprzeciwko niej przy długim stole. Wszyscy przeglądali notatki, tylko Victoria wydawała się odprężona.

Tatiana weszła do sali i spiorunowała wzrokiem redaktora literatury science fiction, który miał nieszczęście usiąść obok niej. Kiedy w końcu pojął, o co jej chodzi, zaczął nerwowo zbierać swoje rzeczy.

— Przepraszam — bąknął speszony.

— No dobrze, olśnijcie mnie swoimi pomysłami. Jak już mówiłam, potrzebuję energii i zapału. Chcę postawić Caldecote Press na nogi. — Usiadła, a jej asystentka stanęła obok, gotowa notować każde słowo. — Kto pierwszy chce zabrać głos?

Wszyscy jak na komendę spuścili wzrok i próbowali nie rzucać się w oczy. Tylko Victoria podniosła rękę.

Tatiana uraczyła ją niemal szyderczym uśmiechem.

— Nie jesteśmy w piątej klasie, panno Wentworth.

Victoria opuściła rękę, jakby nie miała pojęcia, jak to się stało, że ją podniosła. Zbierając swoje niepokorne myśli, wyprostowała ramiona i oznajmiła:

— Mam wspaniały pomysł.

— Doskonale. Zatem posłuchajmy.

Victoria zaczęła od typowych dla niej długich i nudnych wyjaśnień, wyrażając entuzjazm dla materiału i siebie samej.

— Co to za pomysł, Victorio? — przerwała jej Tatiana.

Blade policzki Victorii oblał rumieniec. Gdybym nie widziała tego na własne oczy, nigdy bym nie uwierzyła.

— No cóż, to książka o mężczyźnie, który przyjeżdża do małego miasteczka i zakochuje się w mężatce, której rodzina wyjechała na weekend. Coś w stylu *Co się wydarzyło w Madison County*.

Tatiana utkwiła w niej przenikliwe spojrzenie.

— To nie jest „coś w stylu" *Co się wydarzyło w Madison County*. To jest *Co się wydarzyło w Madison County*.

Tu i ówdzie rozległ się stłumiony śmiech.

Czerwień na twarzy Victorii zmieniła się w głęboką purpurę. Tatiana się odwróciła.

— Kto następny?

Victoria była tak zaskoczona, jakby Tatiana publicznie złoiła jej skórę. Nie pamiętałam, kiedy ostatnio odrzucono jej propozycję.

— Jerry? — rzuciła Tatiana.

Jerry Martin wydawał się zdziwiony, że nowa szefowa nie tylko wie o jego istnieniu, ale na dodatek zna jego imię.

— Aha, chciałem zaproponować książkę o mózgu... o różnicach między ciałem migdałowatym a korą nową.

Tatiana rozsiadła się wygodniej i zabębniła długopisem w blat stołu.

— Nasze prymitywne „ja" kontra cywilizowane „ja" potrzebne do rozumowania. Hm.

— O rany, niesamowite, że o tym wiesz. — Jerry natychmiast poweselał. — To mogłaby być naprawdę fajna książka. W końcu kto z nas nie interesuje się mózgiem?

Tatiana się wyprostowała.

— Obawiam się, że mógłbyś się zdziwić. Na razie nic z tego. Jednak jeśli wymyślisz coś, co będzie książką nie tyle o nauce, ile raczej o stanie ludzkiego umysłu, wrócimy do tego. Kto następny?

Spojrzała na twarze zgromadzonych. Bez względu na to, czy się zgłaszał, czy też nie, każdy musiał przedstawić swoje propozycje, a te spotykały się z rozmaitymi komentarzami.

„Zbyt nudne".

„Zbyt oklepane".

„Kogo to obchodzi?".

Wszystkie one oznaczały jedno: nie.

— Ludzie — wycedziła Tatiana przez zaciśnięte zęby — ile razy mam wam powtarzać, że interesują nas trzy rzeczy? Książki, które mają w sobie to coś. Świeże spojrzenie na popularny temat. — Mówiąc to, zerknęła na Victorię. — Albo wielkie nazwiska, czyli albo wielkich autorów, albo sławnych ludzi.

Wszyscy zaczęli zamykać notatniki i szurać krzesłami. Odetchnęłam z ulgą, kiedy okazało się, że nie muszę zabierać głosu.

— Jeszcze nie skończyliśmy.

Moje płuca się skurczyły i byłam pewna, że rozszerzyły mi się źrenice. Prymitywna część mózgu podpowiadała mi, że powinnam brać nogi za pas.

— Nie wysłuchaliśmy jeszcze Emily.

Wszystkie oczy zwróciły się na mnie.

— Czym nas pani uraczy, pani Barlow?

Nie miałam pojęcia, jak powiedzieć, że zupełnie, ale to zupełnie niczym, nie ryzykując przy tym, że Tatiana osobiście zaprowadzi mnie do mieszkania i wepchnie mi głowę do piekarnika. Choć tylko nieliczni mogli pochwalić się dobrymi pomysłami, każdy miał w zanadrzu przynajmniej jedną propozycję.

Ręce miałam lepkie od potu.

— Eee...

Victoria stłumiła śmiech. Inni wiercili się na krzesłach. Najgorsze jednak było to, że Tatiana wyglądała na rozczarowaną.

— Dobrze — warknęła, wstając od stołu.

— Mam jedną propozycję — wypaliłam.

W sali zapadła cisza. Tatiana zamarła. Po chwili usiadła i przyzwalająco skinęła głową.

— Wysłuchajmy jej zatem.

— Tytuł brzmi *Córka mojej matki.*

Pożałowałam tych słów z chwilą, gdy wypowiedziałam je na głos.

— Mów dalej — zachęciła mnie Tatiana.

— Po namyśle jestem prawie pewna, że to nie jest dobry pomysł. — Byłam szalona, wspominając o książce Jordan.

— Emily, po prostu przedstaw nam swoją propozycję.

Zacisnęłam usta, zanim w końcu zdecydowałam się mówić dalej. Nazwijcie to szaleństwem albo powrotem do gry, ale w tamtej chwili poczułam, że nie mogę zrobić nic innego.

— To wspomnienia.

W pokoju dał się słyszeć szmer. Wspomnienia zyskiwały coraz większą popularność nawet po tym, gdy okazało się, że niektóre poczytne tytuły mają więcej wspólnego z fikcją literacką niż z prawdą.

— Wspomnienia o kim?

Spojrzałam na Tatianę.

— O Lillian Barlow.

223

Zmrużyła oczy.

Bart, człowiek starej daty, przestał bazgrać w notatniku.

— Tej feministce?

— Twojej matce? — fuknęła Victoria. — Chcesz opublikować wspomnienia o twojej matce?

— Kto jest autorem? — chciała wiedzieć Tatiana. Odchyliła się na krześle i patrzyła na mnie zaciekawiona.

— Moja siostra.

Victoria zatrzasnęła notebooka i położyła go na swojej kolorowej teczce.

— Nie możesz redagować książki o swojej matce, napisanej przez swoją siostrę.

Wiedziałam o tym. I zgadzałam się z nią. Już za samo to, że o tym wspomniałam, powinno się mnie rozstrzelać.

— Dlaczego nie? — spytała Tatiana.

— Dlaczego? — Victoria uniosła brwi. — Ponieważ redagowanie książki napisanej przez kogoś z rodziny, a tym bardziej przez własną siostrę, jest... jest... dziwne.

— W normalnych okolicznościach przyznałabym ci rację — odrzekła Tatiana — ale tu chodzi o coś innego. Dwie siostry pracujące wspólnie nad książką o sławnej niegdyś matce.

„W połowie wizjonerce, w połowie wariatce". Oto, co powiedziała o niej Tatiana.

— To daje nam różne możliwości medialne — ciągnęła. — W „Chronicles" opublikowaliśmy artykuł o ruchu feministycznym *Ukryta cena równości*. Zostaliśmy zasypani listami od czytelników.

Pamiętałam ten artykuł i kontrowersje, jakie wywołał, kiedy nowoczesne, pracujące kobiety zaczęły się zastanawiać, czy praca na pełny etat i rodzina warte są ceny, jaką płacą nie tylko one, ale także ich dzieci. Patrząc na Tatianę, nie potrafiłam powiedzieć, czy myśli o kontrowersjach, które podbiją sprzedaż książki, czy zastanawia się nad ceną, jaką przyjdzie zapłacić córce.

Przypomniałam sobie, jak stała przed sklepikiem z gazetami i mnie atakowała. Jak w przedsionku powiedziała mi, że znała moją matkę, i nie szczędziła mi gorzkich słów. Tylko po co to wszystko? Moja praca wydawała się zbyt łatwa.

Tatiana pochyliła się do przodu.

— Popracuj z Nate'em nad ofertą. Kup książkę i ustal termin.

Zważywszy na to, że masz nosa do książek w stylu *Intencji Ruth*, spodziewam się, że *Córka mojej matki* będzie równie dobra.

Victoria stłumiła jęk.

Tatiana spojrzała na nią i uniosła brwi, jakby chciała rzucić jej wyzwanie. Victoria spuściła wzrok i nie odezwała się słowem.

— Następnym razem oczekuję od was czegoś więcej — oznajmiła Tatiana, wstając od stołu.

Patrząc na nią, modliłam się w duchu, żeby Jordan naprawdę miała coś do sprzedania.

✣

Kiedy weszłam do gabinetu, zadzwonił mój blackberry. Zerknęłam na wyświetlacz i zamarłam.

— Emily Barlow — rzuciłam.

— Hej, Emily, tu Max. Rozmawiałem z Howardem. Możecie się spotkać jeszcze dziś w przerwie na lunch. Przepraszam, że tak w ostatniej chwili, ale dziś wieczorem wylatuje do Anglii i wróci dopiero w przyszłym tygodniu. Pomyślałem, że wolałabyś nie czekać.

Podał mi adres na Wall Street.

— Spotkamy się w holu o dwunastej trzydzieści — dodał i rozłączył się, zanim zdążyłam powiedzieć, że wcale nie musi ze mną iść.

Pojechałam jedynką na Wall Street, wysiadłam i poszłam pod wskazany adres. O dwunastej dwadzieścia pięć weszłam przez obrotowe drzwi do wysokiego biurowca. Dokładnie o dwunastej trzydzieści w holu pojawił się Max.

Jak zwykle jego widok sprawił, że coś stało się z moim żołądkiem. Albo sercem. Widząc go, uśmiechnęłam się.

— Cześć — powitał mnie ciepło.

Miał na sobie koszulę z przypinanym kołnierzykiem, którą włożył w ciemnoszare spodnie, i jasnoniebieską marynarkę. Z włosami zaczesanymi do tyłu w niczym nie przypominał mężczyzny, który pomógł mi na dziedzińcu.

— Chodź — zachęcił mnie. — Miejmy to już za sobą.

Wziął mnie pod rękę i podeszliśmy do biurka, gdzie zrobiono nam zdjęcie, złożyliśmy podpisy i otrzymaliśmy identyfikatory. Na sześćdziesiątym piątym piętrze recepcjonistka skierowała nas do gabinetu z zapierającym dech w piersi widokiem na Manhattan.

— O rany — jęknęłam.

Max rozejrzał się, ale nie wyglądał na szczęśliwego. Wskazał stojące naprzeciwko masywnego biurka krzesła.

— Max. — Głos należał do mężczyzny po czterdziestce. — Witaj, stary — powiedział, zanim zwrócił się do mnie. — Jestem Howard Deitz.

Uścisnęliśmy sobie ręce.

— Bardzo mi przykro z powodu pani straty — dodał.

Natychmiast go polubiłam. Był pulchnym, niezbyt przystojnym mężczyzną, ale wydawał się miły i zabawny, a gdy przeszliśmy do rzeczy, okazało się, że jest również bystry.

Pokazałam mu umowę przedmałżeńską, którą szybko przebiegł wzrokiem.

— Mój dobry przyjaciel i prawdziwy spec od umów przedmałżeńskich, Bert Warburg, powiedział, że rzuci na to okiem. — Uśmiechnął się krzywo. — Ja zajmuję się podatkami.

— Nie chcę się narzucać...

— Daj spokój. Bez przerwy pomagamy sobie w rodzinnych sprawach.

Rodzinnych sprawach.

Poczułam tę samą tęsknotę, którą odczuwałam, zanim poślubiłam Sandy'ego i zajęłam się urządzaniem Dakoty.

Howard spojrzał na Maxa.

— A co u ciebie? — Odchylił się w fotelu i założył ręce za głowę. — Rozmawiałeś z kimś od Goldmana? Wiem, że od razu przyjęliby cię z powrotem.

— Goldmana? — spytałam, choć nie była to moja sprawa.

— Goldman Sachs — wyjaśnił Howard. — Mój szwagier był jednym z ich najlepszych pracowników, których zwerbowali z Penn State.

Max wstał.

— Dzięki za pomoc, Howardzie — powiedział z wymuszonym uśmiechem. — Podziękuj ode mnie Bertowi.

— Hej, przepraszam, stary. Nie miałem zamiaru cię naciskać. Nie powiesz Mary? Gdyby się dowiedziała, skopałaby mi tyłek.

— Nie pisnę ani słowa.

Zanim się obejrzałam, staliśmy na ulicy. Howard obiecał, że Bert skontaktuje się ze mną, gdy tylko znajdzie czas, żeby przyjrzeć się umowie.

Dzień był słoneczny. Max otoczył mnie ramieniem i szliśmy, mijając kolejne stacje metra.

— Max?

— Daj mi chwilę.

Gdyby ktoś mi powiedział, że facet, który pomógł mi na dziedzińcu, pracował w Goldberg Sachs, wyśmiałabym go. Ale teraz, kiedy Max zaczesał do tyłu włosy, włożył marynarkę i koszulę z kołnierzykiem na guziki, widziałam w nim młodego, przystojnego inwestora z Wall Street.

Zatrzymaliśmy się dopiero w Tribece, jakbyśmy przekroczyli linię demarkacyjną, za którą mogliśmy swobodnie odetchnąć.

— Wszystko w porządku? — spytałam.

— A niech mnie. — Roześmiał się nerwowo. — Nie byłem tu od jedenastego września.

— Co? Mój Boże. Powinieneś był mi powiedzieć. Nie musiałeś iść ze mną.

Zwolnił i zdjął rękę z mojego ramienia. Zdziwiło mnie to.

— W końcu musiałem tu wrócić i pomyślałem, że będzie mi łatwiej, jeśli pójdę z tobą.

Bez względu na to, czy postąpiłam słusznie, czy nie, wzięłam go za rękę.

— Chyba nie do końca o to chodziło.

Spojrzał na mnie. Szliśmy wąską uliczką pomiędzy sklepami i restauracjami.

— Dzięki tobie było mi dużo łatwiej.

— Pracowałeś w Goldmanie, kiedy samoloty uderzyły w wieże?

— Tak. — Zmrużył oczy, jakby raziło go słońce.

Bez słowa minęliśmy kolejną przecznicę. Dopiero na Canal Street postanowiłam się odezwać:

— Byłeś w biurze, kiedy to się stało?

Przez chwilę myślałam, że nie odpowie, jednak gdy rozpędzona taksówka przejechała zbyt blisko krawężnika, przyciągnął mnie do siebie i zaczął mówić:

— Wyszedłem z metra, kiedy rozpętało się piekło. Ludzie biegali i krzyczeli, a ulica zniknęła za chmurą dymu, pyłu i Bóg jeden wie czego jeszcze.

Zawahał się i w ciszy przeszliśmy kolejną przecznicę. Tym razem nie naciskałam.

— Była tam kobieta — podjął w końcu. — W średnim wieku,

może trochę starsza. Nie jestem pewny. Zresztą teraz to i tak bez znaczenia. Była ogłuszona. Chwyciłem ją za rękę i wtedy uderzyła w nas fala. Nie masz pojęcia, z jaką siłą. W jednej chwili widziałem tę kobietę, a zaraz potem już jej nie było. Trzymałem ją i próbowałem przyciągnąć do siebie, ale jej ręka wyślizgnęła mi się z dłoni. Ktoś złapał mnie i wciągnął do delikatesów.

Po jedenastym września przyzwyczaiłam się do swego rodzaju obojętności, z jaką ludzie opowiadali własne historie. Jakby nadmiar emocji był nie do zniesienia dla tych, którzy przeżyli. Max w taki sam sposób przedstawił mi swoją opowieść i nagle zobaczyłam go w zupełnie innym świetle. Kawałki, z których składał się ten człowiek, wskoczyły na swoje miejsce, jakbym ustawiła właściwą kombinację liczb.

— Zaciągnąłeś się, bo czułeś się bezużyteczny i chciałeś pomagać innym? Dlatego wstąpiłeś do marynarki wojennej?

Ten obiecujący młody człowiek był świadkiem czegoś strasznego, bez wątpienia stracił przyjaciół i musiał coś z tym zrobić.

— Tak. Cóż mogę powiedzieć?

— Twój ojciec musiał być dumny.

Parsknął i zaklął pod nosem.

— Był wściekły. Próbował mnie od tego odwieść.

— Kapitan marynarki wojennej?

— Powiedział, że nic z tego nie wyjdzie. Że postępuję pochopnie. Tyle że ja nie mogłem tak po prostu siedzieć i pozwalać, by faceci pokroju mojego ojca odwalali za mnie całą robotę. Wreszcie dotarło do niego, że nie zmienię zdania.

Kolejny fragment układanki trafił na swoje miejsce.

— W dniu, w którym wypływałem, wciąż był wściekły i prawie się do mnie nie odzywał. Uścisnęliśmy sobie dłonie jak dwoje zupełnie obcych ludzi. Mama płakała. Czułem się fatalnie, widząc, jak bardzo są nieszczęśliwi, ale myślałem wyłącznie o kobiecie, która tamtego dnia puściła moją rękę.

Jego twarz stężała i widziałam, że z trudem panuje nad emocjami.

— Bałem się, że się spóźnię, więc chciałem odejść. Ale ojciec wciąż trzymał moją dłoń. Mój staruszek, żołnierz w każdym calu, spojrzał na mnie, przytulił i powiedział, że liczy się tylko to, żebym wrócił do domu cały i zdrowy. — Max odetchnął. Żyły na jego szyi nabrzmiały. — Do diabła.

Współczułam mu całym sercem i ścisnęłam jego rękę.

— Ale tak jak ludzie, z którymi pracowałeś jedenastego września, nie wszyscy twoi przyjaciele wrócili do domu w jednym kawałku. Masz poczucie winy, bo udało ci się przeżyć. Nietrudno to zrozumieć. — Tym razem się zawahałam. — Nie możesz sobie z nim poradzić, choć pewnie istnieją gorsze rzeczy, z którymi musisz się zmierzyć. — Spojrzał na mnie nieufnie. — Przechodzisz ciężkie chwile, przez co czujesz się słaby. A ze względu na ojca albo dlatego, że tak zostałeś wychowany, nie wiesz, jak się z tym uporać — dodałam.

Szliśmy w milczeniu. Max patrzył przed siebie i trzymał mnie za rękę. Brukowana ulica przywodziła na myśl małą europejską wioskę. Nagle odprężył się, jakby całe napięcie opuściło jego ciało, i objął mnie.

— Trzeba przyznać, że jesteś spostrzegawcza.

— Jestem redaktorką. Równie dobrze mogłabym być psychoanalityczką wszystkich szalonych agentów, autorów i publicystów — nie mówiąc o innych redaktorach — z którymi pracuję.

Roześmiał się chłopięcym śmiechem, który zdążyłam tak bardzo polubić. Kiedy doszliśmy do Houston Street, zeszliśmy na stację metra. Ponieważ tłumy nowojorczyków nie wylegly jeszcze na ulice, w kolejce było dużo wolnych miejsc, a ostatni wagon był prawie pusty.

Wyjechaliśmy z centrum w milczeniu, siedząc obok siebie w wagonie, który kołysał się i stukał. Kiedy dojeżdżaliśmy do Pięćdziesiątej Dziewiątej, wstałam.

— To moja stacja.

On także się podniósł i przyciągnął mnie do siebie.

— Dziękuję — szepnął mi do ucha.

Przywarłam do niego, ale on ukrył twarz w moich włosach i delikatnie wypchnął mnie na peron.

Einstein

Rozdział dwudziesty piąty

W czasie gdy Emily była w pracy i zajmowała się swoją robotą, ja godzinami rozważałem coraz to nowe pomysły. Pod koniec dnia, pochłonięty „Światem Biegacza", zaskomlałem zaskoczony, gdy niczym duch stanęła za moimi plecami. Z wyrazu zdumienia, jaki malował się na jej twarzy, wywnioskowałem, że gdyby sama była psem, jej reakcja byłaby podobna.

— Czytałeś — stwierdziła oskarżycielsko.

— Niezupełnie — poskarżyłem się.

— Albo robiłeś coś podobnego do czytania!

Jak zwykle rozumiała. Zachichotałbym, gdybym mógł.

— Jesteś psem, a psy nie czytają magazynów! Przewracałeś kartki. Nosem i łapą. Widziałam.

Od ostatniego spotkania ze starcem pogodziłem się z tym, że jeśli chcę odzyskać swoje ciało, będę musiał wziąć się do pracy i pomóc Emily. Tym razem naprawdę jej pomóc. Co więcej, pomagając jej, osiągnę wielkość, o jakiej zawsze marzyłem i która była mi przeznaczona.

To oczywiste, że lepiej ją osiągnąć, będąc człowiekiem. Ale na tym etapie nie zamierzałem kręcić nosem i wybrzydzać. Żenujący wypadek na stawie odmienił bieg wydarzeń.

W tym celu, a także po to, by nie powtórzył się incydent z płatkami Lucky Charms, powinienem kontrolować swój świat. Po tym, jak Emily kupiła mi „Świat Biegacza" i poszła do wydawnictwa, musiałem opracować plan, coś, co zajmie mój umysł na tyle, by niedorzeczne zwierzęce instynkty nie przyćmiewały zdrowego rozsądku.

Dawno, dawno temu regularnie ćwiczyłem. Teraz, kiedy przyszło mi żyć w ciele psa, zrozumiałem, że muszę zadbać o formę. Trening kardio: maszerowanie po mieszkaniu. Trening zasadniczy: wymyślony przeze mnie rodzaj pompek, które ćwiczyły wszystkie cztery łapy. Niestety jako Einstein nie mogłem wykonywać żadnego ćwiczenia choć trochę zbliżonego do brzuszków. Zdeterminowany zdecydowałem się na turlanie. Padnij, przeturlaj się i podnieś z drugiej strony. Następnie powtórz.

Ponieważ nie byłem zbyt pięknym psem, miałem pewność, że w niedługim czasie mój wygląd znacznie się poprawi. Zastanawiałem się nawet, czy zmusić Emily, żeby wzięła mnie do jednego z tych psich salonów piękności, ale w parku słyszałem różne historie. Ostatnia rzecz, jakiej było mi trzeba, to trafić w ręce jakiegoś szalonego psiego fryzjera uzbrojonego w nożyce i cążki do pazurów. Do tej pory miałem koszmary o Vinnym z kliniki.

Kolejną rzeczą, która mogła okazać się pomocna, było czytanie. No dobrze, może nie do końca chodziło o czytanie. Podobnie jak w przypadku informacji o zaległych płatnościach, tak i tym razem uznałem, że rezultaty będą lepsze, jeśli zastosuję taktykę przechylania głowy i mrużenia oczu. Najtrudniejszą częścią mojej wyprawy w ten quasi-literacki stan było ściągnięcie na podłogę czegoś, co mógłbym przeczytać. Pozwólcie też, że nie będę się rozwodził nad tym, jak trudno było przewracać strony. Jednak zanim Emily wróciła wieczorem do domu, opracowałem system wspinania się po stołach, blatach i półkach z książkami, dzięki któremu mogłem sięgać po różne rzeczy. Kuchenny epizod może był katastrofą, ale dzięki niemu nauczyłem się wspinać i stałem się mistrzem w operowaniu łapami i pyskiem. Może brzmi to zbyt opisowo, jednak tak właśnie radziłem sobie z przewracaniem kartek.

Ale teraz zostałem przyłapany.

— To dziwne — orzekła Emily, zamykając oczy.

Kiedy je otworzyła, sprawiała wrażenie, jakby liczyła na to, że zobaczy mnie śpiącego, że magazyn będzie zamknięty, podarty, albo nawet zjedzony, a książki trafią z powrotem na półki.

Nic z tego.

Próbowałem się do niej uśmiechnąć. Odchyliłem głowę, dzięki czemu wyglądałem uroczo, a raczej uroczo paskudnie.

Widząc to, Emily wrzasnęła i podeszła do lodówki, zapewne po to, żeby rozpocząć kolejną kuchenną sesję.

Niech to szlag.

Jako Sandy wpadałem na najlepsze pomysły, biegając. Szedłem do Central Parku, wbiegałem na obsadzoną drzewami ścieżkę dla koni otaczającą staw i niemal czułem, jak z panującego w mojej głowie chaosu wyłaniają się pojedyncze jasne myśli. Właśnie dlatego stwierdziłem, że jeśli mam stawić czoło problemom mojej żony, najlepiej będzie, gdy zrobię to w ruchu.

W rezultacie postanowiłem, że wyciągnę ją do Central Parku, gdzie będę mógł wrócić na ścieżkę konną. To z kolei zaprowadziło mnie do sklepu z gazetami, w którym zmusiłem Emily, by kupiła mi „Świat Biegacza".

Tak, byłem geniuszem.

Przyznaję, dwie rzeczy nie dawały mi spokoju. Przede wszystkim dziewczyna, która wyprowadzała mnie na spacer — Jordan zresztą też — spacerowała wyłącznie po brukowanych ścieżkach, a ja musiałem wrócić na wysypaną żwirem drogę, po której wciąż można jeździć konno. Już sama myśl o tych gigantycznych czworonożnych bestiach sprawiała, że jako pies czułem dreszcz emocji. Jednak mój nieprzeciętny ludzki umysł tłumił te emocje, wiedząc, że mam na głowie ważniejsze rzeczy niż uganianie się za końmi. Mianowicie, z tego, co wiedziałem, moja żona nigdy w życiu nie ćwiczyła, i byłem świadkiem, jak dostawała zadyszki, idąc po schodach. Nie miałem pojęcia, czy odrobina ruchu nie sprawi, że umrze na zawał serca. Co wówczas stanie się ze mną? Z pewnością nie dostanę tego, na co tak bardzo liczyłem.

Krótko mówiąc, musiałem zadbać o formę Emily.

Szalony plan, wiem, szczególnie że ostatnimi czasy moja żona rozmiłowała się w deserach z taką ilością cukru i tłuszczu, że można je było porównać do śpiewaczki operowej upchniętej w rurce cannoli. Po czymś takim nie można oczekiwać od człowieka, że będzie w świetnej formie.

W związku z tym musiałem działać delikatnie, czyli odwieść Emily od upieczenia kolejnego ciasta.

Ominąłem ją i usiadłem przed lodówką.

— Z drogi — burknęła.

Warknąłem.

— Rusz się, Einstein.

Próbowała mnie odepchnąć, więc zrobiłem jedyną rzecz, jaka przyszła mi do głowy.

— Trzymaj się z daleka od masła, tłusta krowo — warknąłem.

Przyznaję, że trochę przesadziłem.

Emily otworzyła usta ze zdumienia.

— Nie jestem tłusta!

— Jeszcze nie. Ale przy takim trybie życia wcześniej czy później będziesz wyglądała jak sterowiec na paradzie Macy's z okazji Święta Dziękczynienia.

Parsknęła i przez resztę wieczoru nie odzywaliśmy się do siebie. Cóż, może nie byłem miły, słodki i czarujący, ale czy nie należały mi się dodatkowe punkty za to, że uchroniłem ją przed kolejnym kulinarnym szaleństwem?

✠

Po kolacji wciąż nie rozmawialiśmy i Emily nie wyjaśniła mi, dlaczego za każdym razem, gdy słyszy jakiś hałas, zrywa się i biegnie do przedpokoju. Ponieważ nie miałem nic lepszego do roboty, truchtałem za nią, poszczekując i drapiąc pazurami drewniane podłogi.

Za każdym razem, gdy docierała do drzwi, zatrzymywała się, jakby czekała, aż ktoś je otworzy. Kiedy nic się nie działo, spoglądała na korytarz i wzdychała.

— Gdzie jesteś, Jordan?

Moja szwagierka wróciła o drugiej nad ranem, kiedy leżałem skulony na kuchennej podłodze i próbowałem zasnąć. Towarzyszył jej mężczyzna, który wyglądał na dwadzieścia cztery, góra dwadzieścia pięć lat.

— Ćśśś — uciszała go, śmiejąc się.

Nie trzeba było być psem, żeby wyczuć, że jest pijana. Zdradzał ją niewiarygodnie mocny odór tequili i margarity i to, że się chwiała.

Koleś był w lepszym stanie. Wypił... przez chwilę węszyłem... kilka piw, a jego ciało cuchnęło feromonami. Miał wielką ochotę na seks.

Podkradłem się do nich i uraczyłem swoim najbardziej przerażającym warczeniem.

Facet znieruchomiał, a woń feromonów zmieszała się z zapachem hormonów strachu.

— Olej go — mruknęła Jordan, kładąc ręce na piersi mężczyzny.

Znowu warknąłem, przysiadłem na zadzie i nastroszyłem sierść.

Koleś cofnął się o krok. Może nie byłem duży, ale każdy wie, że małe psy potrafią nieźle nabroić, jeśli naprawdę się wkurzą.

— Chryste, chyba się go nie boisz. Potrafi tylko szczekać — powiedziała Jordan.

— Wygląda, jakby potrafił dużo więcej. Popatrz tylko na jego zęby.

Słysząc to, obnażyłem pożółkłe kły. Nie bawiłem się tak, odkąd... zostałem psem.

— Do diabła, Einstein, zamknij się — prychnęła Jordan.

Odpowiedziałem jej wściekłym warknięciem.

— Mam gdzieś, co o mnie myślisz.

— Jędza — szczeknąłem.

— Dupek — odparowała.

Facet zrobił kolejny krok do tyłu.

— To zbyt dziwne. Chyba już pójdę.

— Grzeczny chłopiec — warknąłem.

— Jordan?

Cała nasza trójka zamarła na dźwięk głosu Emily. Słyszałem, jak moja żona wkłada szlafrok. Jordan najwyraźniej też to wyczuła.

— Musisz już iść. — Pchnęła mężczyznę w kierunku drzwi.

Postanowiłem jej pomóc i uraczyłem oboje wściekłym warknięciem. Nie dbałem o Jordan ani o to, czy wpadnie w tarapaty, po prostu chciałem wykorzystać ostatnią okazję i wystraszyć faceta. Za kogo się uważa, że przychodzi do mojego domu i chce uprawiać seks na jednym z moich łóżek?

Kiedy wyszedł, Jordan czmychnęła do swojego pokoju.

— Dobranoc, Emily! — krzyknęła, pospiesznie zamykając drzwi.

— Jordan, musimy porozmawiać.

— Rano, Em. Przepraszam, że cię obudziłam!

— Ale mam dobre wieści.

— Naprawdę, Emily, porozmawiamy rano. Jestem wykończona.

I pijana, chciałem dodać. Nie mówiąc o tym, że była na tyle cwana, by wiedzieć, co zrobi starsza siostra, kiedy się zorientuje.

Szum lejącej się wody dał Emily do zrozumienia, że nie ma sensu ciągnąć rozmowy.

— Co to za zapach? — spytała.

— Twoja pijana siostra — szczeknąłem z powagą.

Czy to nie było pomocne?

Emily zerknęła na zamknięte drzwi pokoju gościnnego, a zaraz potem na mnie.

— Nie bądź skarżypytą — prychnęła.

Wróciła do pokoju i zamknęła mi drzwi przed nosem.

Kobiety!

✠

Nazajutrz rano obudził mnie zapach kawy. Ach, jak tęskniłem za poranną kawą, wschodzącym słońcem i jeszcze ciepłym numerem „New York Timesa". Przez chwilę znowu zacząłem się nad sobą użalać i z rozrzewnieniem wspominać swoje dawne życie, jednak szybko wziąłem się w garść. Już niedługo będę wielki. Myśl o tym sprawiła, że poczułem radosne podniecenie. Zastanawiałem się, jak ta wielkość będzie wyglądała? Jaką przybierze formę? Nie mogłem się doczekać wszystkich tych cudownych rzeczy, które pociąga za sobą bycie wielkim. Nawet jeśli moim przeznaczeniem jest selekcjonowanie rannych, byłem przekonany, że poradzę sobie znacznie lepiej niż starzec.

Otworzyłem oczy i ze zdziwieniem stwierdziłem, że Emily siedzi przy stole i czyta „Świat Biegacza".

Ciekawe.

Dźwignąłem się i przeciągnąłem. Pochyliłem głowę i wyprężyłem, rozciągając mięśnie i ścięgna. W końcu otrząsnąłem się, podzwaniając przywieszkami.

— Dzień dobry — usłyszałem głos Emily.

Zamyślona sięgnęła po smycz i wyszliśmy. Kiedy zrobiłem, co miałem zrobić, Emily po mnie posprzątała, a potem wyprostowała się i spojrzała w stronę parku. Interesujące, choć nie byłem pewny, o czym tak naprawdę myślała.

— Powiedz to na głos! — zaszczekałem.

— A więc uważasz, że bieganie mi pomoże, tak? Dlatego kazałeś mi kupić ten magazyn?

Jestem niesamowity czy co?

— Tak! — szczeknąłem.

Zamiast wrócić do domu, poszliśmy do parku i przeszliśmy pod porośniętym wisterią łukowatym przejściem. Akurat tego dnia, gdy liczyłem na wsparcie moich czworonożnych towarzyszy, okazało się, że ich nie ma. Jakby tego było mało, Emily znowu mnie zaskoczyła, kiedy zaprowadziła mnie do ścieżki dla koni.

— Dobra, E, dostaniesz to, czego chciałeś. Będziemy biegali.

— Biegali? Już? — pisnąłem.

Oczywiście, że chciałem, by biegała, tak jak nie było wątpliwości, że chciałem, by wróciła do formy, ale nie liczyłem na to, że będzie chciała zacząć dziś, od razu. Sam dopiero rozpocząłem treningi i z całą pewnością nie byłem gotowy na bieganie. Jednak Emily nie zamierzała pytać mnie o opinię i wystartowała, zanim zdążyłem się odezwać.

Boże jedyny! Co ja sobie myślałem, kiedy wydawało mi się, że bieganie rozwiąże wszystkie moje problemy? Jako człowiek, owszem, uwielbiałem biegać, jednak będąc wiekowym psem na krótkich łapach, miałem wrażenie, że każdy krok to nieopisana tortura. Próbowałem podnosić łapy jak jakiś szalony koń rasy clydesdale, ponieważ drobne kamyczki pod moimi delikatnymi poduszkami wydawały się... brudne. W pewnym momencie zacząłem się zastanawiać, czy istnieją chusteczki do łap dla psów.

Na szczęście Emily wlokła się jak ślimak i zanim dotarliśmy do tunelu pod Siedemdziesiątą Drugą i przebiegliśmy jedną trzecią drogi do tunelu na Siedemdziesiątej Siódmej — dystans nie dłuższy niż pół kilometra — nie mogła złapać tchu i postanowiła się zatrzymać.

Dzięki Bogu.

Zmęczenie sprawiło, że zapomniałem o piachu i żwirze i dysząc, padłem na ziemię. Po mojej lewej stronie porośnięte drzewami zbocze wznosiło się ku murowi, który oddzielał park od Central Park West. Po prawej teren opadał w stronę krętej ścieżki i niesławnego stawu, gdzie zaledwie kilka dni temu próbowałem ze sobą skończyć. Mimo tych wspomnień uznałbym okolicę za sielankową, gdyby nie potworny ból w płucach, które domagały się powietrza, i zgięta wpół Emily z trudem łapiąca powietrze.

W końcu doszliśmy do siebie. Z chwilą gdy mój oddech się uspokoił, nos zaczął pracować jak należy i zacząłem węszyć. Emily wypuściła smycz i — tak jak się tego spodziewałem — nie mogłem się powstrzymać. Podbiegłem do leżącej na środku ścieżki wielkiej sterty końskiego łajna. Wstyd się przyznać, ale czułem euforię, mogąc choć na chwilę zapomnieć o trapiących mnie problemach. Skończyło się na tym, że Emily musiała mnie gonić i praktycznie zawlokła mnie do domu.

Doszliśmy do porośniętej wisterią pergoli, kiedy moje nad wyraz wrażliwe uszy wychwyciły wibrujący dźwięk, który okazał się ukrytym w kieszeni Emily blackberry. Moja żona skrzywiła się, widząc, kto dzwoni, jednak po chwili wahania postanowiła odebrać.

— Tatiana? — Cisza. — Dzwonisz w sprawie książki?

Emily spięła się, choć nie miałem pojęcia dlaczego.

— Termin oddania książki Jordan. Tak. Właśnie nad tym pracuję.

Kupuje książkę Jordan?

Ciekawe. Nie byłem pewny, czy moja szwagierka potrafi czytać lepiej ode mnie. Ba, miałem wątpliwości, czy potrafi sklecić choć jedno sensowne zdanie, nie mówiąc o napisaniu całej książki.

— Nie, nie. Nie wycofuję się. Nie ma problemu.

Po powrocie do domu nabrałem ochoty na psie przysmaki, jak zwykle, gdy wracałem ze spaceru. Prawdę mówiąc, po tak morderczym treningu potrzebowałem ich jak nigdy dotąd. Jednak Emily minęła kuchnię i zapukała do pokoju Jordan. Nikt nie odpowiedział.

— Przysmak — warknąłem.

— Nie teraz.

Drzwi były uchylone, a ponieważ naprawdę chciałem pomóc, trąciłem je nosem. Nie wiedziałem, jak inaczej mógłbym zasłużyć na upragniony smakołyk.

Nie zdziwiło mnie, gdy okazało się, że pokój jest pusty.

— Gdzie ona jest? — spytała Emily. — Chyba nie wyszła w nocy?

W kuchni znaleźliśmy pustą miskę po płatkach i stojący na stole karton mleka. Nie chcąc denerwować Emily, usiadłem potulnie przed drzwiami spiżarni i zacząłem się ślinić. Ona jednak ani myślała mnie nakarmić.

— Już wyszła? — spytała zdezorientowana.

Spodziewałem się, że powie coś niemiłego. Jordan wciąż nie opanowała sztuki sprzątania po sobie. Zastanawiałem się, czy robi to celowo, żeby zdenerwować siostrę, czy może jej życie pełne było skwaśniałego mleka i brudnych naczyń. Czy ta dziewczyna naprawdę nie słyszała o salmonelli?

Jednak tego ranka Emily nie przestawała mnie zaskakiwać. Tym razem obróciła się na pięcie i wybiegła z kuchni tak szybko, że dogoniłem ją dopiero w pokoju Jordan.

— Aha — warknąłem. — Nawet ja wiem, że myszkowanie w rzeczach siostry nie jest najlepszym pomysłem.

— Bądź cicho — zbeształa mnie Emily.

— Rozumiesz, co do ciebie mówię, ale nie dasz mi jeść?

Zignorowała mnie, więc usiadłem i patrzyłem. Nie żeby było na co patrzeć. Jordan nie miała zbyt wielu rzeczy. Wyzwaniem było przekopywanie się przez porozrzucane ubrania i walające się po podłodze ozdobne poduszki w poszukiwaniu czegoś ciekawego.

— Lepiej, żebym znalazła jakąś próbkę książki — mruknęła Emily.

Gdybym miał się zakładać, obstawiałbym, że nie ma żadnej książki. Poza tym miałem nieodparte wrażenie, że to, co w oczach Emily było katastrofą, dla Jordan stanowiło oazę porządku w morzu chaosu i gdy tylko wróci do domu, będzie wiedziała, że starsza siostra grzebała w jej rzeczach.

— Fuj!

Podniosłem głowę i spojrzałem na stojącą bez ruchu Emily trzymającą w dwóch palcach slipki, które z całą pewnością nie należały do Jordan.

— Skąd się to wzięło?

Należało do jednego z młodych mężczyzn, których Jordan przemycała do domu, kiedy Emily smacznie spała. Podobnie jak moja żona, facet, który wyszedł stąd bez majtek, nie potrafił odnaleźć w tym chaosie ani siebie, ani swojej bielizny.

— Emily? Co ty wyprawiasz?

Emily i ja odwróciliśmy się i spojrzeliśmy na stojącą w drzwiach Jordan. Trzymała w ręku kubek kawy ze Starbucksa. Waniliowa latte z pełnotłustym mlekiem. Na samą myśl ślina napłynęła mi do ust.

— Grzebiesz w moich rzeczach? — Głos Jordan był zadziwiająco niski.

— Straszny tu bałagan.

— I to upoważnia cię do grzebania w moich rzeczach?

Ach, ten młodzieńczy sarkazm.

Jordan podeszła i wyrwała jej majtki.

— Przyprowadzałaś tutaj jakichś chłopaków? — spytała Emily.

— Nie chłopaków. Mężczyzn. Jestem dorosła, Emily. Jestem kobietą i uprawiam seks.

Słysząc to, obnażyłem z niesmakiem kły, ale Jordan jeszcze nie skończyła. Zmrużyła oczy i dodała z triumfem:

— Nasza matka byłaby dumna.

Emily cofnęła się o krok, jakby Jordan ją uderzyła. Opanowała się jednak i stanęła.

— Być może, ale zobacz, dokąd ją to zaprowadziło. Jedna córka marzy o ojcu, którego nigdy nie znała, a druga pragnie, żeby jej ojciec nie był typem faceta, który mieszka w uroczym domu na Long Island, pracuje od dziewiątej do siedemnastej, ma żonę i dwójkę innych dzieci.

Tym razem to Jordan się cofnęła.

— Nigdy czegoś takiego nie powiedziałam — odparła drżącym głosem.

— Nie musiałaś. Pojawiasz się i znikasz bez uprzedzenia. I spójrzmy prawdzie w oczy, obie wiemy, skąd te szalone prezenty dla dzieciaków. Nie chodzi o to, żeby nauczyć je samodzielnego myślenia. Robisz to wszystko, żeby ukarać swojego ojca za to, że cię zostawił i założył nową rodzinę.

Jordan zrobiła kolejny krok w tył i głośno wypuściła powietrze.

Emily westchnęła.

— Jordan, przepraszam.

Jednak Jordan wybiegła już z pokoju i jedyne, co usłyszeliśmy, to trzask drzwi i brzęk szkła.

⌖

Nazajutrz rano Jordan wciąż nie było. Nagrała się za to na automatyczną sekretarkę, tłumacząc, że potrzebuje przestrzeni i przez kilka dni pomieszka u przyjaciółki. Jak zwykle nie zostawiła numeru telefonu, pod którym można ją zastać.

Nastrój mojej żony wahał się między żalem a złością. Za każdym razem, gdy dzwonił telefon, a na wyświetlaczu pojawiał się nieznany numer, odbierała, prosząc Boga, żeby to była siostra. Kiedy dzwonił blackberry, podskakiwała. W końcu w ogóle przestała odbierać komórkę. Zastanawiałem się, czy chodzi do pracy w przebraniu. Było oczywiste, że skoro nie znalazła niczego w pokoju Jordan i nie ma pojęcia, kiedy jej siostra odda gotowy maszynopis, Emily unikała swojej szefowej jak zarazy.

Inną osobą, której unikała, była moja matka. W ciągu ostatnich kilku dni Althea Portman zostawiła na automatycznej sekretarce kilka krótkich wiadomości.

„Naprawdę, Emily, nie możesz tego unikać".

„Mówię poważnie, Emily, to się robi denerwujące".

I moja ulubiona: „Emily Barlow, dość już mam tego nieodpowiedzialnego zachowania. Natychmiast do mnie zadzwoń albo... po prostu do mnie zadzwoń".

Moja matka nie wiedziała, co powiedzieć. Kto by pomyślał, że do tego dojdzie?

Jakby tego było mało, do grona dzwoniących dołączył mój prawnik, który zostawiał coraz mniej sympatyczne wiadomości. Z każdym telefonem Emily robiła się bardziej nerwowa, jednak — z tego, co wiedziałem — na żaden nie odpowiedziała.

— To nie dzieje się naprawdę — szeptała do siebie.

Po ostatnim telefonie od mojego prawnika przewróciła mieszkanie do góry nogami.

— Gdzieś w tym domu muszą być jakieś rachunki, dowód na to, ile pieniędzy zainwestowałam w mieszkanie. Faktury i zdjęcia tego, jak wyglądało przed remontem i po nim. Materiały dowodowe, które potwierdzą, że mam rację.

Z dolnej szuflady swojego biurka wyjęła stertę teczek.

— Rachunki od lekarza — mruknęła, otwierając pierwszą. Sądząc po jej głosie, wciąż jednak miała nadzieję.

— Stare czeki — stwierdziła, zaglądając do kolejnej.

— Pokwitowania!

Moje stare skołatane serce zaczęło bić szybciej.

Zaraz potem wyciągnęła z teczki zdjęcie. Radosne podniecenie minęło równie szybko, jak się pojawiło, i Emily osunęła się na podłogę. Na zdjęciu byliśmy razem, Emily i ja, Sandy. Remontowaliśmy nasz pierwszy pokój, szczęśliwi, uśmiechnięci i umazani farbą. Emily trzymała aparat w wyciągniętej ręce, przez co nasze głowy wydawały się nieproporcjonalnie duże w porównaniu z ciałami. Pamiętałem tamten dzień jak dziś. Emily była piękna i pełna życia. Przypomniałem sobie kolejny dzień, w którym obiecałem sobie, że będę wierny żonie. Dlaczego nie potrafiłem dotrzymywać obietnic? Dlaczego znów poczułem tamten głód? Te pytania nie sprawiły, że nagle zacząłem traktować Emily łagodnie. Miałem jej pomóc powstać z popiołów.

Po jednorazowej przebieżce Emily nie chciała nawet słyszeć o bieganiu, zmuszając mnie, żebym wyciągał ją z łóżka i wlókł za sobą na ścieżkę dla koni. Jeśli wcześniej między mną a zbawieniem stał mój egoizm, teraz obawiałem się, że jestem zbyt apodyktyczny. Ale, na Boga, Emily nie była szczególnie utalentowaną sportsmenką. Przebiegłszy raptem piętnaście metrów, padała ze zmęczenia. Kiedy kłapałem zębami, żeby zmusić ją do dalszego biegu, kładła się na wysypanej żwirem ścieżce. Byłem wściekły. Jednak trzeciego dnia wstąpiła we mnie nadzieja, gdy rankiem Emily wyszła z pokoju ubrana w ohydne legginsy.

Nie musiałem machać jej smyczą przed oczami ani podzwaniać iden-tyfikatorem. Postęp. Niemal widziałem, jak starzec wręcza mi świadectwo opatrzone pieczęcią „wielki".

✠

Jordan nie pojawiła się w domu do końca tygodnia. Ale w piątek, gdy Emily wróciła po pracy, powitał ją zapach środków czyszczących i eg-zotycznego jedzenia rodem z krajów Trzeciego Świata.

— Jordan?! — zawołała Emily.

Jej siostra wybiegła z kuchni i zarzuciła jej ręce na szyję.

— Przepraszam, że się wściekłam.

Napięcie, które od kilku dni narastało w mojej żonie, opadło, a ona wyraźnie się rozluźniła.

— Przepraszam, że weszłam do twojego pokoju i powiedziałam te wszystkie straszne rzeczy.

Czyli standard. Odkąd pamiętam, Emily i Jordan kłóciły się, godziły, płakały, śmiały, przysięgały, że nigdy więcej się nie pokłócą, i trwały w tym postanowieniu aż do kolejnej awantury.

W czasie obiadu, przy kuchennym stole, Emily po raz pierwszy miała okazję przedstawić siostrze propozycję wydawnictwa.

— Chcecie kupić moją książkę? — pisnęła Jordan.

— Czy to nie wspaniałe? Cudownie będzie razem pracować.

Wyciągnąłem szyję, żeby zobaczyć, czy przypadkiem bez mojej wiedzy ktoś otworzył butelkę wina. A może Jordan i Emily paliły skręta? Co innego mogło wywołać tak bezsensowne złudzenia? Jak ktokolwiek mógł pomyśleć, że z ich współpracy wyniknie coś dobrego?

Ale nikt nie zapytał mnie o zdanie.

— Ja cię kręcę! Dzięki, Emily!

— A teraz pokaż mi konspekt książki.

Po tych słowach w kuchni zapadła wymowna cisza.

— Chcesz zobaczyć konspekt?

— Oczywiście, muszę go zobaczyć.

Koniec miesiąca miodowego.

— Cóż, nie jest jeszcze gotowy.

Emily odetchnęła głęboko.

— W porządku — odezwała się po chwili. — Nie jest gotowy. Nie ma problemu. Po prostu pokaż mi, co masz.

Jordan przez chwilę wierciła się na krześle.

— Jordan, proszę, powiedz, że już coś napisałaś.

— Oczywiście, że tak. Chodzi o to, że...

— Po prostu powiedz, o co chodzi.

— To wszystko jest trochę niespójne.

Kolejny głęboki oddech.

— Może być niespójne.

Po chwili wahania Jordan poszła do swojego pokoju.

— Nie powinnam się była w to pakować — mruknęła do mnie Emily.

Święte słowa.

Jordan wróciła do kuchni, trzymając kołonotatnik. Policzki miała zaróżowione.

— Pokaż. — Emily wyciągnęła rękę.

Z miejsca, w którym stałem, widziałem tylko niestaranne, pełne zawijasów pismo i bazgroły, które ciągnęły się wzdłuż marginesów. Emily zmrużyła oczy i byłem pewny, że się modli.

— Lepiej będzie, jeśli przeczytasz to w spokoju — bąknęła Jordan.

Po tych słowach wymknęła się z kuchni. Emily przeczytała jedną stronę, a po niej kolejną. Czytała bez przerwy, podczas gdy Jordan co kilka minut stawała w progu. Widząc, że Emily nie reaguje, młodsza siostra Barlow zerkała na mnie pytająco.

Wzruszyłem ramionami.

— Przykro mi, ale nie mogę ci pomóc.

Nie kłamałem. Nie miałem pojęcia, co czuje Emily. Odkąd zaczęła czytać, nie wychwyciłem żadnych emocji. Kiedy dobrnęła do końca, zamknęła notatnik i położyła głowę na okładce.

Poczułem zapach jej łez, jeszcze zanim usłyszałem, jak płacze.

— Emily? — spytała Jordan, wchodząc na palcach do kuchni.

Emily się wyprostowała. Miała zaczerwienione oczy.

— Nie podoba ci się — szepnęła Jordan.

— Wcale nie — odparła Emily, choć nie wyglądała, jakby jej się podobało.

— Więc o co chodzi?

Emily wstała, żeby stanąć twarzą w twarz z siostrą.

— Nigdy dotąd nie myślałam o tym, jak wpłynęło na ciebie życie z naszą matką.

Emily

„Nie pozwól, żeby świat zmusił cię do bycia kimś, kim nie jesteś", mawiała moja matka. Nie miała pojęcia, że na swój sposób sama zmuszała mnie, bym była taka jak ona, a niekoniecznie tego właśnie chciałam. W wieku dwudziestu dwóch lat uświadomiłam sobie, że — w przeciwieństwie do Emily — całe życie starałam się spełniać oczekiwania matki. Mając dwadzieścia dwa lata, wciąż prowadziłam wojny, wojny mojej matki, jakby moim przeznaczeniem było kontynuowanie jej snu, zamiast śnienie własnego.

fragment książki *Córka mojej matki*

Rozdział dwudziesty szósty

Moja matka była układanką, a właściwie kilkoma układankami, których fragmenty zbyt się pomieszały, by stworzyć spójną całość. Czytanie zapisków Jordan uświadomiło mi to bardziej niż cokolwiek innego.

Lillian Barlow walczyła o prawo kobiet do robienia kariery, podczas gdy sama przerwała swoją, by zostać w domu z córkami. Może potrzebowała adoratorów, ale nie szanowała żadnego z nich, gdy na przyjęciach czekali, aż zwróci na nich uwagę, jak żebracy w jadłodajni dla ubogich.

„Możesz bawić się mężczyznami, mawiała, ale nie możesz ich potrzebować".

Choć nie skąpiła innym uwagi, w kwestii uczuć była zadziwiająco samolubna. Oto, czego w niej nienawidziłam.

Całe życie zmagałam się z tym, że byłam córką swojej matki, a ponieważ Jordan wydawała się do niej tak podobna, do głowy by mi nie przyszło, że jej życie wcale nie jest tak kolorowe, jak można by sądzić. Patrząc na to z perspektywy czasu, uświadomiłam sobie, że byłam ślepa. Przede wszystkim jednak po raz pierwszy dotarło do mnie, jak wielką egoistką była moja matka. Czytając wspomnienia Jordan, nie chciałam, żeby ujrzały światło dzienne.

— Nie podoba ci się — jęknęła Jordan. — Niepotrzebnie ci o tym powiedziałam.

Odkąd zaczęłam pracę w wydawnictwie, widziałam wielu autorów, którzy wyrażali obawy co do końcowych efektów swojej pracy. Tym bardziej zaskoczyła mnie niepewność mojej siostry, która jeździła sama po świecie, odkąd była nastolatką.

— Wcale nie.

Jordan zagryzła wargi.

— Więc o co chodzi?

Zawahałam się.

— Chodzi o to, że nie zastanawiałam się, o czym tak naprawdę jest ta książka. A jest o życiu w cieniu Lillian Barlow.

— Popatrz na siebie, Emily. Ty wyrwałaś się z tego cienia, stworzyłaś własne życie.

Jej słowa wzruszyły mnie i zdenerwowały, ponieważ nie do końca udało mi się uciec od cienia Lillian Barlow. Czyż nie szukałam swojego miejsca w nowym Caldecote Press, próbując wydać książkę o matce? Czy to możliwe, że Tatiana pozwoliła mi zostać, bo znała Lillian Barlow? Czy Hedda zaproponowałaby mi pracę, gdyby nie to, że ona również znała słynną aktywistkę? Jednak nie to martwiło mnie najbardziej.

— Jordan, co tak naprawdę się z tobą dzieje?

Odkąd siostra pojawiła się na progu mojego mieszkania, zachowywała się jeszcze bardziej wojowniczo niż zazwyczaj, ale byłam zbyt zajęta własnymi problemami, by się nad tym zastanawiać.

Westchnęła.

— Porozmawiaj ze mną, proszę.

Po chwili zmarszczyła nos i wyznała:

— Tak naprawdę nie robię sobie przerwy od Domów dla Kobiet Bohaterek. Wylali mnie.

— Jak to?

— To nie była moja wina — dodała pospiesznie, ściągając brwi. — No dobra, może było w tym trochę mojej winy. Ale był tam ten facet, Serge. Naprawdę świetny, a przynajmniej tak mi się wydawało. Angażował się w pomoc ludziom i interesował się mną.

Zawahała się.

— Mów dalej.

Wyzywająco uniosła brodę.

— Kiedy podejmujesz pracę w Bohaterkach, musisz obiecać, że nie będziesz kumplowała się z innymi pracownikami. — Skrzywiła się. — Można powiedzieć, że zostaliśmy przyłapani, a ten dupek zrzucił wszystko na mnie! Chcę, żebyś wiedziała, że oboje byliśmy zaangażowani. Udzielono nam nagany i zostaliśmy wyrzuceni z projektu. Po tym wszystkim odszedł!

250

Nie mogłam uwierzyć, kiedy moja twarda młodsza siostrzyczka zaczęła płakać. Wyciągnęłam rękę, żeby ją pogłaskać, ale ją odepchnęła.

— Nie płaczę — warknęła i rozpłakała się na dobre. — To palant, ale naprawdę mi na nim zależało. Mnie, która nigdy nie zgłupiała na punkcie żadnego faceta!

— Jordan, nie zadręczaj się tylko dlatego, że się w kimś zakochałaś.

— Był wszystkim tym, czego tak bardzo pragnęłam i co wydawało mi się nieosiągalne. Wielu facetów podejmuje pracę w organizacjach non-profit, bo wydaje się im, że nie będą musieli nic robić, albo traktują je jako przepustki do fajnych, egzotycznych krajów. Serge wierzył. Wierzył w to, co robił. Wypruwał sobie żyły, żeby coś zmienić. A do tego był cholernie przystojny i seksowny. — Zamilkła. — Jak to możliwe, że córka Lillian Barlow skończyła jak wszystkie te żałosne panienki, które rozpaczają po rozstaniu z facetem? Nawet jeśli coś do niego czułam, nie powinnam tak się nad sobą użalać.

Tym razem, kiedy ją przytuliłam, nie broniła się.

— Och, Jordan — szepnęłam — jesteś tylko człowiekiem. Każdy popełnia błędy.

— Mama byłaby zażenowana.

— Droga, którą wybrała mama, nie była jedyną z możliwych.

Jordan wyswobodziła się z moich objęć i spojrzała na mnie.

— Jesteś szczęśliwa, Em?

— Poddaję się.

— Nie chciałam, żeby tak to zabrzmiało. Chodzi o to, że zawsze myślałam, że jesteś szczęśliwa. Nawet po tym, gdy wyszłaś za tego dupka.

— Jordan.

— Kiedy to prawda. Ale odkąd tu jestem, wybacz, nie wyglądasz na przesadnie szczęśliwą.

— Straciłam męża. Czego się spodziewałaś?

Nie dawała za wygraną ani nawet nie okazała skruchy.

— Nie wiem. Czegoś innego. Nie wydajesz się zdruzgotana. Więcej jest w tobie gniewu i wyglądasz, jakbyś była... zagubiona.

Taka właśnie była Jordan: młoda i nieświadoma, a zarazem bardzo dojrzała. Jeśli mam być szczera, początkowo skrywałam swoje uczucia, bez reszty oddając się pracy. Gdy znalazłam pamiętniki Sandy'ego, czułam się bardziej zła i zagubiona niż smutna. Czy to możliwe, że wszystkie te uczucia przeszkodziły mi naprawdę opłakiwać mojego zmarłego męża? Co by się stało, gdybym w końcu pogodziła się z jego śmiercią? Gdybym pogodziła się ze śmiercią człowieka, który — bardzo chciałam w to wierzyć — kiedyś mnie kochał?

Uświadomiłam sobie, że bałam się odpowiedzi. Jeśli wyszłam za Sandy'ego, żeby ukoić ból po stracie matki, i jeśli przygarnęłam Einsteina i rzuciłam się w wir pracy, by zapomnieć o śmierci Sandy'ego, co stanie się ze mną, gdy w końcu przestanę uciekać? Kim wówczas będę?

— Ale nadal zamierzasz wydać moją książkę, prawda?

Twarz miała poważną i patrząc na nią, odniosłam wrażenie, że po raz pierwszy od wielu lat złagodniała. Nie wiedziałam, jak powiedzieć jej prawdę. Co więcej, nie miałam pojęcia, jak się wycofać z tej sytuacji. To, co napisała, było wystarczająco dobre, by inne wydawnictwo kupiło prawa do książki. Wiedziałam jednak, że jeśli tak się stanie, Tatiana nie da mi spokoju. Być może świat nie dbał już o Lillian Barlow, byłą aktywistkę, ale na pewno interesowała go Lillian Barlow, kobieta, która porzuciła niekonwencjonalny sposób życia dla wszystkiego tego, przeciwko czemu tak zażarcie walczyła.

Najbardziej zdumiało mnie to, że moja młodsza siostra zrozumiała wszystko dużo wcześniej niż ja i postanowiła przelać to na papier.

— Do kiedy skończysz pisać tę książkę? — spytałam.

Pisnęła, chwyciła mnie w ramiona i porwała do tańca. Zaraz potem pochyliła się i uściskała Einsteina, który spojrzał na mnie pytająco. Kiedy nie było już odwrotu, ogarnęło mnie złe przeczucie, że niebawem pożałuję dnia, w którym wspomniałam na zebraniu o *Córce mojej matki*.

✠

Następnego dnia poważnie wzięłam się do biegania, choć jeszcze wtedy nie zdawałam sobie z tego sprawy.

Wczesnym rankiem Einstein wszedł do mojej sypialni i obudził mnie, potrząsając identyfikatorem. Kiedy mruknęłam coś i próbowałam go przepędzić, wskoczył na łóżko, rzucił mi na głowę smycz i zaczął szczekać.

— Dobrze już, dobrze — mruknęłam. — Już nie śpię.

Gdy tylko zeskoczył z łóżka, przewróciłam się na drugi bok i zakopałam w pościeli.

On jednak nie zamierzał odpuścić. Chwycił zębami róg kołdry i ściągnął ją ze mnie.

— Jest za wcześnie na bieganie — jęknęłam, choć wiedziałam, że już nie zasnę. Zwlokłam się z łóżka, posłałam mu wściekłe spojrzenie i włożyłam spodenki i buty do biegania. Po drodze narzekałam, podczas gdy Einstein biegł raźno przede mną.

Nie biegaliśmy długo, ale musiałam przyznać, że kiedy wracaliśmy do domu, obudziła się we mnie nadzieja, której nie czułam od bardzo dawna. Był koniec kwietnia, zaczynały kwitnąć pierwsze kwiaty. W tym samym tygodniu zadzwonił Max.

— Dostałem wiadomość od Berta Warburga. Przejrzał twoją umowę przedmałżeńską i pyta, kiedy możesz do niego wpaść.

— Gdy tylko będzie mógł się ze mną spotkać!

— Z tego co mówił, będzie miał czas jutro z samego rana albo w czasie lunchu.

Wmawiałam sobie, że nie jestem rozczarowana tym, że Max nie będzie mi towarzyszył. Nie widziałam go od dnia, kiedy razem pojechaliśmy na północ miasta, i tym razem wcale nie próbowałam go unikać.

Jak się okazało, dobrze, że nie było go przy mnie, kiedy prawnik przekazał mi wiadomości.

— Ta umowa jest nie do podważenia.

— To nie może być prawda. — Mówiąc to, pokazałam mu skromną kolekcję zdjęć i rachunków. — Mój mąż obiecał mi to mieszkanie. Proszę spojrzeć, ile pracy włożyłam, by je wyremontować.

— Pani Barlow — zaczął prawnik — z pewnością zdaje sobie pani sprawę, że to nie wystarczy, żeby podważyć umowę przedmałżeńską. A ponieważ byliście małżeństwem zaledwie trzy lata, szanse na unieważnienie umowy są naprawdę znikome.

Spoglądał na mnie, stukając długopisem w podkładkę na biurku.

— Ale proszę posłuchać. Zważywszy na wysoką pozycję tej rodziny, jestem pewny, że jeśli wyślemy do nich pismo z informacją, iż zamierzamy ubiegać się o zwrot kosztów, Portmanowie będą chcieli uniknąć złej prasy i zgodzą się wypłacić pani rozsądną sumę.

Nie interesowała mnie finansowa ugoda z Portmanami. Mimo to nie mogłam pozbyć się uczucia, że to jeszcze nie koniec. Coś mi mówiło, że nie powinnam rezygnować z tego mieszkania. Coś, czego nie potrafiłam zrozumieć, mówiło mi, że nie mogę się poddać.

✠

Nazajutrz rano wyszłam z domu, każąc Jordan przepisać na komputerze kilka stron *Córki mojej matki*. Wchodząc do biura, zobaczyłam Tatianę rozmawiającą z Nate'em.

— Emily — powitała mnie.

— Witaj, Tatiano. Nate.

Nie zatrzymałam się. Weszłam do gabinetu i zapaliłam światło. Kiedy się odwróciłam, w drzwiach stała Tatiana. Z trudem opanowałam się, żeby nie krzyknąć.

— Wiesz już, kiedy twoja siostra skończy książkę?

— Tak. — Dzięki Bogu. — Powiedziała, że za cztery miesiące powinna być gotowa.

— To dobrze. — Odwróciła się, by wyjść, lecz nagle się zatrzymała. — Chcę przeczytać konspekt. Prześlij mi go na skrzynkę.

— Teraz?

— Tak, Emily. Teraz.

Zanim zdążyłam wymyślić jakąś wymówkę, już jej nie było. Nie mogłam wiecznie ukrywać przed nią prawdy, ale dopóki nikt nie widział zapisków Jordan, czułam, że mogę wybrnąć z sytuacji.

Zanim wróciłam do domu, Jordan zdążyła przepisać fragment książki. Wciąż miała na sobie dżinsy i bluzę, w których widziałam ją rano. Długie włosy upięła w niestaranny kok, z którego pod dziwnym kątem sterczały ołówki.

— Skończyłam!

Po raz pierwszy widziałam, jak pracuje, i ten widok mnie podbudował. Może pomysł z książką wcale nie był taki zły?

— Doskonale! Tatiana chce go zobaczyć.

— Tatiana? Twoja szefowa?

— We własnej osobie.

— Super!

Przejrzałam kartki i zadowolona przesłałam fragment Tatianie.

Następnego dnia Einstein próbował wyciągnąć mnie z łóżka na kolejną przebieżkę.

— Wydaje ci się, że będę biegała codziennie?

Zignorował mnie i rzucił mi na twarz podkoszulek. Kiedy się ubierałam, przewrócił się na grzbiet.

— Ach, rozumiem. Ty robisz sobie wolne, ale ja nie mogę.

Poderwał się z podłogi, pokiwał głową i wrócił do kuchni, gdzie zwinął się na posłaniu z ręczników.

Mało brakowało, a też wróciłabym do łóżka. Ale już wstałam, więc co mi tam.

Wraz z pierwszymi promieniami słońca weszłam na wysypaną żwirem ścieżkę. Ziewając i jęcząc, zrobiłam krótką rozgrzewkę i zaczęłam biec, albo raczej truchtać.

Po drodze minęłam kilku biegaczy i spacerowiczów z psami i kubkami kawy. Uważałam, by nie potknąć się o koleiny i tym razem przebiegłam podziemnym przejściem od Siedemdziesiątej Drugiej do Siedemdziesiątej Siódmej bez zatrzymywania się. Nieważne, że gdy dotarłam na miejsce, byłam ledwo żywa. Zrobiłam to i czułam się niesamowicie.

Kiedy jechałam do pracy, byłam gotowa stawić czoło każdemu wyzwaniu. Podejście to okazało się niezwykle przydatne, gdy Tatiana wezwała mnie do siebie na zorganizowane na poczekaniu spotkanie.

— Brady — zaczęła, zwracając się do jednego z redaktorów, który od dawna pracował w Caldecote — miałeś okazję przeczytać próbkę *Córki mojej matki*?

Brady odchrząknął i spojrzał na nią znad okularów do czytania w szylkretowych oprawkach.

— Tak.

Serce waliło mi jak wtedy, gdy wbiegałam z przejścia podziemnego na Siedemdziesiątą Siódmą.

— Muszę powiedzieć, Tatiano, że byłem zachwycony.

— Naprawdę? — Głos należał do Victorii.

Brady nawet na nią nie spojrzał.

— Poruszyła mnie treść, a styl zrobił na mnie duże wrażenie. Widać, że słowa płyną z głębi serca. — Spojrzał na mnie. — Twoja siostra potrafi pisać.

— Tak myślałam, że ci się spodoba — oznajmiła Tatiana. — A co ty masz dla nas, Fernando? — spytała dyrektora artystycznego.

Próbowałam zrozumieć, o co w tym wszystkim chodzi, ale gdy Fernando pokazał nam projekt okładki, zaniemówiłam.

— *Córka mojej matki* — przeczytał. — *Historia Lillian Barlow.* Autorstwa Jordan Barlow.

— Zredagowana przez Emily Barlow — dodała Tatiana.

Wszystko napisane elegancką czcionką na czarno-białej fotografii, którą widziałam tak wiele razy.

Zdjęcie zostało zrobione, gdy Jordan miała trzy, a ja trzynaście lat. Matka urządzała przyjęcie i specjalnie na tę okazję wynajęła fotografa. Na zdjęciu prezentowała się imponująco, tryskała energią, która sprawiała, że ludzie lgnęli do niej jak pszczoły do miodu. Jordan i ja siedziałyśmy na podłodze, wpatrując się w nią jak w obraz. Wszystkie miałyśmy na sobie eleganckie sukienki rodem z lat pięćdziesiątych.

Patrząc na to zdjęcie po tylu latach, byłam wzruszona.

— Jest doskonała.

W sali zawrzało od podekscytowanych głosów. Tylko Victoria milczała.

— Jest idealna!

— Cudowna.

— Zupełnie jakby krzyczała „Przeczytaj mnie!".

Tatiana ich uciszyła.

— Wydamy ją w przyszłym roku na Dzień Matki. I zrobimy wszystko, żeby okazała się sukcesem. Pojawią się reklamy w telewizji i w prasie. Urządzimy promocję z prawdziwego zdarzenia. Chcę, żeby Jordan i Emily pojawiały się w każdym talk-show.

Starałam się nadążyć za tym natłokiem informacji.

— Zaraz. Jak to? Chcecie ją wydać za rok w maju? Czy to nie ryzykowne? Przecież tej książki jeszcze nie ma.

Zwykle wystarczał rok, żeby książka trafiła na półki. Można było przyspieszyć ten proces, jednak starano się tego unikać, gdy autor był debiutantem, który pracował pod ogromną presją. Dziewięć miesięcy brzmiało w miarę rozsądnie, ale dziewięć miesięcy po tym, gdy dostaniemy gotową książkę.

— Nie mamy zbyt dużo czasu — zauważyłam.

— Posłuchaj, dostaniemy książkę pod koniec sierpnia. To daje nam osiem miesięcy. W tym czasie możemy rozpocząć promocję, zanim książka trafi na półki. Tak to widzę, Emily — odparła Tatiana. — I liczę na to, że już niebawem dostanę gotowy maszynopis.

Co mogłam powiedzieć?

Tatiana rozsiadła się na krześle i spojrzała na mnie.

— Wprowadziłaś tu niezły zamęt. Ostatnio znacznie wzrosły zamówienia na *Intencje Ruth*. A teraz ta historia z *Córką mojej matki*. Jeszcze niedawno twoja kariera była na skraju załamania, a teraz możesz mieć na koncie dwa naprawdę wielkie sukcesy.

Albo dwie wielkie porażki, dodałam w duchu.

Victoria już wcześniej była niezadowolona, jednak słowa Tatiany sprawiły, że zagotowała się ze złości. Ale czy można jej się dziwić? Nagle miałam powieść i wszyscy spodziewali się, że odniesie wielki sukces, a to oznaczało, że każdy mniejszy będzie traktowany w kategoriach porażki. Jakby tego było mało, moja nieodpowiedzialna siostra w niedługim czasie miała napisać książkę o mojej matce. Biorąc to wszystko pod uwagę, Victoria mogła liczyć, że jej życzenie, abym poniosła klęskę, wkrótce się spełni.

Ja jednak myślałam o czymś zupełnie innym. Myślałam o motywacji. Silnej motywacji, która towarzyszyła mi od pierwszej chwili. Pragnieniu książki, która od początku do końca byłaby moja i tylko moja. Tak właśnie rodzą się kariery.

Zaskoczyło mnie to nagłe uczucie radosnego podniecenia. Od miesięcy czułam pustkę i prowadziłam wojny, choć nie wiedziałam, jak je rozegrać. Teraz miałam cel, byłam w euforii i pragnęłam zapomnieć o obawach związanych ze współpracą z Jordan.

Wzięłam notatnik i zamierzałam wyjść z sali.

— A, Emily — usłyszałam głos Tatiany. — Chciałabym, żebyś wzięła swoją siostrę na lunch do Michael's.

— Lunch? Z Jordan?

Gdybym miała wskazać jedną osobę, z którą nigdy nie poszłabym na lunch do Michael's, byłaby to moja siostra. Trudno było wyobrazić ją sobie w eleganckiej restauracji, ubraną w spodnie z obniżonym krokiem i ciężkie buciory albo japonki. Zadrżałam na myśl o tym, co powie, jeśli zaproponuję, żeby włożyła coś innego niż to, w co zwykle się ubiera.

— Tak, Emily. Chcę, żebyś zabrała ją do Michael's. — Tatiana wyraźnie wymówiła każde słowo.

Minęła chwila, zanim w końcu odzyskałam głos.

— Doskonały pomysł. Wprost nie mogę się doczekać.

Rozdział dwudziesty siódmy

— Co to znaczy, że idziemy na lunch do jakiegoś idiotycznego miejsca o nazwie Michael's i chcesz, żebym się „wystroiła"?

Moja siostra krążyła po kuchni.

— Nie mam zamiaru chylić czoła przed drętwym establishmentem tylko dlatego, że chcesz, żebym paradowała przed jakimiś ludźmi i robiła reklamę książce.

— Masz rację. — Uniosłam ręce w obronnym geście. — Powiem Tatianie, że w żadnym wypadku nie przyczynisz się do sukcesu twojej książki.

— Cóż, nie pomyślałam o tym w ten sposób.

— Nie ma problemu. Jestem pewna, że książka sprzeda się sama. Nie potrzebuje promocji, na którą może liczyć tak niewiele książek.

— Tatiana chce narobić szumu wokół mojej książki?

— Miała taki zamiar, ale w tej sytuacji... — Nie dokończyłam.

— Dobrze już, dobrze. Pójdę.

Nie byłam jednak głupia.

— Jordan, doceniam to. I choć nigdy nie kazałabym ci włożyć obcisłej czarnej garsonki, nie zabiorę cię do Michael's w japonkach. Powiem Tatianie, że nic z tego nie będzie.

Najwyraźniej moja siostra też nie należała do głupich.

— Kup mi nowe ciuchy i zrobię to.

Oto, dlaczego Jordan, ja i Einstein godzinę później wylądowaliśmy na drugim piętrze Bloomingdale's.

— Wolałabym robić zakupy w SoHo — prychnęła Jordan. —

Uśmiech, który jej posłałam, nie należał do najmilszych. — Ale dam radę. Dla dobra książki i w ogóle.

Pierwszy komplet, który zdjęła z wieszaka, był koszmarny. Kiedy jej o tym powiedziałam, zapragnęła go jeszcze bardziej. Einstein warknął na mnie.

— W porządku, już nic nie mówię.

Za to Einstein gadał jak najęty.

Kiedy Jordan sięgnęła po warte trzysta dolarów, podarte, workowate spodnie, warknął na nią.

— Masz rację — bąknęła Jordan. — Nie ma sensu kupować droższej wersji czegoś, co już mam.

Einstein szczeknął z aprobatą.

Żadnej z nas nie przyszło do głowy, że to dziwne, iż pies doradza nam w kwestii ubioru.

Zielone legginsy?

Warczenie.

Workowata mini?

Kpiące parsknięcie.

Pomarańczowa fedora i zielony blezer?

Einstein przewrócił się na grzbiet i udawał martwego.

— W takim razie sam coś wybierz! — warknęła na niego Jordan.

Miałam wrażenie, że Einstein rozważa jej propozycję. Po chwili zaczął przechadzać się między wieszakami, wybierając rzeczy z rozmaitych działów. Szczeknięciami przywoływał nas do siebie, pokazując nam te, które jego zdaniem powinnyśmy wybrać. W końcu — dosłownie — zagonił Jordan do przymierzalni.

— Wyłaź stąd, bo się przebieram — usłyszałam jej głos.

Einstein dumnym krokiem opuścił przebieralnię.

— Tak, ty tu rządzisz — zażartowałam.

Minął mnie i podszedł do czarnych skórzanych sof, gotów wskoczyć na poduszki.

— Hej! — krzyknęła sprzedawczyni. — Nawet o tym nie myśl.

Einstein się zawahał, jednak kobieta była cięższa od niego o ponad dziewięćdziesiąt kilogramów i nie wyglądała na kogoś, kogo obchodzą prawa zwierząt. W końcu wzruszył ramionami i położył się na białym włochatym dywaniku.

Kobieta odchrząknęła i wróciła do kasy.

Wreszcie Jordan wyszła z przymierzalni. Miała na sobie jedwabną sukienkę, która opinała jej ciało we wszystkich niewłaściwych miejscach.

Widząc ją, Einstein podniósł głowę i wyszczerzył kły.

Po jakimś czasie pojawiła się w czerwono-czarnej, długiej do kolan obcisłej spódnicy, w której wyglądała jak siedem nieszczęść. Einstein położył głowę na łapach i jęknął.

Jordan pojawiała się i znikała, prezentując całą gamę ubrań, począwszy od Theory, a skończywszy na najnowszej kolekcji Juicy Couture. Dopiero sukienka zupełnie nieznanej projektantki sprawiła, że wstrzymałam oddech, a Einstein zerwał się z podłogi i szczeknął z aprobatą. Ja byłam na tyle rozsądna, by nie wyrażać głośno opinii.

— I co o niej sądzisz? — spytałam.

Po raz pierwszy widziałam Jordan w czymś tak kobiecym. Wyglądała zjawiskowo, gdy niczym mała dziewczynka wirowała przed lustrem. Góra sukienki była czarna, obcisła i bez rękawów. Talię Jordan opinał ciasno czarny szeroki pasek, natomiast spódnicę zdobił zielono-czarno-biały kwiecisty wzór. Całości dopełniał sięgający do kolan wąski pasek czarnego tiulu.

Wyglądała zadziornie, ale elegancko, młodo, ale nie za młodo. Widząc uśmiech na jej twarzy i błysk w oku, uświadomiłam sobie, jaka jest śliczna.

— Jest piękna — powiedziała nieśmiało.

— W takim razie należy do ciebie.

— Ale jest taka droga.

Widziałam, jak jej wojownicze „ja" walczy z nowo odkrytą kobiecością.

— Nie przejmuj się ceną. — Modliłam się, żebym wciąż miała środki na koncie. — To tylko jedna sukienka. Do tego kupiona w słusznej sprawie. Przecież nie zrzucisz nagle workowatych spodni i nie dołączysz do burżuazyjnej elity.

— Masz rację!

Po szybkiej wyprawie do stoiska z obuwiem — szybkiej, ponieważ Einstein dokonał wyboru w ciągu zaledwie kilku sekund, w ogóle nie zwracając uwagi na protesty Jordan — minęliśmy ruchome schody i ruszyliśmy w stronę windy.

— A ty w co się ubierzesz, Em?

Einstein zatrzymał się i spojrzał na mnie.

— Mam mnóstwo rzeczy.

Słysząc to, parsknął.

— Naprawdę.

Zignorował mnie i zawrócił w stronę działu z odzieżą. Kiedy nie znalazł niczego na drugim piętrze, zmusił nas, byśmy wjechały poziom wyżej. Tam jego uwagę zwróciła prosta, prześliczna sukienka od Ralpha Laurena. Była urocza, ale...

— Nie ma mowy — odparłam, kiedy spojrzałam na cenę.

Einstein i Jordan zignorowali mój protest, zdjęli sukienkę z wieszaka i zagonili mnie do maleńkiej przebieralni.

Przymierzyłam ją wbrew temu, co podpowiadał mi rozsądek. Kiedy wyszłam i przejrzałam się w lustrze, zobaczyłam kobietę, którą niegdyś byłam. Zrozumiałam też coś jeszcze.

— Masz dokładnie taki sam gust jak Sandy — zwróciłam się do psa.

Einstein podskoczył i zaszczekał.

Jordan się roześmiała, a ja skwitowałam to wszystko uśmiechem.

— Już niedługo siostry Barlow będą na ustach całego wydawniczego świata — oznajmiła Jordan, kiedy wychodziliśmy ze sklepu.

Einstein szedł z podniesioną głową, dumny i wyraźnie z siebie zadowolony. Kiedy na mnie spojrzał, musiałam się uśmiechnąć.

— Tak, ty tu rządzisz.

⌗

Następnego dnia tuż po wpół do pierwszej Jordan i ja weszłyśmy do Michael's. Bardzo się starałam nie ściskać jej ręki, gdy oczy wszystkich wielkich graczy zwróciły się w naszą stronę.

— Zaczyna się — szepnęłam.

Kelnerka była wysoką piękną kobietą.

— Emily Barlow z Caldecote Press. Mam rezerwację dla dwóch osób.

Kobieta zmierzyła nas wzrokiem, zerknęła na księgę rezerwacji i rozejrzała się po sali. W końcu zaprowadziła nas do stolika, przy którym byłyśmy widoczne jak na dłoni.

— Wszyscy się na nas gapią — zauważyła Jordan.

— Zastanawiają się, kim jesteśmy.

— Przerażające.

— Wcale nie. To lunch twojej literackiej kariery.

Kelnerka przyjęła nasze zamówienia. Gdy zamówiłam sałatkę Cobb, Jordan uniosła brwi.

— Jesteś na diecie? — spytała.

— A ty nie? — zripostowałam, słysząc, że poprosiła o hamburgera z serem gruyère.

— Życie jest zbyt krótkie — wyjaśniła.

— Pewnie masz rację.

Zaczęłyśmy jeść, gdy w drzwiach niczym gwiazda niemego kina z lat dwudziestych pojawiła się Hedda Vendome. Miała na sobie czarny kostium, który wyglądał, jakby kosztował więcej niż moja miesięczna pensja. Dodatkowo uwagę zwracał ciężki makijaż i namalowane ołówkiem brwi. Idąc do stolika, rozejrzała się po sali. Tuż za nią dreptała asystentka, którą poznałam przy okazji naszego ostatniego spotkania.

Hedda jednych gości witała skinieniem głowy, innym machała. Na mój widok stanęła jak wryta.

— Emily, skarbie!

— Witaj, Heddo. Jak się masz?

— Potwornie, naprawdę potwornie. Właśnie wracam z zabiegu wypełniania zmarszczek i choć wyglądam rewelacyjnie, jestem cała obolała! Ale muszę przyznać, że ty również wyglądasz świetnie. Jesteś na diecie? Miałaś liposukcję? Oczyszczanie?

Jordan wyglądała na przerażoną.

— Ona biega — wybąkała.

Hedda zerknęła na moją siostrę.

— Biega, jasne. Ale ja stawiałabym na oczyszczanie. To dużo łatwiejsze. Wyobrażacie sobie, co bieganie robi z kolanami? Ja wiem. Każdego roku przyglądam się drżącej, spoconej masie ludzi biegnących Pierwszą Aleją w tym potwornym nowojorskim maratonie. W życiu nie widziałyście tylu stabilizatorów stawu kolanowego i dyszących ludzi, zbyt starych, żeby wkładać obcisłe szorty i koszulki na ramiączkach. Obiecaj mi, Emily, że nie staniesz się jednym z tych szaleńców!

Słysząc to, mogłam tylko się uśmiechnąć.

— Jestem w tak kiepskiej formie, że nie mogę przebiec kilkudziesięciu metrów, nie wspominając o maratonie.

Jordan spojrzała na mnie.

— Mam przyjaciółkę, która przebiegła maraton po zaledwie trzech miesiącach trenowania. Kiedy on jest?

— Nie mam pojęcia i dajmy już spokój. Nie pobiegnę w żadnym maratonie.

Sandy marzył o tym, żeby wystartować w Maratonie Nowojorskim. W pamiętnikach pisał, jak zaczął trenować, biegając po parku, i jak cudownie się wtedy czuł. Pisząc o tym, wydawał się bardziej podekscytowany i pełen życia niż wówczas, gdy w jego zapiskach zaczęły się pojawiać kolejne kobiety.

Czy to możliwe, że byłam bardziej zazdrosna o bieganie niż o jego liczne romanse?

Asystentka Heddy przestała stukać w blackberry.

— Powinnaś pobiec w maratonie. Nie można mieszkać w Nowym Jorku, biegać i nie wystartować! — powiedziała.

— Nie słuchaj jej. — Hedda zakryła usta ręką, jakby chciała wyjawić jakiś sekret, choć jej głos był wystarczająco donośny, by usłyszeli go wszyscy dookoła. — Jest weganką. — Zadrżała i zerknęła na asystentkę. — Co znowu? — spytała i zanim dziewczyna zdążyła odpowiedzieć, machnęła ręką.

Asystentka przewróciła oczami.

— Maraton odbywa się w pierwszą niedzielę listopada — wyjaśniła. — Jestem pewna, że mogłabyś się załapać, wykorzystując firmowe znajomości. Wszystko, co musisz zrobić, to dobiec do mety. Nawet Hedda mogłaby ci pomóc.

Hedda parsknęła.

— Przestań gadać i zajmij się tym, za co ci płacą. — Po tych słowach spojrzała na moją siostrę. — Ale dość o tobie, Emily. Kim jest ta zjawiskowa piękność, która siedzi obok ciebie? — Zerkała to na mnie, to na Jordan. — Tylko mi nie mów, że to rozwrzeszczane drugie dziecko, które urodziła twoja matka.

Jordan była w szoku.

— Heddo, to moja siostra Jordan. W przyszłym roku, wiosną, Caldecote wyda jej książkę.

Jeśli Tatiana chciała, żeby ludzie dowiedzieli się o książce, Hedda była lepszą reklamą niż całostronicowy artykuł w „USA Today".

— Naprawdę? — Hedda uniosła jedną z namalowanych ołówkiem brwi. — A cóż to za książka?

— Wspomnienia — odparłam. — Jej tytuł to *Córka mojej matki*.

Spojrzała na mnie, na Jordan i znowu na mnie, kojarząc fakty.

— Książka o matce, napisana przez jedną córkę i zredagowana przez drugą. — Zmrużyła oczy. — Cudownie. Gdy tylko będziecie miały egzemplarz sygnalny, chcę go zobaczyć. I pamiętaj, Emily, to, że robisz postępy w Caldecote, nie znaczy, że nie możesz pracować w wydawnictwie dla dzieci.

Uśmiechnęłam się i pokręciłam głową.

— Mój hamburger jest zimny — jęknęła zawiedziona Jordan.

Byłam zbyt zajęta rozmową z dawną przyjaciółką mojej matki, by przejmować się jedzeniem. Czy Hedda rozpuści wieści o naszym wspólnym projekcie?

Byłam podekscytowana, ale i dziwnie podenerwowana. Czy coś takiego może się udać?

Najwyraźniej tak, bo przed końcem lunchu przy naszym stoliku zatrzymało się przeszło pół tuzina osób, przedstawiając się i pytając o książkę. Kiedy wyszłyśmy, złapałam taksówkę i odesłałam Jordan do domu, a sama wróciłam do biura.

Przy windzie wpadłam na Birdie.

— W internecie aż huczy! Lunch w Michael's. Nowy talent. Musisz kochać blogerów! Przynajmniej kiedy są mili! — Zadrżała z radości. — To takie ekscytujące, Emily. To wielka książka. Wielki krok na przód. Będziesz sławna!

Nie powinnam podzielać jej entuzjazmu. Wciąż czekało mnie mnóstwo roboty, zanim książka ujrzy światło dzienne, jednak jak na skrzydłach pobiegłam do swojego pokoju i rzuciłam się w wir pracy z zapałem, jakiego nie przejawiałam od miesięcy. Bez zastanowienia zaczęłam przeglądać e-maile, a nawet starszą pocztę, układając w głowie plan działania. Kiedy zobaczyłam listę, którą stworzyłam zupełnie bezwiednie, uśmiechnęłam się. Wykonywałam swoją pracę. To było cudowne. Ja czułam się cudownie.

Tego wieczoru zaskoczyłam samą siebie, gdy założyłam buty do biegania i bez zachęty ze strony Einsteina poszłam do Central Parku. Gnana dziwną nadzieją, pobiegłam na Siedemdziesiątą Siódmą i dalej, w górę wzniesienia. Kiedy zobaczyłam Marionette Cottage, wiedziałam, że — w porównaniu z ostatnim razem — zwiększyłam dystans i ta świadomość dodała mi skrzydeł.

Przypomniałam sobie słowa asystentki Heddy i historię Jordan o przyjaciółce, która trenowała zaledwie trzy miesiące.

Wracając do domu, pomyślałam, że może, ale tylko może, mogłabym pobiec w tym maratonie.

Einstein

Rozdział dwudziesty ósmy

Po lunchu w Michael's moja żona nie posiadała się ze szczęścia. Tymczasem szwagierka nie podzielała jej entuzjazmu, choć Emily chyba tego nie zauważała. Zacząłem nawet podejrzewać, że mimo swej empatii i inteligencji Emily jest ślepa na to, co dzieje się z Jordan. Zupełnie jakby widziała w niej siostrę, której się bała, albo taką, której potrzebowała.

Tyle miałem do powiedzenia w tej sprawie ja, Alexander Sandy Portman. Zwiesiłem głowę, bo co innego mogłem zrobić? Intuicja jest przeceniana. O wiele łatwiej żyć w zapomnieniu i skupiać się wyłącznie na sobie. Szybko jednak odkryłem, że jako Einstein nie próbowałem być przenikliwy, ja po prostu taki byłem.

Zaczęło się tak niewinnie, że niczego nie podejrzewałem, aż tu nagle, bum, dotarło do mnie, iż wypełnia mnie jakieś głębsze uczucie. Nie mogłem przestać się starać, tak jak nie potrafiłem zrzucić tej sztywnej białej sierści. Co gorsza, może przywykłem do nowych okoliczności i byłem zaintrygowany, dokąd zaprowadzi mnie całe to „pomaganie", ale prawdę mówiąc, przerażał mnie ogrom pracy, która czekała na drodze do wielkości. No tak, pomaganie dużo mnie kosztowało. Musiałem myśleć i planować, że nie wspomnę o działaniu. A wszystko przez to, że druga opcja — odejście w zapomnienie — jakoś do mnie nie przemawiała.

Wieczorami po pracy Emily wpadała do domu, całowała mnie w pyszczek i sprawdzała, co u Jordan.

— Hej, Jordie, jak tam książka?

— Świetnie!

Wierutne kłamstwo. Wiedziałem na pewno, że książka nie powstaje ani na komputerze, ani na papierze. Jeśli w ogóle istniała jakakolwiek książka, to wyłącznie w głowie Jordan.

— Mogę przeczytać nowy fragment? — pytała Emily.

— Jeszcze nie. To wciąż dość surowy materiał. Ale już niedługo!

— Dobrze. Ale pamiętaj, do końca sierpnia książka musi być gotowa.

— Oczywiście!

Moja żona bywała taka łatwowierna.

Mniej więcej miesiąc później, przy kolacji, podekscytowana Emily paplała jak najęta.

Tymczasem z zachowania Jordan można było wywnioskować, że szczerze nienawidzi całej tej sytuacji. Nie żeby coś mówiła. Ale patrząc na nią, miałem wrażenie, że jest bardzo nieszczęśliwa i zestresowana. Zastanawiałem się, czy to możliwe, że coś, co na początku wydawało się takie łatwe, okazało się znacznie trudniejsze, niż mogła się spodziewać, i jakże inne od tego, w co do tej pory wierzyła. Jej idealistyczna wiara, że historia jednej aktywistki może odmienić losy kolejnych pokoleń kobiet, zderzyła się nagle ze skrajnie komercyjnym podejściem.

Doszło do tego, że usiadła przy mnie na podłodze i wyznała:

— Jestem po uszy w gównie, co?

Gdyby choć trochę obchodził mnie los Jordan Barlow, szczerze bym jej współczuł. Ale jak już wspomniałem, nie lubiłem szwagierki i tamtego wieczoru wcale tego nie ukrywałem. Warczałem na nią i kłapałem zębami, niemal rozkoszując się jej nieszczęściem, nieświadomy tego, jak jej problemy wpłyną na moją żonę.

Wtedy po raz pierwszy poczułem, że coś jest nie tak.

Kiedy tylko się odwróciłem, dopadło mnie dziwne uczucie przemijania, połączone z zawrotami głowy, jak po kiepskim żarciu w chińskiej restauracji. Możecie mówić, że jestem uparty. Myślałem, że to grypa. Jednak czułem się coraz gorzej, a w nocy obudziłem się, nie wiedząc, kim właściwie jestem. Psem? Człowiekiem? Potrzebowałem chwili, żeby przypomnieć sobie, że ja to Sandy Portman w ciele psa Einsteina.

Zamknąłem oczy i pomyślałem *Emily*, jednak nie potrafiłem dopasować twarzy do imienia. Kiedy w końcu mi się to udało, panika ścisnęła mnie za gardło tak, że nie mogłem oddychać. Dyszałem i zacząłem się ślinić.

Zrozumiałem, że znikam, odchodzę w zapomnienie, tak jak ostrzegał mnie starzec. Wspomnienie po wspomnieniu.

— Starcze! — zawyłem.

Nie odpowiedział. Tak jak się tego spodziewałem. Gdyby się pojawił, powiedziałbym mu jasno i wyraźnie, że dopisywanie Jordan do listy moich problemów jest niepotrzebne, nie mówiąc o tym, że niewarte zachodu.

Wystarczyło jednak, że o tym pomyślałem, a znów poczułem, że robi mi się niedobrze. Jordan to siostra Emily, istniała między nimi więź. Nie mogłem nie pomóc szwagierce, wiedząc, jak to wpłynie na moją żonę. Kolejne przemyślenia.

Zakląłem pod nosem i pogodziłem się z tym, że będę zmuszony wyciągnąć ją z tarapatów. Nie mogłem przecież popaść w zapomnienie.

W chwili gdy zdecydowałem, że zajmę się Jordan, wydarzyły się dwie rzeczy. Po pierwsze, poczułem się lepiej — mój umysł się rozjaśnił, wróciły wspomnienia, a ciało wydało się bardziej rzeczywiste. Po drugie, moje wrażliwe uszy wychwyciły jakiś hałas w przedpokoju.

Był środek nocy, a ja miałem za sobą kiepski dzień i jedyne, czego chciałem, to spokojnie zasnąć. Szwagierką zajmę się rano. Jednak szybko pojąłem, że ktokolwiek dowodził całą tą operacją, w ogóle nie dbał o to, jak się czuję. Wróciły dziwne zawroty głowy i poczułem, że żołądek podchodzi mi do gardła. Wściekłym wzrokiem spojrzałem w ciemność, aż w końcu dźwignąłem się z posłania i klnąc pod nosem, wyszedłem na korytarz.

Nie zdziwiłem się, gdy zobaczyłem, że Jordan zamierza wymknąć się z domu. Zgiń, przepadnij, zarazo, krzyżyk na drogę! — pomyślałem.

Przez ułamek sekundy miałem wrażenie, że powiedziałem to na głos, bo Jordan odwróciła się w chwili, gdy wszedłem do przedpokoju.

— Wracaj do łóżka, Einsteinie.

Gdybym tylko mógł.

Nie mając wyjścia, stanąłem między nią a drzwiami. Była to sprawdzona taktyka, którą wypróbowałem na Emily w czasie jednego z jej kulinarnych napadów.

— Odsuń się — syknęła Jordan.

W odpowiedzi uraczyłem ją wymuszonym warknięciem. Udało mi się nawet obnażyć kły.

Jordan przewróciła oczami i próbowała mnie ominąć.

Na szczęście byłem od niej szybszy. Zastąpiłem jej drogę, gdy czmychnęła w prawo, a gdy umknęła w lewo, ja już tam byłem.

Byliśmy niczym milczący tancerze sunący po podłodze studwudziestoletniego mieszkania. Różnica polegała na tym, że oboje żyliśmy w XXI wieku i kiedy myślałem o tym, co wyprawiała moja szwagierka, odkąd u nas pojawiła, zastanawiałem się, co jest z nią nie tak.

Myślałem o przygodach na jedną noc i kłótni z Emily o książkę. Książkę, której Jordan wcale nie pisała. Pomyślałem nawet o rzewnej historyjce z gościem o imieniu Serge.

Choć nie miałem pojęcia, co zrobić, wiedziałem, że jeśli nie chcę zniknąć i odejść w zapomnienie, muszę powstrzymać Jordan przed kolejną nocną eskapadą i próbą... no właśnie, czego?

Prawdę mówiąc, nawet jako Einstein nie byłem wystarczająco mądry, by zrozumieć, o co w tym wszystkim chodzi. Dlaczego Jordan sypia z tymi facetami, skoro nawet nie sprawia jej to przyjemności. Po co tyle pije? Dlaczego jednego dnia przytula Emily, a następnego jest na nią wściekła?

Zamyśliłem się tak głęboko, że zaskoczyła mnie i jednym susem znalazła się przy drzwiach. Żeby ją zatrzymać, musiałem złapać ją za nogawkę spodni.

To sprawiło, że zamarła bez ruchu.

— Przestań — syknęła, potrząsając nogą. — Puść mnie.

Jeszcze mocniej chwyciłem nogawkę, potrząsnąłem głową i warknąłem.

— Cholera, E, zamknij się. Obudzisz Emily.

Puściłem ją, ale tylko dlatego, że przestała się wyrywać. Czułem, że próbuje się uspokoić. Po chwili jej twarz złagodniała, a usta rozciągnęły się w udawanym uśmiechu.

— Dobry piesek.

Zachowywała się jak jeden z tych głupich właścicieli psów, którzy brali udział w programie Zaklinacz psów.

Nie przestawała się uśmiechać, ale jej nastawienie uległo zmianie. Zupełnie jak w tym powiedzeniu: „Oszukasz mnie raz — wstydź się, oszukasz mnie dwa razy... cóż, znowu powinieneś się wstydzić".

Kiedy rzuciła się do ucieczki, byłem gotowy. Stanąłem jej na drodze i pokazałem zęby. Groźba zadziałała i Jordan pobiegła w głąb mieszkania. To jej jednak nie uspokoiło. Wręcz przeciwnie, emanowała wściekłością, która wręcz mnie osaczała.

Zapędzona do swojego pokoju, zaczęła kopać poduszki i ubrania walające się na podłodze, wymachiwała rękami i używała języka, jakiego można się nasłuchać podczas barowej bijatyki. Nie wiedziałem, z kim tak naprawdę walczyła w swoim wyimaginowanym świecie, ale usta miała zaciśnięte, a żyły na jej skroniach pulsowały szaleńczo. Gdyby była siedemdziesięcio-pięcioletnim facetem, zacząłbym się martwić, bo ani jako człowiek, ani tym bardziej jako zwierzę, nie potrafiłem robić sztucznego oddychania.

W całej tej sytuacji starałem się zachować spokój, jednak był to nie lada wysiłek, więc odetchnąłem z ulgą, gdy poczułem, że złość i frustracja Jordan ustępują miejsca czemuś innemu. Cierpieniu.

Ten nowy stan okazał się mniej męczący dla mnie, jednak mojej szwagierce dał się we znaki. Jordan po raz ostatni kopnęła poduszkę, zaplątała się w stos dżinsów i koszulek, zachwiała się i runęła na podłogę. Dzięki Bogu.

Przez chwilę próbowała uwolnić nogi, jednak gwałtowne, wściekłe ruchy jeszcze bardziej pogarszały sprawę.

Kiedy dotarło do mnie, że nieprędko się uwolni, odetchnąłem z ulgą i usiadłem przed drzwiami sypialni.

— Palant — wycedziła przez zaciśnięte zęby, zerkając w moją stronę. Słucham? Co takiego zrobiłem?

— Nie masz pojęcia, jak to jest — syknęła. — Próbuję! Naprawdę staram się wszystko naprawić!

Leżałem na brzuchu z głową na łapach i spoglądałem na nią w milczeniu. Nie byłem głupi. Musiałem być gotowy na wypadek, gdyby się wyplątała i rzuciła do ucieczki. Uznałem, że jeśli będzie trzeba, przeleżę tam całą noc, byle tylko nie zniknąć, byle nie popaść w zapomnienie. Ale chyba nikt nie oczekiwał, że będę jej słuchał.

Może nawet ziewnąłem.

Tymczasem Jordan odchyliła głowę.

— Jesteś taki sam jak on, jak ten kutas Sandy. A musisz wiedzieć, że był wyjątkowym palantem, szczególnie wobec mojej siostry.

Wspaniale. Kolejna porcja obelg pod adresem Sandy'ego.

Jordan walnęła pięścią jedną z poduszek, które walały się wokół niej na podłodze.

— Ale Emily i tak go kochała! Nie rozumiem tego. Nie bała się, że ją skrzywdzi. Nie bała się, że ją oszuka.

Chwyciła poduszkę, przycisnęła do twarzy i zaczęła krzyczeć. Jeszcze trochę, chciałem ją poinstruować, to może się udusisz.

Ledwo to pomyślałem, poczułem zawroty głowy jak po wypiciu dwóch kieliszków podłej whiskey.

Świetnie, po prostu świetnie. Z westchnieniem podczołgałem się do niej i wyrwałem jej poduszkę. Nie muszę chyba mówić, że od razu rozjaśniło mi się w głowie.

Twarz Jordan była mokra od łez. Ich widok sprawił, że miałem ochotę uciec. Mogłem znieść złość. Frustrację. Nawet nagonkę na Sandy'ego. Ale gdy pojawiły się łzy, chciałem jak najprędzej czmychnąć z pokoju.

Próbowałem się podnieść, ale po raz pierwszy, odkąd zostałem psem, nie byłem w stanie zapanować nad swoim ciałem.

— Myślę, że na początku Sandy'emu naprawdę na niej zależało — ciągnęła Jordan, ocierając oczy wierzchem dłoni. Zaczęła rozkopywać leżące na podłodze spodnie i poduszki. Minęła chwila, zanim zrozumiałem, że szuka albumu ze zdjęciami ze ślubu mojego i Emily.

No dalej, powiedziałem sobie, podnieś się z podłogi i zmykaj. Dasz radę. W pokoju zapadła cisza i miałem nadzieję, że Jordan odpuściła sobie całą tę paplaninę.

— Tego nienawidziłam najbardziej.

Westchnąłem.

Położyła się na brzuchu, otworzyła gruby album i spojrzała na pierwszą stronę. I oto byliśmy. Ja. Emily. Jak zwykle wyglądałem oszałamiająco. Jednak patrząc na zdjęcie, przypomniałem sobie, że wstrzymałem oddech, gdy Emily weszła do kościoła. Kiedy ją poznałem, była wojowniczką, ale gdy stanęła w drzwiach kościoła, wyglądała niczym opromieniony słońcem anioł.

Stała zupełnie sama. Nikt nie prowadził jej do ołtarza, ani ojciec, ani żadna druhna. Była tylko ona, emanująca szczęściem Emily, jakże piękna w prostej eleganckiej sukni. Jordan nie przyjechała na nasz ślub, tłumacząc się, że jest zbyt zajęta. Wiedziałem, że nie pochwala naszego związku, jednak wcale się tym nie przejąłem. Dopiero teraz zacząłem się zastanawiać, co czuła Emily, gdy nikt z jej rodziny — ani matka, ani ojciec, ani nawet siostra — nie pojawił się na ślubie. Aż do tej pory nie myślałem o tym, jak dużo ją to kosztowało.

Kolejne przemyślenia. Zaskomlałem cicho i próbowałem nakryć głowę łapami.

Stojący na nocnej szafce stary zegar uparcie odmierzał kolejne sekundy. Moja szwagierka przeszła przez wszystkie stadia emocji: złość, frustrację, ból. W miarę jak odwracała kolejne kartki naszego ślubnego albumu, wyczuwałem w niej coraz większy spokój. Dzięki Bogu.

Prawdę mówiąc, cała ta jej gadka działała mi trochę na nerwy. Zupełnie jakby się domyślała, że Einstein to ja, Sandy, i chciała, żebym wiedział, co ma w tej sprawie do powiedzenia. A może wszystko to było sprawką starca? Może chciał, żebym wysłuchał jej wywodów? Tylko czy nie miałem dość wrażeń jak na jedną noc? Czy nie zatrzymałem jej w domu? Nie uchroniłem przed spotkaniem z kolejnym facetem i robieniem z nim Bóg wie czego? Czyż nie zasługiwałem na chwilę wytchnienia?

— Dasz wiarę? — spytała szeptem. — Bolało mnie, że moja siostra jest szczęśliwa.

Tego już było za wiele. Siłą woli dźwignąłem się z podłogi, jednak ugięły się pode mną łapy i upadłem.

— Ale nie rozumiesz, że jeśli Emily rzeczywiście kochała Sandy'ego i oboje byli obłędnie szczęśliwi, to wszystko, co nasza matka mówiła o mężczyznach, było nieprawdą. — Zagryzła wargi i odwróciła kolejną stronę. — Moja siostra w szczęśliwym związku z facetem, w dodatku z kimś takim jak Sandy, stanowiła zaprzeczenie wszystkiego, w co wierzyłam przez całe życie.

Pokręciłem nosem, zadowolony, że w końcu przyznała, że nie byłem wcale taki zły.

— Ale wygląda na to, że mama miała rację. Faceci to kłamcy. — Mówiąc to, zamknęła album, przewróciła się na plecy i wbiła wzrok w sufit.

Dobra, kolego, pomyślałem, wynosimy się stąd.

— Mamią cię fałszywymi obietnicami. Dopiero później pokazują, jacy naprawdę są.

Słysząc nagłą zmianę w jej głosie, poczułem, jak wali mi serce. Instynktownie wiedziałem, że nie spodoba mi się to, co zaraz się wydarzy. Próbowałem walczyć ze swoim ciałem, ale efekt był taki, że przewróciłem się na bok.

— Kilka miesięcy przed śmiercią Sandy'ego Emily usłyszała plotkę.

Moje małe psie ciało zamarło.

— Plotka mówiła, że Sandy sypia z innymi kobietami. Ale ponieważ Emily to Emily, nie uwierzyła w nią. Powiedziała, że ona i Sandy przechodzą właśnie mały kryzys, jak miliony innych par. Tłumaczyła, że ludzie wymyślają różne rzeczy tylko dlatego, że ona i jej mąż nie spędzają już ze sobą tak dużo czasu. Boże, jaka ona bywa naiwna. Dla odmiany ja nigdy taka nie byłam. Gdy mi to powiedziała, od razu wiedziałam, że to prawda. I co zrobiłam? — Mówiła szeptem, ale wyczuwałem w jej głosie złość. — Zaczęłam triumfować. Siedziałam w małej peruwiańskiej wiosce z telefonem przy uchu i słuchałam, jak moja siostra płacze. Moja starsza siostra płakała! Nie powiedziałam, że jej współczuję. Nie powiedziałam, że ma rację, że Sandy świata poza nią nie widzi i w życiu nie zrobiłby czegoś takiego. Powiedziałam tylko, że mama miała rację, a ona popełniła błąd, że uwierzyła temu dupkowi. — Jordan jęknęła. — Oczywiście nie chciała mnie słuchać. Cokolwiek było nie tak, przysięgała, że potrafi to naprawić. Wierzyła, że zdoła uratować swoje małżeństwo. Potrzebowała tylko szansy.

Ciałem Jordan wstrząsnął bezgłośny szloch. Mój oddech stał się płytki. Chciałem zakryć uszy, ale z jakiegoś powodu musiałem wysłuchać jej do końca.

— Powiedziałam Emily, że zgłupiała i że musi przejrzeć na oczy. Krzyżyk na drogę, takie przynajmniej było moje zdanie. Ale ona twierdziła, że w niego wierzy. — Jordan wciągnęła powietrze i powoli je wypuściła. —

Wierzyła, że Sandy walczył, że chciał być wielki jak wszyscy ci sławni faceci, których znała z książek. Tyle że cały czas coś stawało mu na drodze.

Oddech uwiązł mi w piersi i miałem wrażenie, że ciśnienie krwi rozsadzi mi czaszkę. Emily mnie rozumiała.

— Żałosne — szepnęła Jordan. — Wszyscy wiedzą, że palant to palant, a jeśli ktoś jest palantem, to się nie zmieni. Sandy Portman nigdy nie zostałby kimś wielkim.

Poczułem, jak zalewa mnie fala gorąca.

— Emily siedziała przy telefonie, tysiące mil ode mnie, w Nowym Jorku, jej świat walił się w gruzy, a ona nagle umilkła.

Jordan przetoczyła się na bok i spojrzała na mnie.

— Powiedziała, że ja też będę kimś wielkim. — Wciągnęła powietrze. — Boże, cudownie było usłyszeć coś takiego.

Możliwe, że zamrugałem. Nie lubiłem Jordan, ale poznałem ten błysk w jej oczach: radość, jaką daje świadomość, że ktoś w ciebie wierzy.

— Euforia nie trwała jednak długo. Zaraz potem Emily powiedziała, że się cieszę, bo okazało się, że źle oceniła Sandy'ego, a to oznaczało, że mama miała rację, że ja miałam rację. — Jordan założyła za ucho kosmyk włosów i otarła łzy. — Ale to, że Emily pomyliła się co do Sandy'ego i źle oceniła sytuację... nie oznaczało, że nie miała racji, mówiąc, że będę kiedyś sławna. — Zamknęła oczy. — Jakkolwiek by na to spojrzeć, przegrałam — dodała cicho.

Wtedy zrozumiałem. Jordan wieszała się na mężczyznach i wściekała na siostrę, ponieważ nie wiedziała, kto ma rację, a kto się myli. Nie wiedziała już, w co wierzyć.

Bez względu na to, czy zmotywowałem ją ja, czy Einstein, kiedy w końcu zasnęła, podczołgałem się do niej. W głowie miałem gonitwę myśli. Gdy przysunęła się do mnie, podpełzłem jeszcze bliżej i położyłem głowę na jej ramieniu. Nie wiedziałem, które z nas bardziej potrzebuje pocieszenia, ponieważ w głębi duszy zrozumiałem, że ja również się zagubiłem. A jednak Emily we mnie wierzyła, chciała, żebym znowu był sobą, i próbowała mi pomóc, nawet tamtej nocy, kiedy zginąłem.

Jęknąłem, gdy przypomniałem sobie, jak po raz ostatni wróciłem do domu. Wszedłem rozkojarzony i przejrzałem pocztę po tym, jak spędziłem popołudnie w hotelu z kobietą, której imię zdążyłem już zapomnieć.

Otworzyłem kopertę, może rachunek, może coś innego. Nie pamiętam. Pamiętam tylko, że przechodząc obok jadalni, zatrzymałem się na widok stołu zastawionego porcelaną i srebrami, świecami i kwiatami. Stołu, przy którym czekała na mnie moja żona.

Zamyślony i zaskoczony tym widokiem, straciłem poczucie czasu i miejsca. Widziałem tylko Emily, kobietę, w której się zakochałem.

— Cześć — rzuciła, okrążając stół.

Kiedy stanęła przede mną, zawahała się. Zaraz jednak wzięła się w garść.

— Jestem Emily.

Zupełnie jakbyśmy mogli zacząć wszystko od nowa.

— Pokochaj mnie — szepnęła, powtarzając słowa, które wypowiedziałem dawno temu. — No dalej, spróbuj mnie pokochać.

Gdy to usłyszałem, wszystko do mnie wróciło. Kobiety. Moje niezadowolenie. Cała ta sytuacja.

Nie miałem pojęcia, jak zacząć od nowa. A jeśli było to możliwe?

— Emily — szepnąłem. Nie zdążyłem powiedzieć nic więcej, bo oplotła mnie ramionami.

Emily

„Leć, dziecinko, leć", powtarzała mi matka. „Nie
pozwól, żeby świat ściągnął cię w dół". Za każdym
razem, gdy mi to mówiła, Emily podnosiła głowę.
Z wyrazu jej twarzy nigdy nie potrafiłam wyczytać,
czy jest zazdrosna, czy smutna.

fragment książki *Córka mojej matki*

Rozdział dwudziesty dziewiąty

Obudziłam się przerażona.

Śniłam o Sandym, jednak tym razem nie o wypadku, ale o wieczorze poprzedzającym jego śmierć.

„Emily". Jedno słowo, nic więcej.

Czułam niepokój, jakbym naprawdę usłyszała w głowie jego głos.

— To tylko sen — powiedziałam głośno.

Oczyściłam umysł i wstałam. Rozpamiętywanie tamtej nocy niczego nie zmieni.

Założyłam buty do biegania i na palcach wyszłam z domu. Nie zajrzałam do Einsteina, który pewnie spał jeszcze w kuchni, ani do Jordan w jej pokoju. Pomyślałam, że jest tak wcześnie, że zdążę wrócić, zanim któreś z nich się obudzi.

Kiedy dotarłam do parku, spokojna Upper West Side budziła się do życia. Biegacze rozciągali się obok ławek, a pierwsze nieśmiałe promienie słońca sprawiały, że wmontowane w oparcia małe metalowe płytki lśniły jak klejnoty. W ciągu ostatnich kilku tygodni zwiększałam dystans i bez problemu obiegałam całe jezioro. Tego ranka zamierzałam zboczyć z wysypanej żwirem ścieżki, pobiec krętą dróżką aż na szczyt wzniesienia i wrócić do Dakoty, prawie dwukrotnie zwiększając odległość, jaką pokonywałam do tej pory.

Włączyłam iPoda i wbiegłam w przecznicę od Siedemdziesiątej Drugiej. Mijając fontannę Bethesda, z górującym nad nią aniołkiem z brązu, słuchałam *Second Chance* Shinedown. Zbiegłam w dół zbocza, w kierunku wschodniej części parku, i skręciłam w lewo przy dźwiękach *Millenium* Robbiego Williamsa. Biegnąc na północ, czułam się wspaniale. Krok miałam równy, oddech spokojny, a umysł czysty. Nagle muzyka się zmieniła, a ja znów usłyszałam tę piosenkę, której — jeśli dobrze pamiętam — nie dodawałam do listy utworów: *Broken* zespołu Lifehouse.

Zanim zdążyłam się zorientować, sen, który obudził mnie dziś rano, wypłynął na powierzchnię mojego umysłu: wspomnienie wieczoru poprzedzającego śmierć Sandy'ego. Zobaczyłam kolację przy świecach przygotowaną specjalnie dla niego. Widziałam Sandy'ego, który wszedł do mieszkania, przejrzał pocztę, podniósł wzrok i zobaczył mnie.

Już wtedy słyszałam plotki o innych kobietach, ale wzorem wielu innych żon nie zwracałam na nie uwagi i naiwnie wierzyłam, że coś takiego nie może być prawdą. Musiałam tylko skupić się na naszym małżeństwie i odtworzyć to wszystko, co kiedyś nas łączyło.

Kiedy do niego podeszłam, nie odwrócił wzroku. Patrzyliśmy na siebie przez dłuższą chwilę, zanim przytuliłam się do niego, tak jak robiłam to tysiące razy. Jego dłoń dotknęła mojej twarzy, palce przez chwilę błądziły na ustach, aż w końcu mnie pocałował, długo i namiętnie. Wyczuwałam jego tęsknotę, napięcie, którego nie rozumiałam, kiedy trzymał mnie w ramionach. Jednak po chwili wypuścił mnie z objęć i się odsunął. Opierając ręce na moich ramionach, spojrzał na mnie, ściągnął brwi i wypuścił powietrze.

— Przepraszam — szepnął.

A potem wyszedł z domu. Nie wiedziałam, co się z nim dzieje, aż do następnego dnia rano, kiedy zostawił dla mnie wiadomość. Powiedział, że przyjedzie po mnie do kliniki i pójdziemy na kolację. Nie odebrał żadnej z moich wiadomości z informacją, że będę czekała na niego w domu.

Ileż to razy zastanawiałam się, co by się stało, gdyby nie pojechał ośnieżoną Zachodnią Siedemdziesiątą Szóstą? Czy pamiętał jeszcze tamten dotyk, tamten pocałunek? Czy zdołałabym ocalić nasze małżeństwo? A może to z nim walczyłabym teraz o mieszkanie?

W ciągu długich dni, kiedy nie potrafiłam pogodzić się z jego śmiercią, wmawiałam sobie, że nie miał romansów i że zaprosił mnie na kolację, żebyśmy mogli zacząć wszystko od nowa.

Z drugiej strony, mając niezbite dowody jego licznych zdrad, zastanawiałam się, dlaczego kobiety chcą naprawiać związki z mężczyznami, którzy ich już nie kochają? I jak to możliwe, że ja, zawsze praktyczna Emily Barlow, naiwnie wierzyłam, że potrafię uratować nasze małżeństwo?

Myśląc o tym, potknęłam się, zahaczając butem o dziurę w asfalcie. Było mi gorąco i zimno, czułam smutek i złość. Kiedy dotarłam do pierwszego zbocza, uniosłam brodę, skupiłam się na kroku i się roześmiałam. Nie przejmowałam się tym, że moje mięśnie zaczęły protestować, a płuca pracowały jak oszalałe.

Zanim się zorientowałam, wstyd, który czułam, myśląc o tamtej nocy, zniknął, a ja stanęłam na szczycie pierwszego wzgórza, nazywanego Wzgórzem Kota, od stojącej przy dróżce lśniącej pantery z brązu. Poczułam, że ogarnia mnie euforia, o której czytałam w magazynie.

Mijając Metropolitan Museum i staw, zwiększyłam tempo, a gdy wbiegałam w jedną z bocznych uliczek przy Sto Drugiej, czułam dziwną siłę. Szybko wybiegłam na North Woods. Prowadząca w dół północnej strony ścieżka wiła się niczym szlak w Górach Skalistych, a kiedy mijałam wodospad i basen, byłam szczęśliwa jak nigdy dotąd.

Radość nie trwała jednak długo, bo tylko do chwili, gdy zawróciłam i uświadomiłam sobie, że w drodze powrotnej czeka mnie bieg pod górę. Poczułam niepokój, jednak adrenalina powodowała, że moje ciało pragnęło biec dalej.

Jak wtedy, gdy wbiegałam na Wzgórze Kota, pochyliłam głowę i zaczęłam biec pod górę. Świat wokół mnie był cichy, granitowe wzgórza i zielony zagajnik tłumiły odgłosy miasta. Nie wiadomo kiedy pokonałam pierwsze wzgórze. Nieźle, pomyślałam. Po prostu stawiaj jedną stopę przed drugą. Droga na szczyt nie może być aż tak długa.

Wybiegłam z zakrętu, licząc, że już niedaleko, i zobaczyłam, że to dopiero początek. Nie panikuj. Dasz radę.

Jednak gdy za kolejnym zakrętem nic się nie zmieniło, poziom adrenaliny gwałtownie się obniżył i poczułam, że opadam z sił. Ból w mięśniach i pieczenie w płucach sprawiły, że zgięłam się wpół, próbując złapać oddech. Po chwili odpoczynku wyprostowałam się, weszłam na szczyt i zaczęłam zbiegać z drugiej strony.

Dam radę, powtarzałam sobie w duchu. Po prostu jeszcze nie jestem na to gotowa.

Wróciłam do Dakoty wykończona, ale zdeterminowana. Już od progu poczułam aromatyczny zapach kawy. Zlana potem weszłam do kuchni. Jordan siedziała przy stole z kubkiem kawy i poranną gazetą. Einstein pochylał się nad miską z jedzeniem.

— Hej. — Jordan podniosła wzrok znad gazety. — Pomyślałam, że poszłaś pobiegać, więc wyprowadziłam E i go nakarmiłam.

W jej głosie nie było wrogości ani sarkazmu.

— Dzięki, super.

Zerknęłam na zegar, przekonana, że musi być później, niż myślę, skoro Jordan jest już na nogach. Ale nie, było dopiero wpół do siódmej.

Einstein spojrzał na mnie, posłał mi coś, co uznałam za uśmiech, i wrócił do jedzenia.

Gdyby nie szalejące w moim ciele endorfiny, pomyślałabym, że tych dwoje znalazło wspólny język. Z niepokojem zerknęłam na Jordan, kiedy wstała od stołu, żeby nalać mi kawy.

— O co chodzi? — spytała, podając mi kubek.

— Kim jesteś i co zrobiłaś z moją siostrą? — spytałam.

Wzięłam prysznic, a gdy wróciłam, Jordan siedziała na podłodze otoczona gazetami. Obok niej leżał Einstein. Mrużył oczy i przechylał głowę, jakby próbował zgadnąć, co takiego czyta moja siostra.

— Pomyślałam, że mogłybyśmy coś dziś zrobić — zaczęła.

Napięcie wokół książki narastało z każdym dniem. Uważałam, że Jordan powinna siedzieć całymi dniami przed komputerem, spisując historię naszej matki.

W moim umyśle Emily siostra walczyła z Emily redaktorką. Ostatecznie to nie ja podjęłam decyzję.

Zadzwonił mój blackberry, a na wyświetlaczu pojawiło się nazwisko „reager, max".

Najwyraźniej emocje wzięły nade mną górę, bo Jordan i Einstein posłali mi dziwne spojrzenia.

— Kto to?

— Sąsiad. Facet, który trochę mi pomógł.

Powiedziałam to tak swobodnie, jak to możliwe; nie chciałam przecież, żeby ktokolwiek wiedział, że nie mogę przestać o nim myśleć.

— Nie odbierzesz? — spytała Jordan.

Zawahałam się.

— Halo?

— Jedź ze mną do Hamptons.

— Do Hamptons?

Jordan zerwała się z podłogi.

— Jesteśmy zaproszone do Hamptons?

Zakryłam telefon dłonią.

— Uspokój się. I nie, ty nie jesteś zaproszona.

— Z kim rozmawiasz? — chciał wiedzieć Max.

— Z siostrą. Przyjechała do miasta i zatrzymała się u mnie.

— Chciałbym ją poznać.

— No cóż...

— Niech jedzie z nami. To tylko jeden dzień. Za kilka minut muszę wyjść, zawieźć trochę rzeczy do mieszkania siostry.

— Naprawdę nie mogę.

— Emily! — pisnęła Jordan.

— Właśnie, Emily — powtórzył Max. — Podrzucimy rzeczy do Melanie i zanim wrócimy, urządzimy piknik na plaży.

— Wszystko w ciągu jednego dnia?

— Jeśli wyjedziemy za pół godziny, unikniemy korków. Z powrotem też nie będzie kłopotów, bo o tej porze nikt nie wraca do miasta. No dalej, jest sobota. Będzie fajnie.

Zawahałam się i odeszłam w kąt, żeby Jordan i Einstein mnie nie słyszeli.

— A co z twoją dziewczyną?

— Dziewczyną?

— Kobietą, którą spotkałam w twoim mieszkaniu. — Mówiąc to, poczułam się głupio.

Byłam pewna, że się uśmiechnął.

— Roni? To przyjaciółka. Przyjechała do miasta i razem z chłopakiem szukają mieszkania. — Mogłabym się założyć, że Max uśmiechnął się jeszcze szerzej. — To jak, pojedziesz ze mną?

— Głupio mi będzie zostawić Einsteina samego.

Roześmiał się.

— W takim razie weź go ze sobą.

✠

Niespełna pół godziny później Einstein, Jordan i ja wsiedliśmy do lśniącego czterodrzwiowego czarnego jeepa, zaparkowanego na piętrowym parkingu nieopodal Dakoty. Max zamknął za mną drzwi, okrążył samochód i usiadł na fotelu kierowcy.

— Gotowi?

Miał na sobie workowate szorty, spraną niebieską koszulkę, klapki i okulary przeciwsłoneczne. Jeszcze wilgotne włosy zaczesał do tyłu. Wyglądał bosko.

Od razu znalazł z Jordan wspólny język. Śmiali się i rozmawiali o muzyce, blogach i wynalazkach popkultury, o których nigdy dotąd nie słyszałam. Nie wiem dlaczego, ale widząc to, nie czułam się niezręcznie ani nie byłam zazdrosna.

Tylko Einstein zachowywał się z rezerwą. Na widok Maxa zesztywniał i zaczął węszyć w powietrzu. Spoglądał to na mnie, to na niego, aż w końcu pokręcił głową, jakby nie spodobało mu się to, co poczuł, i pozwolił Jordan posadzić się na tylnej kanapie jeepa.

— Powinnam się wstydzić — oznajmiła Jordan dwie godziny później, kiedy jadąc w kierunku Hamptons, skręciliśmy z Montauk Highway. — Jak mogłam zapomnieć, że to miejsce to prawdziwy burżuazyjny koszmar.

Max się roześmiał i wyciągnął rękę, żeby przybić z nią piątkę.

— Cały czas powtarzam to mojej siostrze.

Dom jego siostry w Southampton był uroczym dwupiętrowym budynkiem z krytym gontem dachem, stojącym przy wysadzanej drzewami ulicy. Wypakowanie pudeł zajęło nam krótką chwilę.

— Melanie remontuje dom i nawet nie chciała słyszeć, żeby podrzucił je ktoś inny. — To mówiąc, wskazał pudła. — Ręcznie dmuchane szkło.

Kiedy wypakowaliśmy szkło, wsiedliśmy do jeepa i pojechaliśmy do centrum Southampton na zakupy. Zaopatrzeni w jedzenie, napoje gazowane i wodę wyruszyliśmy do Gin Lane i stanęliśmy na rozległym parkingu, nie wiedząc nawet, czy możemy się tam zatrzymać.

Jordan i Einstein wyrwali się do przodu, podczas gdy ja i Max zostaliśmy nieco z tyłu. Na prowadzącej do oceanu piaszczystej ścieżce zdjęłam sandały i poczułam pod stopami miękki piasek. Max nie wziął mnie za rękę, ale nasze ramiona ocierały się o siebie, gdy brnąc przez niskie wydmy, szliśmy w stronę plaży.

Jordan wbiegła do wody, rozchlapując ją na wszystkie strony. Einstein stanął na brzegu, podniósł głowę i węsząc, rozkoszował się słońcem i wodą. Patrząc na niego, miałam wrażenie, że czuje się tu jak u siebie w domu, jakby wrócił do miejsca, które naprawdę kocha. Coś takiego powinno wydawać się niedorzeczne, jednak, nie wiedzieć czemu, w przypadku Einsteina dziwne rzeczy przestawały być dziwne.

Idąc za przykładem mojego psa, wystawiłam twarz do słońca. Czułam się, jakby wyrosły mi skrzydła.

— Cudowne miejsce — powiedział Max.

— Tak. — Cudowne jak piasek pod stopami. — Nie pamiętam, kiedy ostatnio czułam się taka... beztroska. Dziękuję.

— Dla rycerza to chleb powszedni. Lancelot nie ma przy mnie najmniejszych szans.

Widząc jego uśmiech, wybuchnęłam szczerym, głośnym śmiechem.

— Jeśli nie będziesz uważał, następnym razem zacznę chichotać.

Posłał mi drwiące spojrzenie.

— Jak uczennica?

To pytanie sprawiło, że zaczęłam chichotać.

Rozłożyliśmy koc i wyjęliśmy z toreb jedzenie. Było południe i żeby nie tracić czasu, szybko zjedliśmy wszystko, co kupiliśmy w barze kanapkowym, łącznie z grillowanym kurczakiem, który miał być dla Einsteina.

Kiedy skończyliśmy, Max zdjął podkoszulek. Jeśli wcześniej prezentował się świetnie, teraz wyglądał oszałamiająco.

— Kto idzie ze mną? — Spojrzał na mnie.

— Dzięki, ale nie — odparłam.

Jordan się roześmiała.

— Emily nie przepada za wodą. Za to ja jestem gotowa.

Zdjęła bluzkę. Pod spodem miała bikini. Nie wstydziła się brzuszka ani bladej skóry. Max ściągnął szorty, pod którymi miał spodenki gimnastyczne.

— Nie żartuj — parsknęła Jordan. — Jesteś wojskowym?

— Navy Seals.

Zastanawiała się przez chwilę, po czym wzruszyła ramionami.

— No cóż.

Pobiegli w stronę wody. Einstein poderwał się z piasku i pognał za nimi, zatrzymując się gwałtownie, gdy wysoka fala rozbiła się o brzeg. Poirytowany biegał w tę i z powrotem, szczekał, zatrzymywał się, przechylał głowę, jakby nie wierzył w to, co robi, i kłapiąc zębami, znowu zrywał się do biegu.

Odłożyłam na bok resztki po lunchu, położyłam się na piasku, zamknęłam oczy i rozkoszowałam się słońcem. Nie wiem, jak długo tak leżałam, ale wzdrygnęłam się, gdy poczułam na skórze chłodne krople wody.

Oparłam się na łokciach i podniosłam wzrok. Nade mną stał Max, a Jordan i Einstein szli razem plażą.

— Dokąd oni idą?

— Badają okolicę.

— Może powinnam zawołać Einsteina?

Max zachichotał.

— Potrafi o siebie zadbać. To dziwny psiak.

Otworzyłam usta, żeby zaprotestować.

— Ale mądry — dodał pospiesznie, klękając przede mną na piasku. — Czasami zachowuje się jak człowiek. — Pokręcił głową. — To dziwne. Ale jeszcze dziwniejsze jest to, że wygląda, jakby był kimś dumnym i ważnym. — Znowu pokręcił głową. — To jakieś szaleństwo.

— Wiem, co masz na myśli. Kiedy dostałam pracę w Caldecote, pracowałam nad książką o wybitnych osobowościach. Einstein sprawia, że wciąż o niej pamiętam.

— Kim byli ci wybitni ludzie?

Zastanowiłam się.

— Da Vinci, Mozart, nawet, o dziwo, Tiger Woods. Jednak najbardziej niesamowite było to, jak autor pisał o innych facetach, ludziach, którzy też żyli w tamtych czasach, albo następcach wybitnych jednostek.

— Na przykład?

— Wygląda na to, że Botticelli terminował w tym samym warsztacie co Leonardo, a facet nazwiskiem Salieri miał większy talent niż Mozart. Z kolei Phil Mickelson, również golfista, był lepszy od Tigera. Wszyscy oni mieli talent i do pewnego stopnia stali się sławni, ale tylko tacy ludzie, jak da Vinci, Mozart i, prawdopodobnie, Tiger Woods, przejdą do historii jako jednostki wybitne. Chociaż wszystko zależy od tego, jak ułoży się sprawa Tigera.

Max przetoczył się na bok i usiadł obok mnie.

— Zastanawiasz się, dlaczego Botticelli i Salieri nie zrobili kariery? Może nie byli tak dobrzy jak ich koledzy po fachu? Może za mało się starali? A może coś stanęło im na drodze?

Odwróciłam głowę, żeby na niego spojrzeć.

— Właśnie!

Kiedy skrzyżował ręce na kolanach, dokonała się w nim jakaś subtelna zmiana. Siedzieliśmy obok siebie, spoglądając na wodę.

— Tak naprawdę złości mnie to — zaczęłam — że mówiąc o ruchu feministycznym, ludzie wymieniają nazwiska Glorii Steinem albo Betty Friedan. Kiedy skończyłam redakcję maszynopisu, po raz pierwszy zadałam sobie pytanie: dlaczego nikt nie mówi o mojej matce?

Max nie odpowiedział, tylko patrzył przed siebie. Dopiero gdy wróciliśmy do domu, a Jordan i Einstein wysiedli z jeepa i czekali na chodniku, Max zatrzymał mnie w samochodzie.

— Jest wiele miar sukcesu — powiedział. — To, że jesteśmy naprawdę dobrzy w tym, co robimy, to bez wątpienia jedna z nich. Ale muszę wierzyć — dotknął mojej szyi i przyciągnął mnie do siebie — że sztuka przeżycia jest kolejną z nich. — Po tych słowach pocałował mnie tak jak wtedy, na dachu, choć ten pocałunek obiecywał dużo więcej.

— Pamiętaj o tym — szepnął mi do ucha.

Zbyt szybko wypuścił mnie z objęć, pochylił się nade mną i otworzył drzwi samochodu.

— Dzięki, że zechciałaś dotrzymać mi towarzystwa.

⚜

Tydzień później, we wtorek, *Intencje Ruth* trafiły na półki.

Birdie wpadła do mojego gabinetu.

— Dziś jest wielki dzień! To niesamowite. Nie mogę się doczekać, kiedy zobaczę minę Victorii, gdy Nate ogłosi, że *Ruth* znalazła się na liście „Timesa"!

Przez tydzień siedziałam jak na szpilkach. Przez tydzień codziennie rozmawiałam z ludźmi z działu sprzedaży. Przez tydzień sprawdzałam rankingi Amazon i BN.com z regularnością, która graniczyła z obsesją. Ale już w środę, mimo wszystkich naszych starań, było wiadomo, że *Ruth* się nie sprzedaje.

— Toż to zbrodnia! — oburzała się Birdie.

Tatiana ściągała brwi.

Victoria uśmiechała się złośliwie.

W następnym tygodniu sprzedało się kilka egzemplarzy w różnych zakątkach kraju, jednak to nie wystarczyło, by osiągnąć sukces, o jakim marzyła Tatiana. Wszyscy chodzili przygnębieni, z wyjątkiem Victorii, która okazywała należyty smutek, jednak gdy nikt nie patrzył, triumfowała.

Od wypadu na Long Island Jordan była szczęśliwa. Przez kilka dni z rzędu czekała na mnie z obiadem. Gdy wchodziłam do kuchni, podnosiła do ust drewniane łyżki z egzotycznym jedzeniem, które nauczyła się gotować w dżungli. Często dołączał do nas Max. Nigdy nie dotknął mnie w obecności mojej siostry czy Einsteina, ale wiedziałam, że przychodzi dla mnie, i nawet kiedy śmialiśmy się i rozmawialiśmy, czekałam tylko na chwilę, gdy zostaniemy sami i poczuję na skórze jego usta.

Pewnego wieczoru przy kolacji opowiedziałam Jordan o porażce *Ruth*. Wyraziła współczucie i zaskoczyła mnie, gdy zaczęła mówić o pracy nad maszynopisem. Nie dała mi do przeczytania żadnego nowego fragmentu, jednak ucieszyło mnie to, że opowiada o książce z entuzjazmem, jaki rzadko u niej widziałam.

Rankiem zrywałam się z łóżka, zdeterminowana pokonać pętlę na wzniesieniu. Skoro nie potrafiłam przebiec takiego dystansu bez zatrzymywania się, jak mogłam myśleć o wystartowaniu w maratonie? Każdy kolejny dzień okazywał się porażką, a Wzgórze Złamanych Serc pozostało niezdobyte.

W piątek zdecydowałam, że to moja ostatnia szansa. Jeśli dobiegnę na szczyt, będzie to znak, że mogę wziąć udział w maratonie.

Myśl o tym sprawiła, że ogarnął mnie lęk. Nie mogłam przestać sobie wyobrażać, co się stanie, jeśli *Ruth* okaże się porażką, a ja nie zdołam osiągnąć celu i pobiec w maratonie.

Jesteś silna, Emily, powtarzałam sobie. To tylko kolejne wyzwanie, któremu musisz stawić czoło.

Gdy wybiegłam na ulicę, zaczynało świtać. Granatowoczarne niebo tu i ówdzie przecinały smugi ognistej czerwieni i pomarańczu, ja jednak nie podziwiałam widoków, nie myślałam o pracy. Skupiłam się i bez trudu wbiegłam na Wzgórze Kota.

Krok za krokiem, nie zatrzymując się, dobiegłam do Wzgórza Złamanych Serc na tyłach parku. Wzniesienie zaczynało się dość łagodnie i wyszłam z pierwszego zakrętu, ignorując skurcze w nogach.

Biegłam dalej, ale im wyżej się wspinałam, tym bardziej bolały mnie mięśnie i tym częściej powracała myśl, że nie dam rady.

Mimo to nie przestawałam biec. Od czasu do czasu mijali mnie ludzie bez trudu pokonujący wzniesienie. Dziewczyna i chłopak, którzy nagle wyłonili się zza moich pleców, rozmawiali o filmie, który oglądali ubiegłego wieczoru. Ja z trudem przebierałam nogami.

„Potrafisz latać".

Te słowa mnie zaskoczyły, ale wyrzuciłam je z głowy, pokonując kolejny zakręt i modląc się, by był tym ostatnim. Wiedziałam jednak, że aby dotrzeć na szczyt, będę musiała przebiec jeszcze bardziej stromy odcinek.

Każdy kawałek mojego ciała krzyczał, że powinnam się zatrzymać. Nagle cała ta sytuacja wydała mi się szalona i zaczęłam ją analizować. Tłumaczyłam sobie, że to tylko bieg. Nie biorę przecież udziału w olimpiadzie. Nikogo nie interesuje, czy dojdę, dobiegnę, czy dowlokę się do Central Park West i wrócę metrem do domu. Nikt nie wie, że chcę wziąć udział w maratonie. Nikt, nawet Einstein, nie ma pojęcia, że zamierzam pobiec znacznie dalej niż codzienna rundka wokół jeziora.

Wiem tylko ja, i tylko ja będę wiedziała, jeśli się poddam.

Opuściłam głowę. Skupiłam się. Jednak moje mięśnie nie chciały się rozluźnić, a w płucach rozgorzał ogień, kiedy obok mnie przemknął młody, niespełna dwudziestoletni chłopak. Po chwili w podobnym tempie minęła mnie kobieta. Walczyłam z obolałym ciałem, ale gdy obok mnie śmignęła matka z wózkiem do biegania, coś we mnie pękło.

Klnąc pod nosem, zatrzymałam się w połowie drogi na wzgórze. Zamknęłam oczy i przycisnęłam dłonie do twarzy, jakbym chciała zapanować nad emocjami.

— Niech to szlag! — krzyknęłam.

„Leć, dziecinko, leć!".

Wspomnienie wróciło nagle, obudzone zamieszaniem wokół książki Jordan. Wspomnienie mojej matki na plaży. Stała w sięgającej kostek wodzie, w której poprzedniego wieczoru o mało nie utonęłam.

Nie powiedziałam jej, co się wydarzyło. Kiedy nazajutrz weszła do mojego pokoju, byłam zajęta pakowaniem swojej małej walizki. Zażądałam, żeby zabrała mnie do domu.

— Jak to? Już? — spytała, na wpół rozbawiona, na wpół zaskoczona.

— Tak. Chcę wrócić do domu.

— Ale dlaczego? Podaj mi choć jeden powód.

Zastanawiałam się, co powiedzieć. Nie znałam innych ośmiolatków, którzy, żeby coś dostać, musieli przedstawić odpowiednie argumenty. Nieraz widziałam, jak dzieci z mojej klasy dostawały szału tylko po to, żeby postawić na swoim. Spróbowałam tego jeden jedyny raz. Nigdy więcej.

Postawiłam na prawdę.

— Nie lubię wody.

— Wody? Ty? — Pokręciła głową i się uśmiechnęła. — Emily Barlow, bywa, że przez ciebie mam ochotę rwać włosy z głowy, ale nie miałam pojęcia, że jest coś, czego się boisz. Tylko nie mów, że właśnie zaczęłaś.

Zacisnęłam piąstki, twarz mi płonęła.

— Jestem odważna.

— Więc to udowodnij.

Po tych słowach bosa Lillian Barlow wyszła z mojego pokoju. Świat spał, gdy powiewając koszulą nocną, zbiegła po schodach na plażę.

— Jestem odważna — powtórzyłam. Czułam, jak strach walczy we mnie z innym, bardziej złożonym uczuciem, którego nie potrafiłam nazwać. Mimo to popędziłam za nią. Kiedy dotarłam na plażę, poczułam na twarzy poranne słone powietrze.

— Widzisz! — krzyknęła, patrząc na niebo. — Moja córka, Emily Barlow, nie boi się niczego!

Wzięła mnie za ręce i szczęśliwa jak nigdy, śmiejąc się, zaczęła kręcić się w kółko, aż moje stopy oderwały się od ziemi i miałam wrażenie, że wzbijam się w powietrze.

— Leć, dziecinko, leć!

Po latach, kiedy dorosłam, nie zgadzała się ze mną w wielu kwestiach, jednak podziwiała mnie za to, że byłam odważna i niełatwo dawałam za wygraną.

Zanim się zorientowałam, stojąc w połowie drogi na Wzgórze Złamanych Serc w Central Parku, odchyliłam głowę i krzyknęłam we wczesnoporanne jaśniejące niebo, po czym pognałam w górę. Nie truchtałam i nie starałam się utrzymać tempa. Biegłam, zmuszając ciało do wysiłku, od którego bolał mnie każdy mięsień, każde ścięgno. Kiedy dotarłam na szczyt i spojrzałam na widoczne w oddali wieżowce przy Pięćdziesiątej Dziewiątej, coś ścisnęło mnie za gardło, a pod powiekami poczułam palące łzy. Jednak tym razem były to łzy szczęścia. Udało się. Mogę pobiec w maratonie.

Był to moment prawdy, dzięki któremu zrozumiałam coś jeszcze.

Sandy nie dotrzymał obietnicy. Zginął. Ale zanim to się stało, próbowałam go odzyskać. Bez skutku. Takie były fakty. Fakty, z którymi — jak się okazało — mogłam żyć. Kiedy ruszyłam w drogę powrotną, dokładnie wiedziałam, co zrobię.

Po przyjściu do Caldecote poszłam prosto do gabinetu Mercy Gray. Weszłam bez pukania i nie mówiąc „dzień dobry", od razu przeszłam do rzeczy.

— Coś jest nie tak — oznajmiłam. — Sprzedaż *Ruth* nie powinna spadać.

Mercy spojrzała na mnie, stukając długopisem w podkładkę. Zaraz potem sięgnęła po słuchawkę. Przez resztę dnia dzwoniła do przedstawicieli handlowych, którzy dzwonili do pracowników działu księgowości, a ci z kolei dzwonili do księgarń. Wprawdzie Mercy nie miała dla mnie żadnej odpowiedzi, ale według raportów, które otrzymaliśmy tydzień później, sprzedaż ruszyła.

Na kolejnym spotkaniu napięcie widoczne wokół ust Tatiany wyraźnie zelżało.

— Wciąż jednak nie wyszliśmy na prostą — stwierdziła.

Tydzień później notowania poszły w górę. Kiedy spotkałam Tatianę w holu, wymieniłyśmy spojrzenia i choć żadna z nas nie powiedziała ani słowa, wiedziałyśmy, na co obie czekamy.

Pod koniec dnia, w środę, kiedy „New York Times" publikował swoją listę, weszłam do gabinetu Tatiany. Tuż po mnie pojawiła się Mercy. Tatiana nie musiała pytać, po co przyszłyśmy. Poniekąd stanowiłyśmy drużynę i chciałyśmy wspólnie wysłuchać najnowszych wieści.

Spojrzała na nas.

— Nie udało się — oznajmiła.

Wydałam stłumiony okrzyk.

Mercy pokręciła głową.

— Lista „Timesa" to dziwna bestia. Po części to rzeczywiste liczby, a po części voodoo. Kto ich tam wie? Miejmy nadzieję, że *Intencje Ruth* trafią na inne rankingi i w końcu zostaną zauważone przez „New York Timesa".

Rzeczywiście, tydzień później *Ruth* pojawiła się na wszystkich znaczących listach w kraju. Oprócz „Timesa".

Zignorowałam frustrację Tatiany i ulgę, jaka odmalowała się na twarzy Victorii. Wysłałam e-maile do *Przeglądu książek* „Timesa". W chwilach między zastanawianiem się, co jeszcze mogłabym zrobić, i przełykaniem gorzkiego smaku porażki sporządzałam listę. Planowałam spotkania z agentami. Czytałam każdą propozycję, która wpadła mi w ręce. Tydzień później, w środę, pod koniec dnia, w moim gabinecie pojawiła się Tatiana.

— Numer siedem.

— Co takiego?

— *Intencje Ruth* właśnie zadebiutowały na siódmym miejscu bestsellerów „New York Timesa".

Patrzyłam na nią w osłupieniu, które szybko przerodziło się w nieopisaną radość. Kiedy zerwałam się zza biurka, by ją uściskać, porwać do tańca albo Bóg wie co jeszcze, do pokoju wpadła Birdie.

— Mój Boże! Gratulacje!

Tatiana spojrzała na mnie ponad jej głową. Odkąd rozpoczęła pracę w Caldecote, ani razu nie widziałam, jak się śmieje. Dziś także tylko skinęła głową. Ale gdy się odwróciła, zauważyłam, że odetchnęła z ulgą, i byłam niemal pewna, że się uśmiechnęła.

Nie mam pojęcia, dlaczego książka zaczęła się sprzedawać i jak to się stało, że z tygodnia na tydzień sprzedaż rosła, zamiast — jak to się zwykle działo — spadać. Czyżby pudła z książkami leżały w magazynach? Może coś poszło nie tak z dystrybucją? Może umieszczano ją na nieodpowiednich półkach w nieodpowiednich działach? Nikt nie znał odpowiedzi, przynajmniej takich, którymi chciałby się podzielić. Wiedziałam tylko, że *Intencje Ruth* zasługiwały na taką sprzedaż. A ja wbiegłam na szczyt Wzgórza Złamanych Serc.

Kiedy wszyscy wyszli, zamknęłam drzwi i wykonałam zwycięski gest. Max miał rację: potrafiłam przeżyć i przeżyłam.

Emily Barlow wróciła.

Einstein

Rozdział trzydziesty

— Zorganizujmy przyjęcie!

Moja żona chce organizować przyjęcie?

Gdybym jej nie znał, pomyślałbym, że pozbierała się już po mojej śmierci. Co przecież było niemożliwe. Prawda?

Warknąłem na siebie. Oczywiście, że coś takiego nie jest możliwe. Ktoś taki jak ja nie powinien mieć wątpliwości.

Prawdę mówiąc, uważałem, że winę za moją niepewność ponosił ten koleś Max. Gdybym był człowiekiem, nie podobałoby mi się, że jest taki młody, przystojny — choć to kwestia gustu — i dobrze zbudowany, podczas gdy ja miałem świetny wygląd, mnóstwo pieniędzy i znane nazwisko. Jako pies, cóż... nie mogłem się z nim równać. Co zdecydowanie mi nie pasowało.

Na szczęście facet był młody i bardziej odpowiedni dla Jordan. Gdyby miał tyle lat co Emily, mógłbym zacząć się martwić. Znałem jednak swoją żonę na tyle dobrze, by wiedzieć, że nie interesują jej młodsi mężczyźni. Jest na to zbyt rozsądna.

Co do przyjęcia, zawsze lubiłem się zabawić. Zaraz po college'u urządziłem kilka spontanicznych imprez, które były rezultatem całonocnych popijaw, po których wszyscy znajomi przenieśli się do mojego mieszkania. Później zacząłem pracę w firmie, trenowałem do maratonu, ożeniłem się.

No i... umarłem.

Zaczął się pierwszy tydzień sierpnia i plan był taki, żeby zorganizować imprezę po Święcie Pracy.

— Idealnie — uznała Emily. — Wszyscy zdążą wrócić z wakacji, a ty, Jordan, skończysz książkę! To będzie przyjęcie powitalne, połączone ze świętowaniem twojego literackiego debiutu.

Nie dbałem o powód, z jakiego nagle przyszło jej do głowy organizować przyjęcie. Impreza to impreza. Co do Jordan, zobaczyłem na jej twarzy autentyczną ekscytację. Miałem wrażenie, że zaczęła myśleć o przeistoczeniu się w prawdziwą literacką gwiazdę.

Przez ułamek sekundy Emily mamrotała coś o tym, że sama zajmie się gotowaniem.

— Tylko kto ma na to czas? — stwierdziła w końcu, zerkając w moją stronę. — Poza tym ostatnio nie robiłam nic innego poza gotowaniem — dodała.

Wynajęła więc pracownicę firmy cateringowej, żeby zadbała o jedzenie, choć — jak się okazało — kobieta, która pojawiła się w naszym mieszkaniu, wcale nie była kucharką.

— Dzięki, że pozwoliłaś mi się tym zająć! — zaszczebiotała niejaka Birdie.

— Jeśli tak bardzo lubisz gotować, dlaczego pracujesz w Caldecote? Kobieta zmarszczyła mały zadarty nosek.

— Kiedy przeprowadziłam się do Nowego Jorku, tylko oni chcieli mnie zatrudnić. Choć jeśli mam być szczera, dostałam tę pracę tylko dzięki siostrze.

— Dlaczego o tym nie wiedziałam?

Birdie uśmiechnęła się i poklepała Emily po policzku.

— Może w głębi serca jestem taka jak ty, skrywam tajemnice i chcę zacząć wszystko od nowa.

Kobieta była ładna, jeśli ktoś lubi radosne, pewne siebie teksańskie dziewczyny. Akcent miała silny jak bourbon z domieszką miodu. Nigdy nie gustowałem w babkach zadzierających nosa, ale wtedy uklękła przede mną i pisnęła:

— Spójrz tylko na siebie! Jakiś ty słodki! Uwielbiam cię!

Co mogłem zrobić? Nigdy nie sprzeczałem się z ludźmi, którzy mieli dobry smak, więc postanowiłem ją adorować.

Usiadłem obok Emily na sofie.

— Co powiesz na faszerowane pieczarki? — spytała Birdie. Warknięcie.

Emily spojrzała na mnie.

— Zbyt oklepane? Szczeknięcie.

— Masz rację — przyznała Birdie, jakby nie widziała nic dziwnego w tym, że słucha psa.

Siedziałem na sofie w bibliotece, przysłuchując się rozmowie i częściowo w niej uczestnicząc. Byłem odprężony. Gdyby nie to, że przejmowałem się losem swojej duszy, mógłbym wieść spokojne, szczęśliwe życie, wy-grzewając się na słońcu, zajadając psie przysmaki w moim luksusowym mieszkaniu i czekając na wielką nagrodę, która należała mi się za to, że pomogłem żonie.

To przypomniało mi o mieszkaniu. Moja matka, a nawet mój prawnik dziwnie przycichli. Podobnie jak Emily miałem nadzieję, że matka dała za wygraną. Jednak znałem Altheę Portman aż za dobrze. Wiedziałem, że nigdy w życiu się nie podda. A to oznaczało, że szykuje coś, żeby odzyskać mieszkanie. Po prostu jeszcze nie wiedzieliśmy, co to będzie.

Jak już wspomniałem, nie wiedziałem, ile zarabia moja żona. Kiedy byłem człowiekiem, nie miało to dla mnie znaczenia. Ani razu nie poprosiła mnie o pieniądze, więc przypuszczałem, że zarabiała całkiem sporo. Kiedy trzeba było zrobić coś w mieszkaniu, płaciliśmy po połowie, choć to ona wykonywała całą robotę. Kiedy chciała coś przerobić, również dzieliliśmy koszty na pół. Teraz uświadomiłem sobie, że jako zastępca redaktora, nawet jako redaktorka albo starsza redaktorka, nie mogła zarabiać tyle, ile ja na Wall Street. A jednak nigdy się nie skarżyła, kiedy kupując coś — jak choćby system nagłaśniający, który tak bardzo lubiłem — musiała pokryć połowę kosztów.

Z przyzwyczajenia parsknąłem na myśl, że powinienem inaczej zarządzać naszymi finansami. Ale było, minęło. Poza tym, czy nie opłacałem funduszu remontowego i podatków? Przecież to ona uparła się, że będzie dokładała się do wszystkiego innego. Cała ta gadka o równouprawnieniu i takich tam. Co miałem zrobić? Wzgardzić jej pieniędzmi?

Nagle poczułem mdłości. Potknąłem się o dywan w gabinecie, za-chwiałem się i upadłem. Leżałem nieruchomo, czując, jak wali mi serce. Chciałem wierzyć, że nudności spowodowane są nadchodzącym atakiem grypy, ale nie zamierzałem się okłamywać. Przemijałem, jednak tym razem uczucie było znacznie silniejsze.

Czy to możliwe, że starzec zdecydował, iż jestem beznadziejny i nie podołam zadaniu? Czy po tym wszystkim postawił na mnie krzyżyk? Bez powodu?

Żołądek podszedł mi do gardła.

Przeraziłem się, kiedy dotarło do mnie, że istota Sandy'ego Portmana... no właśnie, co? Opuszcza ciało Einsteina?

Nudności przybrały na sile. Byłem zamroczony i czułem, że moje ciało płonie. Zupełnie jakbym się skaleczył i wraz z krwią ulatywało ze mnie życie.

Tak, wiem, były ku temu powody. Musiałem tylko odkryć, co wywołało to nowe uczucie przemijania.

To, że moja matka nie zapomniała o mieszkaniu? Czy to mogła być przyczyna?

Przyjęcie i zastanawianie się, skąd Emily bierze pieniądze?

System nagłaśniający?

Zadrżałem gwałtownie, sierść mi się zjeżyła. Dobry Boże, przemijam z powodu przeklętego systemu nagłaśniającego?

Przez ułamek sekundy poczułem, że ogarnia mnie wściekłość, wszystko dookoła wydawało się rozmazane. „Widziałem" tylko myśli w mojej głowie, wspomnienia, i nagle zobaczyłem siebie stojącego obok Emily w ekskluzywnym sklepie z elektroniką. Jak dziecko cieszyłem się na myśl o nowym systemie nagłaśniającym, który przebije zwykłe kino domowe.

— Bierzemy go — poinformowałem sprzedawcę, nie pytając o zdanie Emily, która zapamiętale pisała coś na swoim blackberry.

Moja żona nigdy nie przestawała pracować. Redagowała maszynopisy w domu jak artystka w studiu, zapominając o bożym świecie. Właśnie dostała awans i zaraz po wyjściu ze sklepu mieliśmy zamiar to uczcić. Każdy, kto ją znał, mówił, że jest świetna w tym, co robi.

Kiedy kasjerka zapytała, jaki sposób płatności wybieram, odpowiedziałem, że zapłacę kartą, po czym dodałem:

— Żona zapłaci połowę.

Kasjerka, mądralińska rodem z Brooklynu, uśmiechnęła się z pogardą. Zignorowałem ją.

— Emily.

— Tak? — spytała, kiedy poprosiłem ją o kartę kredytową. — Po co ci moja karta?

— Chcę zapłacić za system nagłaśniający, głuptasie.

Podniosła głowę. Jej palce zamarły na absurdalnie małej klawiaturze blackberry. Spojrzała na mnie, na kasjerkę i sprzedawcę, który przynosił kolejne pudła.

— Och. Och — powtórzyła.

Miesiąc później dostałem wyciąg z karty kredytowej i nie mogłem uwierzyć, ile kosztowała mnie połowa sprzętu. Kupując, nie zwróciłem uwagi na cenę. Nie pomyślałem również, co poczuje Emily, kiedy zobaczy wyciąg ze swojej karty.

Przeszył mnie ból.

— Dobrze już, dobrze! — zaskomlałem.

Może rzeczywiście był to nieprzemyślany zakup.

Ból nie ustawał.

Skupiłem się, walczyłem z samym sobą, z tą częścią mnie, która nie dopuszczała do siebie myśli, że mogę się mylić i że nie byłem chodzącym ideałem. Dopiero gdy zajrzałem w głąb siebie, znalazłem odpowiedź: chciałem skrzywdzić Emily. Chciałem ukarać ją za to, że odnosiła sukcesy i była dobra w tym, co robiła, podczas gdy ja walczyłem o to, by być kimś więcej niż facetem, który kawałek po kawałku rozsprzedaje kolejne firmy i rujnuje życie ludziom. Wtedy, w święta Bożego Narodzenia, potrzebowałem dowodu, że życie Emily, z jej choinką i świątecznym ajerkoniakiem, wcale nie jest lepsze od mojego.

Uczucie przemijania ustało, ja jednak leżałem osłabiony na pięknym perskim dywanie. Byłem wykończony i zdenerwowany. Kiedy Emily położyła się spać, wszedłem do jej pokoju i skuliłem się w kącie. Chciałem być blisko niej. Rankiem obudziłem się wcześniej niż ona i wróciłem do kuchni.

Ten sam scenariusz powtarzał się przez kilka kolejnych nocy. Wślizgiwałem się do sypialni Emily, czując, że coraz bardziej pragnę jej bliskości. Kiedy dopadał mnie strach przed tym, co się ze mną stanie, i nie mogłem zasnąć, łapami i nosem wyciągałem jedną z jej książek dla dzieci i wpatrywałem się w ilustracje. Najbardziej lubiłem *Eloise*. Znałem tę historię i nie musiałem męczyć oczu, żeby ją czytać.

Pewnej nocy Emily obudziła się i zastała mnie pochylonego nad paryskimi przygodami Eloise. Nie wyglądała na zdziwioną, gdy zobaczyła, że patrzę na książkę w plamie słabego światła, które sączyło się przez okno. Zamiast tego uśmiechnęła się sennie i szepnęła:

— To jedna z moich ulubionych.

Zaraz potem przewróciła się na drugi bok i zasnęła. Kiedy obudziła się rano, wciąż byłem w pokoju. Patrzyłem, jak otwiera oczy i jak jej twarz łagodnieje na mój widok. Wyciągnęła do mnie rękę. Tym razem podszedłem do niej bez zbędnego marudzenia, pozwoliłem, by wzięła mnie do łóżka i przytuliła się do mnie.

Zaskoczyła mnie, kiedy stawiła czoło Victorowi Harkenowi, zaintrygowała, gdy w swoim mieszkaniu przygotowała dla mnie kolację. Po historii z pociągiem pod choinką byłem gotów przyznać, że zależy mi na niej bardziej niż na kimkolwiek innym, jednak dopiero teraz uświadomiłem sobie, jak bardzo byłem ograniczony w swoich uczuciach.

Kiedy leżałem obok niej, uwięziony w ciele psa, wiedziałem, że zaczynam czuć do niej coś głębszego, coś bardziej prawdziwego i nie tak płytkiego. Wtuliłem się w nią, modląc się, żebyśmy kiedyś jeszcze mogli być razem. Na zawsze.

Oboje byliśmy zaskoczeni, gdy nazajutrz rano obudziliśmy się w tym samym momencie, stykając się głowami.

— Och! — pisnęła Emily.

— Hau! — szczeknąłem.

Roześmiała się, a ja przysunąłem się do niej.

Tego dnia miało odbyć się przyjęcie i oboje byliśmy podekscytowani. Mijał termin oddania książki przez Jordan i przypuszczałem, że ona również będzie podekscytowana. Tymczasem Emily krzątała się po mieszkaniu, dopinając wszystko na ostatni guzik, podczas gdy Jordan była drażliwa i podenerwowana.

— Jordan, jesteś już gotowa?! — zawołała Emily, wychodząc ze swojego pokoju.

Jej widok zwalił mnie z nóg.

Moja żona rozpuściła włosy, które spływały po plecach. Miała na sobie sięgającą tuż przed kolana sukienkę w kolorze karmelu, sznur pereł i eleganckie buty na zadziwiająco cienkich ośmiocentymetrowych obcasach. Byłem zdumiony, że jej przebieżki po parku wpłynęły pozytywnie nie tylko na jej stan psychiczny, ale i na figurę. Może nie powinienem był przestawać z nią biegać? Ramiona i łydki Emily były smukłe i umięśnione. Niesamowite, jak krótkie wypady do parku zmieniły jej ciało.

Już wtedy powinienem był się domyślić, że coś jest na rzeczy. Ale wiedziałem tylko, że moja żona znów stała się tą samą nieustraszoną kobietą, która rzucała się na życie, jakby była nieśmiertelna. Możliwe, że patrząc na nią, poczułem ukłucie zazdrości, jednak szybko zepchnąłem je na dno umysłu i spojrzałem na nią dumnym wzrokiem. Kolejny postęp!

Ale wróćmy na chwilę do mnie. Emily ubrała mnie w miniaturowy smoking dla psów. Nie myślcie sobie, że żartuję. Co dziwne, wcale nie byłem oburzony. Może trochę zażenowany, ale nic poza tym.

— Jesteś taki przystojny! — zachwycała się.

Wystarczyło jedno spojrzenie w lustro i wiedziałem, że mówi prawdę.

W domu panowała radosna atmosfera. Zapalono świece. Zachodzące wrześniowe słońce zmieniało budynki po drugiej stronie parku w roziskrzoną czerwoną ścianę. Czubki drzew między Piątą Aleją a Central Park West przywodziły na myśl ciężki zielony aksamit.

Tuż przed pojawieniem się pierwszego gościa zauważyliśmy Jordan, która ukradkiem przemykała między kelnerami w stronę windy towarowej.

— Jordan! — zawołała Emily. — Dlaczego się nie przebrałaś?

— Ach, ja... no...

— Jordan? Lada chwila pojawią się goście. Wiesz, że połowa z nich przyjdzie tylko po to, żeby cię zobaczyć. Żeby uczcić powstanie twojej książki. Pamiętasz?

Jordan skuliła się, jednak natychmiast odzyskała rezon i przybrała wojowniczą pozę.

— To śmieszne. Nie będę paradowała przed nimi jak jakieś zwierzę w cyrku.

Poczułem, że entuzjazm Emily gaśnie.

— Jordan, czy coś jest nie tak z książką? Dziś rano uzgodniłyśmy, że oddasz mi ją jutro z samego rana. Denerwujesz się? Dlatego się tak zachowujesz?

— Niby jak?

Emily posłała jej wymowne spojrzenie.

— No dobra, może jestem trochę drażliwa, ale naprawdę muszę wyjść. Oczyścić umysł. Pisanie to cholernie ciężki kawałek chleba.

— Ale książka jest już gotowa, prawda?

Obie siostry stały wśród kucharzy i kelnerów krzątających się po kuchni. Jednak zanim Jordan zdążyła cokolwiek powiedzieć, dzwonek do drzwi ogłosił pojawienie się pierwszego gościa.

Emily

Celowo stałam się ulubienicą mojej matki. Emily
z pewnością miała monopol na denerwowanie Lillian
Barlow. Jednak patrząc na to z perspektywy czasu,
zaczęłam się zastanawiać, jak to się stało, że idealna
córka tak bardzo irytowała matkę, podczas gdy ta
nieznośna wywoływała uśmiech na jej twarzy?

fragment książki Córka mojej matki

Rozdział trzydziesty pierwszy

Z wyrazu twarzy siostry wyczytałam, że stało się coś bardzo złego.

— O co chodzi, Jordan?

Dzwonek zadźwięczał po raz kolejny, ale go zignorowałam. Jordan rozłożyła ręce.

— Książka nie jest gotowa, dobrze?

Przed oczami tańczyły mi kolorowe plamki.

— Ale jest prawie gotowa. Powiedziałaś, że oddasz ją jutro. Sprawa nabrała tempa. Musisz ją napisać.

— Wiem — warknęła Jordan i nagle się uspokoiła. — Tak, tak, wiem. Właśnie dlatego nie mogę tu zostać. Muszę wyjść, zaczerpnąć świeżego powietrza i wrócić do pracy. Już prawie skończyłam. Naprawdę. Może poproszę o przedłużenie terminu do poniedziałku.

Nie pierwszy raz autor spóźniał się z oddaniem książki, ale w napiętym planie wydawniczym *Córki mojej matki* nie było miejsca na opóźnienia. Musiałam zredagować książkę, zanim do wydawnictwa trafi egzemplarz sygnalny, a w czasopismach pojawią się pierwsze wzmianki o planowanym wydaniu. Ale nie miałam wyboru.

— Jeśli nie weźmiesz udziału w przyjęciu, będziesz pracowała jutro i przez cały weekend, skończysz do poniedziałku?

— Ależ tak! Tak! W poniedziałek.

— Jordan?

— Emily, przestań mnie poganiać! Dam radę. Zawsze taka jesteś, wciąż zaglądasz mi przez ramię.

Chciałam coś powiedzieć, ale ugryzłam się w język. Odkąd kupiłam prawa do jej książki, Jordan zachowywała się inaczej. Lepiej. Gotowała obiady i opowiadała mi o postępach w pisaniu. Nawet zaczęła dogadywać się z Einsteinem.

— Jesteś pewna, że wszystko jest w porządku i że w poniedziałek oddasz maszynopis?

— Emily, zaufaj mi. Wszystko jest jak należy. Wyskoczę coś zjeść, wrócę do pokoju i będę pracowała jak szalona.

Patrzyłam, jak zarzuca na ramię obszarpany plecak i wychodzi tylnym wejściem. Chciałam wybiec za nią i wszystko wyjaśnić, ale dzwonek nie przestawał dzwonić i wiedziałam, że cokolwiek nie daje mi spokoju, będzie musiało zaczekać.

✠

Przed rozpoczęciem przyjęcia przekazałam konsjerżowi listę wszystkich gości, by od razu kierował ich na górę do mieszkania. W sumie z sześćdziesięciu zaproszonych osób pięćdziesiąt pięć potwierdziło swoje przybycie. Wiele z nich miało przyjść z osobami towarzyszącymi. Mogłam więc liczyć, że na przyjęciu będzie przeszło stu gości. Zaprosiłam również Maxa, z jego czarującym uśmiechem i dotykiem, który stawał się coraz bardziej namiętny.

Młode redaktorki z wydawnictwa przyjechały razem i pojawiły się jako pierwsze. Wszystkie miały na sobie krótkie sukienki i buty na obcasach. Birdie krzątała się w kuchni niczym generał na polu bitwy. Potem przyjechali pracownicy działu produkcji i reklamy oraz kilka osób z działu sprzedaży. Zaprosiłam przyjaciół z innych wydawnictw, łącznie z Heddą Vendome, znajomych agentów, a nawet ludzi pracujących w czasopismach literackich.

Jedyną osobą, której obecność mnie zaniepokoiła, była Victoria. W chwili gdy weszła z Nate'em, zobaczyłam zmianę w jej oczach. Wyższość, z jaką na mnie spoglądała, ustąpiła miejsca podziwowi, a zaraz potem zazdrości. Jeśli potrzebowała więcej powodów, by mnie nienawidzić, właśnie je znalazła. Moi koledzy byli oczarowani mieszkaniem, choć tylko Birdie wiedziała o moich problemach z prawem własności.

— Jest piękne, Emily.

— To jak obcować z historią.

— Zupełnie jak w *Time and Again* — dodał ktoś, mając na myśli powieść Jacka Finneya o współczesnym mężczyźnie, który przenosi się w czasie do Dakoty z lat osiemdziesiątych XIX wieku.

— Prawdę mówiąc, mnie to mieszkanie kojarzy się z inną historią, z horrorem *Dziecko Rosemary* — powiedziała Victoria. Odeszłam.

Jedzenie było pyszne — słysząc komplementy, Birdie raz po raz oblewała się rumieńcem — a goście cudowni. Hedda zrobiła prawdziwe wejście. Wraz z nią pojawiła się literacka śmietanka Nowego Jorku. Pochłonięta rozmowami, zupełnie zapomniałam o Jordan, która wymknęła się tylnym wejściem. Rozmawiałam, śmiałam się, opowiadałam historie i słuchałam, podczas gdy wokół mnie gęstniał mrok.

Znalazłam chwilę wytchnienia, gdy przemknęłam między grupą blogerów i ludźmi z działu artystycznego Caldecote. Rozkoszując się nocą, wzięłam kieliszek wina i poszukałam miejsca, gdzie mogłabym w spokoju odetchnąć. W mieszkaniu roiło się od ludzi, więc wymknęłam się do sypialni. Zdziwiłam się, widząc, że drzwi są uchylone.

W środku zastałam Heddę, która podziwiała moją kolekcję książek dla dzieci. W jednej ręce trzymała szklaneczkę brandy i niezapalonego papierosa. Wyglądała jak wytworna gwiazda z lat czterdziestych.

— Hedda?

Odwróciła się bez cienia skruchy.

— Przyłapałaś mnie. — Uniosła kryształową szklaneczkę i papierosa. — Jestem na przyjęciu. Pytam więc, jak to możliwe, że nie mogę się napić? — Pokój wypełnił jej głęboki gardłowy śmiech. — No i jak mogę się napić, nie paląc przy tym papierosa, nawet jeśli trzymam go w ręce?

— Możesz pić, co tylko chcesz — odparłam. — Nie jestem twoim lekarzem.

— Dzięki Bogu. Mój lekarz jest o połowę młodszy ode mnie i zabójczo przystojny. Ach, gdybym tylko mogła cofnąć czas o kilkadziesiąt lat...

Słowa zawisły w powietrzu, a Hedda wróciła do podziwiania mojej kolekcji. Stała w milczeniu aż do chwili, gdy po cichu wycofałam się w stronę drzwi.

— Kiedy wreszcie pogodzisz się z tym, że jesteś stworzona do pracy w wydawnictwie dla dzieci?

Pokręciłam głową i jęknęłam.

— Heddo...

— Tak, wiem, to dwa różne światy. Ale spójrz na to. — Wskazała półki pełne książek. — Znajdziesz tu każdą ważniejszą książkę dla dzieci, jaka została napisana od zarania dziejów. Nie pojmuję, dlaczego nie chcesz pracować w moim świecie, zamiast użerać się w świecie... Tatiany.

— Nie zaczynaj, proszę. Trwa przyjęcie.

Zignorowała moją prośbę i po raz kolejny spojrzała na księgozbiór. Kiedy znów się odezwała, miałam wrażenie, że swoboda w jej głosie kłóci się z powagą malującą się na jej twarzy.

— Czy wiesz, że zostałam redaktorką książek dla dzieci z powodu tej kolekcji?

— Jak to?

— Ach, twoja matka uwielbiała organizować przyjęcia. — Zerknęła przez ramię i posłała mi drwiące spojrzenie. — Mniej więcej takie jak to, tyle że z mniejszą liczbą gości. Zapraszała głównie ludzi, którzy za nic mieli poprawność polityczną. Mówili, co myśleli, i rozmawiali na trudne tematy. Boże, co to były za czasy.

Mówiła spokojnie, co było niepodobne do Heddy Vendome, legendy wydawniczego świata.

— Twoja matka i ja żyłyśmy w czasach, kiedy ludzie wierzyli, że mogą zmienić świat jednym marszem, życiem w komunie, powrotem do natury. Ale nawet wtedy, będąc naiwną dziewczyną, zastanawiałam się, czy naprawdę możemy osiągnąć to wszystko, o czym mówimy. Później, kiedy zaczęło mnie to nużyć, gdy przyszłaś na świat, a twoja matka nie zamierzała zmieniać swoich przekonań, wciąż pojawiałam się na jej przyjęciach i znudzona wałęsałam się po domu. W tamtych czasach, bez względu na to, gdzie mieszkałyście, jedna rzecz pozostawała niezmienna: twoje książki. Patrzyłam, jak dorastasz, Emily. Widziałam, jak wiele znaczą dla ciebie te historie... i jestem przekonana, że to one ocaliły cię od szaleństwa, którym było życie twojej matki. — Spojrzała na mnie, zapominając o szklaneczce i niezapalonym papierosie. — Możesz mówić, że jestem banalna i melodramatyczna. Możesz użyć innego przymiotnika, który wykreśliłabym z maszynopisu, ale patrząc jak dorastasz, uświadomiłam sobie, że książki, a przede wszystkim książki dla dzieci, potrafią zmieniać świat. — Uśmiechnęła się drwiąco. — Jeśli zdradzisz komukolwiek, że to powiedziałam, wszystkiemu zaprzeczę. — Westchnęła. — Prawda jest taka, że mimo tak ostentacyjnego sposobu bycia wciąż wierzę w potęgę dobrej historii. I jestem pewna, że ty również. Zaufaj mi, Emily, możesz zmienić świat. Razem ze mną w Vendome Children's Books.

Skrzywiłam się, słysząc to. Ale Hedda zrobiła coś, co zaskoczyło mnie jeszcze bardziej: wolną ręką dotknęła mojego ramienia.

— Wiesz, nie potrafiłam zrozumieć, jak to możliwe, że twoja matka nie widziała w tobie tej samej dziewczynki, którą widziałam ja. Ona dostrzegała upartą, nieugiętą smarkulę, a ja troskliwe kochające dziecko, które desperacko próbowało zwrócić na siebie jej uwagę. — Ścisnęła moje ramię. — Ale czasami nie zauważamy w innych tego, czego boimy się, że sami nie mamy. Ty już wtedy miałaś w sobie siłę, której brakowało twojej matce.

Tym razem to ja spojrzałam na książki, unikając jej wzroku. Gardło miałam suche i ściśnięte, piekły mnie oczy. Nie wiedziałam, co powiedzieć. Zawsze zastanawiałam się, czy moja matka naprawdę była silna.

— Przykro mi, jeśli to, co powiedziałam, wpłynie na to, jak postrzegałaś Lillian — dodała Hedda.

— Nie — wydusiłam. Zawahałam się i spojrzałam na nią. Nareszcie byłam gotowa zadać pytanie, które od tak dawna nie dawało mi spokoju. — Nie rozumiem tylko, dlaczego wycofała się z ruchu kobiet. To ją określało. To określało całe nasze życie. Jeśli naprawdę była taka silna, dlaczego odeszła z organizacji, którą sama stworzyła?

— Nie licz, że ci odpowiem, moja droga. Sama byłam zaskoczona, gdy oznajmiła, że zdejmuje mundur. Lillian zaklinała się, że chce zostać w domu z córkami. — Zamilkła na chwilę. — Czy wiedziałaś, że kiedy Jordan skończyła liceum, twoja matka wróciła?

Zdumiona uniosłam brwi. Pamiętałam, że na krótko wróciła do pracy, zaczęła nosić garsonki i paradować z aktówką.

— Chciałaś chyba powiedzieć, kiedy Jordan była mała.

— Nie, później. Ty zaczęłaś pracę w Caldecote, a Jordan

wyjechała do Ameryki Południowej. Lillian oznajmiła, że czas wrócić do gry. Jednak nie miała na myśli WomenFirst. Zamiast tego poszła do Women in Motion. Możesz sobie wyobrazić, że byli zachwyceni, kiedy w ich drzwiach stanął ktoś z taką pozycją jak twoja matka. Jednak świat szedł do przodu. Dziewczyny z linii frontu były... no właśnie, dziewczynami. Wychowały się w świecie, którego twoja matka nie rozumiała i do którego nie należała. — Hedda spojrzała na mnie z troską, której próżno szukałam u swojej matki. — Ty również nie należysz do świata Caldecote. Powinnaś pracować ze mną, w Vendome. Proszę tylko, żebyś o tym pomyślała.

Po tych słowach wyszła, zostawiając mnie sam na sam z moimi książkami. Nie dopuszczałam do siebie myśli, że nie pasuję do Caldecote. Nie myliłam się co do *Ruth*. I miałam nadzieję, że *Córka mojej matki* okaże się kolejnym strzałem w dziesiątkę. Dopiero odzyskałam pozycję w wydawnictwie i nie miałam zamiaru z tego rezygnować.

Nie wiem, jak długo stałam, patrząc na regały, ale zapomniałam o bożym świecie, aż do chwili, gdy poczułam, że ktoś stoi za moimi plecami.

— Hej — usłyszałam tuż za uchem ciepły głos Maxa. — Przepraszam za spóźnienie.

Oparłam się o niego plecami. Nie wydawał się zaskoczony. Otoczył mnie ramionami.

— Jestem za tym, żebyśmy się stąd wynieśli — mruknął.

Uśmiechnęłam się.

— Dopiero przyszedłeś.

— Znam lepsze rzeczy niż wymiana uprzejmości z nieznajomymi.

— Ci ludzie to moi goście.

— Wyglądają na zadowolonych.

— Byłbyś koszmarnym gospodarzem.

Odwrócił mnie twarzą do siebie i odchylił mi głowę, tak bym patrzyła mu w oczy. Wsunął palce w moje włosy i delikatnie wodził kciukami po policzkach.

— Pragnę cię — szepnął, muskając ustami moje usta. Jego dotyk był jak obietnica wszystkich cudownych rzeczy, które chciał ze mną robić.

Ja także go pragnęłam. Chciałam czegoś więcej niż pocałunki

i przytulanie. Pragnęłam go bez względu na wszystko. Wciąż myślałam o Sandym i wiedziałam, że za każdym razem, gdy o nim pomyślę, będę czuła ból, jednak musiałam żyć.

Nie broniłam się, gdy Max wziął mnie za rękę, zaprowadził do kuchni i wyszliśmy tylnymi drzwiami. Zapomniałam o gościach, poszłam z nim na górę, do jego małego mieszkania, i pozwoliłam, by mnie rozebrał. Kiedy położył mnie na łóżku, a jego dłoń powoli sunęła po wewnętrznej stronie mojego uda, jęknęłam i zapomniałam o całym świecie. Zapomniałam na długie minuty, aż do chwili, gdy wygiął się w łuk i przywarł do mnie całym ciałem, jak w jakimś pierwotnym rytuale. Później, kiedy jego oszalałe serce zaczęło bić wolniej, przytulił mnie.

— Kocham cię — szepnął. — Proszę, nie wymykaj mi się.

Wtuliłam się w niego i obiecałam, że tego nie zrobię.

Einstein

Rozdział trzydziesty drugi

Nigdzie nie mogłem znaleźć mojej żony.

Dziwne. Przyjęcie trwało w najlepsze, a wśród tylu ludzi ciężko mi było zobaczyć wyraźnie czyjąkolwiek twarz.

Jako Sandy Portman już dawno popijałbym wytrawne martini w schłodzonej szklaneczce, z oliwkami. Jako Einstein wolałem spędzać czas w pobliżu stołu i jedzenia, które — choć niezdrowe dla psa — sprawiało, że śliniłem się jak szalony. Chwytałem w zęby każdy kawałek koziego sera i karmelizowaną cebulkę, które spadły na podłogę. Niech diabli porwą delikatny psi żołądek.

Nie wiem, ile minęło czasu, ale w końcu nawet tarty przestały mnie interesować i zacząłem przedzierać się przez morze nóg — muszę przyznać, że niektóre były naprawdę ładne, choć bywały i takie, które należało ukryć pod spodniami — i butów na wysokich obcasach, na płaskim obcasie, mokasynów i sznurowanych. Większość z nich była zdarta. Jako Sandy w kwestii ubrań byłem niezwykle drobiazgowy. Jako Einstein nie przywiązywałem do tego wagi.

To coś nowego. Im dłużej byłem psem, tym wyraźniej zauważałem zmiany, jakie się we mnie dokonywały. Bez wątpienia różniłem się od dawnego Sandy'ego. Chwilami byłem zadowolony, wiedząc, że starzec nie docenił mojej zdolności do zmian. Ale nadchodziły chwile, gdy czułem dziwny niepokój, którego — mimo nowo odkrytej wnikliwości — nie potrafiłem nazwać. Coś było nie tak, coś, czego nie mogłem zrozumieć. Mimo postępów, jakie poczyniłem, gdzieś tam wciąż czaiło się zagrożenie.

Musiałem znaleźć Emily. Wiedziałem, że jej obecność mnie uspokoi.

Przeszedłem z przedpokoju do biblioteki i głównej sypialni, lawirując między gośćmi. Coś, co z początku wydawało się niezłą rozrywką, nagle zaczęło mnie przytłaczać. Hałas był ogłuszający: stukot obcasów na drewnianych podłogach, brzęk sztućców uderzających w porcelanę, rozmaite głosy. Poszedłem na górę w nadziei, że Emily — podobnie jak ja — potrzebowała chwili wytchnienia. Jednak drzwi apartamentu były zamknięte. Przez chwilę węszyłem w powietrzu, ale nigdzie w pobliżu nie wyczułem znajomego zapachu Emily.

Chciałem jak najszybciej ją odnaleźć. Ona jedna przynosiła mi spokój. Nie dopuszczałem do siebie myśli, że w grę mogą wchodzić dużo głębsze, poważniejsze uczucia. Wiedziałem, że nie mogę się angażować. Byłem przecież psem i choć Emily wyczuwała we mnie coś wyjątkowego, nie wyobrażałem sobie, by kiedykolwiek spojrzała na mnie inaczej niż na psa. A nawet gdyby tak się stało, co dobrego by z tego wynikło?

Uczucie niepokoju przybrało na sile, lecz postanowiłem je zignorować.

Niczym pies tropiciel, którym przecież nie byłem, z nosem przy ziemi zacząłem szukać Emily. Ale na dole, w mieszkaniu pełnym ludzi, jej zapach był prawie niewyczuwalny.

Podreptałem do kuchni, sądząc, że może tam ją znajdę. W połowie drogi przerwałem swoją misję, gdy zauważyłem uroczą Victorię. Mówcie o niej co chcecie, ale w innym życiu, jako Sandy, byłbym nią zachwycony. Jednak w obecnym wcieleniu — przynajmniej chwilowo — postrzegałem ją nieco inaczej. Obiektywnie? Kto wie? Widziałem powierzchowność jej urody i nieszczery uśmiech, jakże inny od uśmiechu mojej żony, której chłodne, surowe piękno skrywało niezwykłą głębię i ciepło.

Kolejny postęp.

Kiedy zobaczyłem Victorię i jej głupkowatego towarzysza wymykających się do sypialni, postanowiłem zabawić się w detektywa i wymierzyć sprawiedliwość wrogowi mojej żony. Pognałem za nimi, ale gdy wybiegłem zza zakrętu, już ich nie było. Zacząłem chodzić od pokoju do pokoju, węsząc pod drzwiami. Z nosem przy ziemi próbowałem wychwycić ich zapach.

Jednak zapomniałem o węszeniu, bo moją uwagę przykuło coś w pokoju Emily.

Uznałem, że Victoria i towarzyszący jej mężczyzna nie schowali się w pokoju ani w łazience i zamierzałem zawrócić, gdy zobaczyłem wyciąg z naszego wspólnego konta bankowego. Ze względu na niewielki wzrost musiałem się nieźle nagimnastykować, żeby sprawdzić, jak moja żona radzi sobie finansowo. Mrużyłem oczy i przekrzywiałem głowę, by dostrzec liczby. Zajęło mi to chwilę, ale w końcu zobaczyłem wszystko czarno na białym. Mimo że Emily zapłaciła zaległe rachunki, na koncie wciąż powinno być mnóstwo pieniędzy. Tymczasem rachunek był prawie pusty, a w ubiegłym tygodniu ktoś podjął z niego sporą sumę.

Z początku byłem zaskoczony. Czułem, jak narasta we mnie niepokój. Co, do diabła, Emily zrobiła z moimi pieniędzmi?

Zanim pojąłem, co się dzieje, i zacząłem zachodzić w głowę, gdzie podziały się pieniądze, zauważyłem coś jeszcze: formularz zgłoszeniowy do Maratonu Nowojorskiego.

Dopadły mnie wspomnienia z poprzedniego życia. Życia, które wiodłem, zanim poznałem Emily i które zostało mi odebrane. Niczym lew tropiący zwierzynę, podpełzłem bliżej i przyjrzałem się formularzowi. Po chwili usiadłem na podłodze, nerwowo merdając ogonem. Dawno temu sam otrzymałem podobny formularz, więc wiedziałem, co to oznacza. Emily zamierzała wziąć udział w maratonie. Moim maratonie.

Podsycona zazdrością złość, którą poczułem na widok pustego konta, rozgorzała niczym ogień. Uczucia i emocje, które sprawiły, że będąc człowiekiem, nie przekazałem Emily prawa do mieszkania, obudziły się do życia z jeszcze większą siłą. Gdzieś w głębi mnie zrodził się krzyk i zmienił się w rozpaczliwy skowyt. Nagle dotarło do mnie wszystko, co się wydarzyło. Cała nadzieja, którą czułem przed chwilą, runęła niczym tama z piasku. Patrzyłem na świat przez różowe okulary, wierząc, że dzięki temu dojrzeję i udobrucham starca. Jednak siedząc w pokoju Emily, musiałem stawić czoło faktom: Emily mieszka w moim domu, bawi się w najlepsze i przygotowuje do wyścigu, w którym tak bardzo chciałem wziąć udział. Żyje życiem, o którym marzyłem i na które nie miałem co liczyć.

Złość i gorycz porażki, zazdrość i inne, bardziej mroczne uczucia mieszały się w moim żołądku. Podniosłem głowę i zawyłem, nie zwracając uwagi na kręcących się po domu ludzi. Opłakiwałem stratę, z którą nie potrafiłem się pogodzić i której do końca nie rozumiałem. Lamentowałem nad wszystkimi rzeczami, których już nigdy nie zrobię. Jednak rozpacz zniknęła równie szybko, jak się pojawiła, zastąpiona zupełnie nowym uczuciem, które przypominało wypuszczoną z klatki rozjuszoną bestię — wściekłość.

Emily

Kiedy moja matka była młoda, słynęła z radykalnych poglądów. Wkrótce po tym, gdy przyszłam na świat, zrezygnowała ze swoich przekonań. Była jednak niczym alkoholik rezygnujący z wina — zawsze spragniona jego smaku, siłą woli zmuszająca się do abstynencji, dobra dla otaczających ją ludzi i zła na swoją duszę, która wyschła, bo nie znalazła dla siebie innego pokarmu.

fragment książki *Córka mojej matki*

Rozdział trzydziesty trzeci

Obudziłam się w półmroku i przez ułamek sekundy nie miałam pojęcia, gdzie jestem ani jak to się stało, że zasnęłam.

Nagle sobie przypomniałam. Ja. Max. Seks. W jego maleńkim mieszkaniu. Po tym, jak wyszliśmy z przyjęcia i zostawiliśmy gości samym sobie.

Myśl o tym, jak bardzo byłam nieodpowiedzialna, sprawiła, że poczułam w piersi bolesny ucisk.

Jednak gdy zerknęłam w bok i zobaczyłam Maxa leżącego na brzuchu, przykrytego prześcieradłem, gdy poczułam na sobie przyjemny ciężar jego ramienia, które mnie przygniatało, ogarnęło mnie rozkoszne zadowolenie.

Kochał mnie.

O dziwo, nie miałam wątpliwości, że mówił prawdę.

Najostrożniej, jak tylko mogłam, wyślizgnęłam się z łóżka. Spojrzałam na niego, na opadające na twarz kosmyki włosów, i przez chwilę miałam ochotę odgarnąć je i wrócić w jego ramiona. Jednak posłuchałam głosu rozsądku, nawet jeśli wcześniej wystawiłam gości do wiatru.

Miałam wyrzuty sumienia, że tak się wymknęłam z jego łóżka, ale nie byłam gotowa spojrzeć mu w twarz. Nie miałam pojęcia, czy ważne było to, co się między nami wydarzyło. To, że mnie kochał. Odepchnęłam od siebie te myśli. Nie miałam ochoty się nad tym zastanawiać. Przynajmniej nie teraz. Chciałam zacząć nowe życie, miejmy nadzieję, że z Maxem, ale żeby to zrobić, musiałam uporządkować pewne rzeczy. Sprawę z mieszkaniem. I kolejną, z książką Jordan. Myśl o tym sprawiła, że przypomniałam sobie rozmowę z Heddą i to, co powiedziała o mojej matce.

Jeśli naprawdę chciała zostać w domu i zajmować się dziećmi, dlaczego tak zażarcie walczyła z nauczycielami i pracownikami pralni chemicznej? I dlaczego wróciła do pracy zaraz po tym, jak Jordan się wyprowadziła? Przez długi czas żyłam w przekonaniu, że rzuciła pracę i została w domu ze względu na moją siostrę. Jednak po rozmowie z Heddą nie byłam już tego taka pewna.

Ubrałam się i wyszłam na palcach na korytarz. Budynek był dziwnie cichy, gdy zeszłam po schodach do wejścia dla służby i dalej, do mieszkania. Cała ta sytuacja wydawała się niedorzeczna. Byłam dorosłą kobietą i nie musiałam się przed nikim tłumaczyć.

Zmarszczyłam nos i najciszej, jak tylko mogłam, nacisnęłam klamkę. Modliłam się, żeby nie obudzić Einsteina, który o piątej rano z pewnością jeszcze śpi. Kolejna niedorzeczna myśl. Niby dlaczego pies miałby interesować się tym, z kim spałam?

Światła w kuchni były zgaszone. Najwyraźniej Birdie przejęła dowodzenie i powiedziała pracownikom firmy cateringowej, żeby posprzątali i zamknęli mieszkanie. Dziękuję, Birdie.

Drzwi zamknęły się z cichym szczęknięciem. Bosa, z butami w ręku, odwróciłam się.

— Och!

W kuchni czekał na mnie Einstein. Sierść miał zjeżoną, a zęby obnażone, jakby szykował się do skoku. Widząc mnie, wydał niski, gardłowy pomruk. Podszedł bliżej i zaczął węszyć. Nagle znieruchomiał i znowu warknął. Przez ułamek sekundy miałam upiorne wrażenie, że się na mnie rzuci.

Czy to możliwe, że jest zazdrosny o to, że się z kimś spotykam? Odpędziłam tę myśl. Kawa. Potrzebowałam kawy. Dopiero gdy się napiję, będę w stanie pomyśleć.

Bez słowa minęłam Einsteina. Włączyłam ekspres i zmusiłam się, żeby nie patrzeć na kapiący powoli gorący, aromatyczny napój. Einstein nawet na chwilę nie spuszczał ze mnie wzroku i miałam wrażenie, że mnie ocenia.

— Przestań się gapić.

Warknął.

Nalałam sobie pierwszą filiżankę kawy, kiedy ktoś po cichu wszedł do mieszkania. Oboje z Einsteinem przechyliliśmy głowy, wiedząc, że tłumiony stukot ciężkich buciorów oznacza, że Jordan próbuje wślizgnąć się niepostrzeżenie.

— Nie wróciła na noc do domu? — spytałam.

Einstein mnie zignorował.

Odstawiłam filiżankę i policzyłam do dziesięciu, opierając ręce na blacie, po czym wyszłam z kuchni, żeby stanąć twarzą w twarz z siostrą. Einstein ruszył za mną.

— Powiedz, że wyskoczyłaś do Starbucksa po kawę, żeby nie zasnąć nad książką — powiedziałam.

Jordan zesztywniała, a poczucie winy malujące się na jej twarzy natychmiast zamieniło się w złość.

— A jeśli nie, to co?

— Powiedziałaś, że zamkniesz się w pokoju, żeby dokończyć książkę.

— Jasne, tylko to cię interesuje. Pieprzona książka.

— To twoja książka! — warknęłam, zanim zdołałam ugryźć się w język. Odetchnęłam głęboko. — To ty uparłaś się, żeby ją napisać, nie ja. Nie chciałam mieć z nią nic wspólnego. Zrobiłam to dla ciebie.

Jordan przewróciła oczami.

— Zrobiłaś to dla mnie, jasne. Zrobiłaś to, bo bałaś się o własną dupę, a moja książka była ostatnią deską ratunku.

Wyprostowałam się.

— Ta Victoria to niezła idiotka — dodała. — Wczoraj wieczorem wpadłam na nią w holu. — „Ty jesteś Jordan, prawda?" — ciągnęła, naśladując Victorię. — Odparłam, że nie, ale ona tylko się roześmiała i powiedziała, że wyglądam dokładnie tak jak ty. Potem zaczęła wypytywać o książkę i stwierdziła, że rzuciłaś taki pomysł tylko dlatego, że miałaś nóż na gardle. Moja książka ocaliła ci tyłek. Chociaż zawsze byłaś w tym dobra, zawsze wiedziałaś, jak spaść na cztery łapy.

Potrzebowałam chwili, żeby odzyskać panowanie nad sobą.

— Jeśli musiałam się ratować, to tylko dlatego, że nie miałam matki, która przychodziła mi z pomocą za każdym razem, gdy pakowałam się w kłopoty.

— Zabawne. Jeśli dobrze pamiętam, byłaś tak nudna, że nie miałaś pojęcia, jak wpakować się w tarapaty. Mała Panna Mądralińska. Tak, nikt nie mógł się równać z Panną Idealną. A na pewno nie ja, Mała Nieudacznica.

— Gdybyś choć raz postąpiła odpowiedzialnie, nie... schrzaniłabyś tak wielu rzeczy.

— Jasne, oto odpowiedź. Mogłam wyrosnąć na drugą ciebie. Sztywną idiotkę, która wysysa życie z każdego, kto znajdzie się w pobliżu... nawet z tego palanta, który był twoim mężem. To naprawdę takie dziwne, że facet miał romanse?

Odchyliłam głowę, jakby mnie uderzyła. Jordan zamilkła i spojrzała na mnie. Słowa zamarły jej na ustach.

— Cholera, Emily, przepraszam. A niech to, nie chciałam tego powiedzieć.

— Właśnie, że chciałaś. Zawsze myślałaś o mnie w ten sposób.

Jordan ściągnęła brwi.

— Jestem suką. Przepraszam. Ja tylko chcę... chcę, żebyś kochała mnie taką, jaka jestem. Mnie, głupią, nierozsądną Jordan. Dlaczego nie mogę być sobą?

— Nie jesteś głupia, Jordan. I kocham cię taką, jaka jesteś.

— Taa, jasne. Chcesz, żebym była Małą Panną Zorganizowaną. Tak jak mama chciała zrobić ze mnie Małą Pannę Feministkę.

— Jordan, to nieprawda.

— Czyżby? Kto, jak nie ty, ubierał mnie w śliczne sukienki dla lalek i kręcił mi loki? A mama chwaliła się mną przed swoimi znajomymi, kiedy przykułam się do drzwi stołówki, żeby zaprotestować przeciwko nierównym zarobkom mężczyzn i kobiet.

Pamiętam, że mama musiała iść do szkoły, żeby ją odebrać. „Jordan, Jordan, Jordan", lamentowała. Ale tej samej nocy, przy martini, z dumą opowiadała przyjaciołom o wyczynie małej córeczki. „Zobaczycie, mówiła, kiedyś będzie startowała na stanowisko przewodniczącej Narodowej Organizacji Kobiet. Gdzie tam, zostanie przewodniczącą!".

— Przyznaj, Emily — ciągnęła Jordan zmęczonym głosem — to, że chcesz, żebym była zorganizowana, nie wynika z twojej troski o mnie. Chcesz tego, bo tak będzie lepiej dla ciebie.

— Jeśli tak bardzo cię wkurzam, dlaczego wciąż tu jesteś? Dlaczego chciałaś, żebym wydała twoją książkę?

— Kto wie, najwyraźniej byłam szalona.

— To wszystko? Musisz być szalona, żeby ze mną mieszkać?

— Nie to miałam na myśli.

Próbowała mnie wyminąć, ale złapałam ją za ramię.

— Dlaczego, Jordan? Dlaczego wróciłaś? Naprawdę.

Krew napłynęła jej do twarzy i widziałam, że zacisnęła zęby.

— Bez powodu, Emily.

Próbowała się uwolnić, ale nie zamierzałam pozwolić jej odejść.

— Do diabła, Jordan, dlaczego...

— Bo chciałam mieć pewność, że nadal mnie kochasz! Zadowolona?

Stałyśmy tuż obok siebie w skąpo oświetlonym korytarzu. Czułam emanującą z niej złość. Nagle zawahała się, jakby nie była moją siostrą, a jej gniew przerodził się w niepewność i niemal dziecięcą bezbronność.

— Do diabła, Em, zachowałam się jak kretynka, gdy powiedziałaś mi przez telefon, że boisz się, iż Sandy ma romans. Wiem, że na to nie zasługuję, ale chciałam się upewnić, czy wciąż mam rodzinę.

Próbowałam ją zrozumieć.

— Oczywiście, Jordan, masz przecież mnie. I bez względu na to, co wydarzyło się w przeszłości, masz jeszcze ojca i jego rodzinę.

— Właśnie. Jego rodzinę. Nie moją. — Zagryzła wargi. — Kiedy wróciłam, najpierw pojechałam na Long Island. Pomyślałam, że spędzę trochę czasu z nim i z tobą. Więc najpierw pojechałam do niego. Nie zdążyłam zdjąć plecaka, a ojciec i jego żona stanęli w zagraconym przedpokoju, pośród tych wszystkich gównianych rzeczy, które jej zdaniem są takie eleganckie, i zapytali, jak długo zamierzam zostać. Kiedy powiedziałam, że przyjechałam na jakiś czas, jego żona naburmuszyła się i zniknęła w pokoju. A wiesz, co powiedział ojciec?

Współczułam jej, jeszcze zanim cokolwiek powiedziała.

„Przykro mi, Jordan, ale nie sądzę, żeby to był dobry pomysł. Nie masz najlepszego wpływu na moje dzieci".

Jordan otarła oczy wierzchem dłoni.

— Jego dzieci. Jakbym nie była jednym z nich. — Odchyliła głowę i jęknęła. — Mam dwadzieścia dwa lata, a czuję się, jakbym wciąż miała piętnaście. Wiem, że mnie kochasz, Emily, ojciec też pewnie kocha mnie na swój sposób, ale to nie znaczy, że się mnie nie pozbędziesz tak jak on czy Serge. Sęk w tym, że nie potrafię być inna. Zawsze jestem tą samą szaloną Jordan. — Odetchnęła głęboko. — Przepraszam, że przyjechałam i namieszałam w twoim życiu. Ale jeśli cię stracę, jeśli przestaniesz mnie kochać, zostanę zupełnie sama.

Wreszcie wszystkie fragmenty układanki wróciły na swoje miejsce. Straciła głowę dla faceta, straciła przez niego pracę i straciła ojca, który ułożył sobie życie bez niej. Zostawiła nas matka. Byłyśmy dwoma dziewczynkami bez rodzin, a mimo to wciąż nie umiałyśmy się porozumieć.

— Och, Jordan. — Objęłam ją i przytuliłam. — Kocham cię.

Przylgnęła do mnie, jakby obawiała się, że lada chwila wypuszczę ją z objęć.

Tamtego dnia, gdy przeczytałam konspekt jej książki, po raz pierwszy uświadomiłam sobie, że życie Jordan wcale nie było łatwiejsze od mojego. Jednak wtedy nie wzięłam sobie tego do serca. Czytałam słowa, czułam emocje, ale nie zmieniłam zdania na temat mojej siostry. Dopiero teraz, gdy trzymałam ją w ramionach, pomyślałam, że może jej życie było jeszcze cięższe niż moje. Gdy mama umarła, Jordan była młodą przerażoną osiemnastolatką. Nie było mnie przy niej. Pochłonęła mnie miłość do Sandy'ego, która stała się ucieczką od bólu.

— Nie chcesz tu być, prawda? — spytałam. — Wcale nie chcesz być pisarką.

— Masz rację, nie chcę. Ale po tym, jak straciłam pracę i rozstałam się z facetem, zastanawiałam się, co mogłabym robić. Myślałam o mamie i spisywałam swoje przemyślenia. W końcu przyjechałam tu i naprawdę nie chciałam prosić cię o pieniądze. Wtedy wpadłam na pomysł z książką. Pomyślałam, że mogłabym zacząć pisać. Poza tym to było coś, co mogłybyśmy robić razem. Może to by nas do siebie zbliżyło. Może z całego tego bałaganu wyniknęłoby coś dobrego.

Ujęłam w dłonie jej twarz i uśmiechnęłam się.

— Kocham cię za to. Ale nie musisz siedzieć tu ze mną, żebym cię kochała. Kocham cię bez względu na to, gdzie jesteś. I niezależnie od tego, gdzie będę, wiedz, że zawsze znajdziesz u mnie dom.

Jordan oparła głowę na moim ramieniu.

— To znaczy, że nie zależy ci na książce? — szepnęła z nadzieją.

— Niestety, zależy mi na niej. Obiecałaś, że ją napiszesz. Dokończ ją, Jordan. Przyrzekam, że ci pomogę. Kiedy skończysz, kupię ci bilet lotniczy, żebyś mogła polecieć, dokąd tylko będziesz chciała.

Wyprostowała się i przez dłuższą chwilę patrzyła na mnie w milczeniu.

— Kocham cię, Emily — wyznała w końcu.

— Ja też cię kocham.

Einstein

Rozdział trzydziesty czwarty

Błagam.

W życiu nie słyszałem takiego sentymentalnego gówna.

„Kocham cię, Emily".

„Ja też cię kocham".

Widząc ich zapłakane twarze, miałem ochotę zwrócić wszystkie tarty i ptysie, które zjadłem podczas przyjęcia.

Emily poszła do jednej sypialni, a Jordan do drugiej. Zamknęły drzwi i po chwili usłyszałem szum wody w łazience, ale nawet zapach truskawkowego szamponu do włosów nie był w stanie mnie pocieszyć. Byłem wściekły. Czułem się oszukany. Tylko co mogłem na to poradzić?

Moja żona sypiała z innym mężczyzną. Wiedziałem o tym, jeszcze zanim wślizgnęła się do mieszkania. Zapach tego kolesia, Maxa, potwierdził tylko to, czego i tak się domyślałem. Jednak najbardziej bolało mnie to, że Emily żyła moim życiem i — jeśli wierzyć wyciągowi z rachunku oszczędnościowego — szastała moimi pieniędzmi niczym saudyjska księżniczka. Pogodziła się z moją śmiercią i trwoniła moje pieniądze.

Wściekłość narastała i czułem, że górę bierze dawny Sandy Portman. W tamtej chwili nienawidziłem Emily. Gdy byłem człowiekiem, irytowała mnie i miałem jej dość, ale nigdy jej nie nienawidziłem.

Wszystko, co osiągnąłem, znikło niczym psie szczyny w studzience ściekowej na nowojorskiej ulicy. Miałem gdzieś to, że zachowywałem się jak prostak. Nie obchodziło mnie, że życzyłem mojej żonie wszystkiego, co najgorsze. Nawet nie próbowałem się uspokoić. Modliłem się tylko, żeby wydarzyło się coś strasznego, co wywróci jej życie do góry nogami.

Kiedy poczułem między oczami przeszywające ukłucie, zignorowałem je. No dalej, staruchu, pokaż, na co cię stać, drwiłem. Krążąca w moich żyłach adrenalina sprawiała, że właściwie nie czułem bólu.

Szum wody ucichł, najpierw w pokoju Jordan, a zaraz potem w sypialni Emily. Jordan kończyła się wycierać, podczas gdy Emily dopiero zaczęła się namydlać. Najdziwniejsze było to, że kilka minut później Jordan uchyliła drzwi i przez chwilę nasłuchiwała, co dzieje się w pokoju siostry.

Włosy wciąż miała mokre, ale była ubrana. Z plecakiem na plecach i workiem marynarskim w ręku wyszła na korytarz.

Jordan wyjeżdżała. Na dobre.

Ciekawe.

Gdy mnie zobaczyła, położyła palec na ustach, pokazując mi, żebym był cicho. Ostatnie tygodnie trochę mnie do niej przekonały, ale teraz nie miało to znaczenia. Nie zamierzałem jej zatrzymywać. Co więcej, gdybym mógł, pomógłbym jej wynosić bagaże.

Kiedy nabrała pewności, że Emily jest zajęta, podeszła do drzwi, zatrzymując się przy stoliku. Po raz ostatni obejrzała się za siebie i tęsknym spojrzeniem omiotła mieszkanie.

Wyjęła z kieszeni kartkę i położyła ją na stole.

— Pa — szepnęła do mnie, do mieszkania albo do Emily za drzwiami sypialni.

Nie miałem pojęcia, co było napisane na kartce, a ponieważ w pobliżu nie stało krzesło, na które mógłbym się wdrapać, musiałem uzbroić się w cierpliwość.

Część mnie chciała zignorować list i zapewnić Jordan bezpieczną ucieczkę. Byłem pewny, że wiadomość — bez względu na to, jaka była — zdruzgocze moją żonę, bo nawet ja wiedziałem, że Jordan prysnęła, nie skończywszy książki. Ponieważ sam nie mogłem wymierzyć Emily odpowiedniej kary, cieszyła mnie myśl, że spełniło się moje marzenie. Nawet jeśli była to zasługa mojej szwagierki.

Szczekałem, aż Emily wyszła z sypialni, pospiesznie wkładając szlafrok. Kiedy zobaczyła mnie w korytarzu, zatrzymała się.

— O co chodzi, E? Chcesz wyjść? Jesteś głodny?

Na dźwięk słowa „głodny" poczułem, że do głosu dochodzą pierwotne instynkty. Zacząłem się ślinić i z trudem powstrzymałem się, by nie pognać do kuchni. Ale dość miałem Emily, Einsteina, starca i wszystkich tych, którzy siali w moim życiu zamęt i spustoszenie. Zaszczekałem.

— E?

Kiedy się nie ruszyłem, Emily podeszła do mnie.

— Wszystko w porządku? — Rozejrzała się w poszukiwaniu smyczy i wtedy zobaczyła liścik.

Zesztywniała, jakby nie wiedziała, co zrobić — sięgnąć po list czy uciekać. Drżącą ręką wzięła kartkę i zduszonym głosem zaczęła czytać.

Droga Emily,

przepraszam. Miałaś rację, jestem nieodpowiedzialna. I nie mogę napisać książki. Nie uważam, że nie powinna powstać, ale nie mam pojęcia, jak to zrobić. Na początku było łatwo, więc myślałam, że wszystko pójdzie jak z płatka. Ale nie. Nienawidziłam każdej chwili, którą jej poświęciłam. Wbrew temu, co mówiłam, wszystko, co napisałam od samego początku, jest bez sensu. Uwierz mi, że się starałam. Pisałam i przepisywałam, ale wszystko to jest do niczego.

Wracam do Ameryki Południowej. Bez względu na to, jakie błędy popełniłam w Domach dla Kobiet Bohaterek, dobrze mi tam i nadal chcę pomagać innym. Na dobre i na złe, taka właśnie jestem.

Mam nadzieję, że mi wybaczysz, bo niezależnie od tego, co o mnie myślisz, kocham cię.

Trzymaj się,

Jordan

Z gardła Emily wydobył się głęboki, żałosny jęk.
— Nie, nie, nie — szepnęła. List wypadł jej z ręki.
Jak w transie odwróciła się i pobiegła do pokoju gościnnego.
— Jordan?
Odpowiedziała jej cisza.
— Jordan!
Patrząc na nią, miałem wrażenie, że oglądam łzawą scenę z kiepskiego filmu. Mnie ona nie wzruszyła. Triumfując, odwróciłem się i wyszedłem.

Rozdział trzydziesty piąty

Nawet jeśli nie przepadałem za tą dziewczyną, musiałem przyznać, że to, co zrobiła, było genialnym posunięciem.

Uczucie triumfu nie trwało jednak długo, bo zaledwie do rana, kiedy to rozdzwonił się telefon. Niestety nikt nie pofatygował się, żeby go odebrać. Wszyscy zostawiali wiadomości. Ten palant Max. Tatiana. Birdie. Z nich wszystkich Max był najbardziej uparty i nawet kilka razy pukał do drzwi.

Dzwoniła moja matka i mój prawnik, którzy — tak jak się tego spodziewałem — zaatakowali ze zdwojoną siłą w najmniej spodziewanym momencie i jedna po drugiej zostawiali kolejne wiadomości.

Buzująca w żyłach adrenalina wciąż zagłuszała uczucie przemijania, ale ból, który zagnieździł się w mojej głowie, sprawiał, że powoli traciłem siły. Byłem jednak zbyt zajęty własną małostkowością, by zwracać na cokolwiek uwagę.

Kiedy wszedłem do kuchni, Emily siedziała przy stole, wpatrując się w inspirowane Julią Child idealne połączenie masła, cukru i śmietany. Dobrze. Moja żona wracała do dawnych przyzwyczajeń.

Zakładałem, że przestanie biegać, zapomni o chodzeniu do pracy i przytyje tak bardzo, że Max przestanie się nią interesować. Jeszcze lepiej.

Poza tym zrezygnuje z udziału w maratonie albo w ogóle nie pojawi się na linii startu. Każda z tych dwóch opcji była mi na rękę.

Usłyszałem sygnał automatycznej sekretarki i swój własny głos, jakże ludzki i pełen życia. Dzwonił mój prawnik. Znowu.

„To niedopuszczalne, pani Barlow. Nikt nie chce wyrzucić pani na ulicę. Ale jeśli nie skontaktuje się pani ze mną, obawiam się, że będziemy zmuszeni podjąć bardziej drastyczne kroki".

Następna zadzwoniła Tatiana.

„Emily? Odbierz. Dzwoniłam do ciebie na komórkę chyba ze sto razy. Musimy porozmawiać".

Pauza.

Emily nawet nie drgnęła.

„Emily", dodała zniecierpliwiona, jednak nie powiedziała nic więcej i się rozłączyła.

— Co ja teraz zrobię? — spytała szeptem Emily. Miałem wrażenie, że nie mówi do mnie, ale do nietkniętego ciastka.

Niestety dla nas obojga, musiałem wyjść.

Z trudem przekonałem o tym Emily. Moja żona jęknęła i przyniosła smycz. Zanim wyszliśmy, zatrzymała się w przedpokoju i spojrzała na mieszkanie.

Przez cały czas, gdy byliśmy na dworze, stała na chodniku i niewidzącym wzrokiem patrzyła na samochody, a gdy załatwiłem swoje potrzeby, bez słowa pociągnęła mnie w stronę domu.

Szliśmy pod portykiem, gdy Emily zawołał nieznajomy mężczyzna. Od razu wiedziałem, że coś jest na rzeczy. Przez chwilę węszyłem w powietrzu ciekawy, czy poczuję zapach broni. Rzeczywiście wyczułem coś metalicznego.

— Emily Barlow Portman? — spytał mężczyzna.

Emily wyglądała na zmieszaną.

— Tak?

Mężczyzna machnął jej przed oczami identyfikatorem, na którym z trudem dostrzegłem słowa „urzędnik sądowy". Zaraz potem schował go i wyciągnął w stronę Emily kopertę. Sięgnęła po nią odruchowo.

— Przyjęła pani właśnie nakaz eksmisji.

Emily zesztywniała i pospiesznie przejrzała zawartość koperty. Kiedy podniosła głowę, mężczyzny już nie było.

— Eksmitują nas — powiedziała do mnie głosem wypranym z emocji. — Mamy się wynieść do pierwszego tygodnia listopada albo zostaniemy siłą usunięci z mieszkania. Pismo zostało nadane przez Fundusz Rodziny Portmanów.

Patrzyła na kartki, jakby nie wierzyła własnym oczom.

„Lepiej w to uwierz!" — miałem ochotę krzyknąć.

Obudziło się we mnie dobrze znane poczucie wyższości, było niczym stary koc, pod którym czułem się bezpieczny. Wszelka motywacja, by być dobrym i bardziej miłosiernym, przestała mieć znaczenie. Adrenalina opuściła moje ciało.

I wtedy zaczęły się prawdziwe zmiany.

Nowe uczucie było inne od tych, które zdążyłem poznać. Nie był to przeszywający ból, zawroty głowy ani utrata pamięci. Nie była to również zmiana fizyczna. Zaskoczony zrozumiałem, że esencja mnie, Sandy'ego Portmana, zaczyna znikać.

Nawet teraz, kiedy o tym myślę, zaskakuje mnie to, że zmiana była tak subtelna i minimalna, że właściwie się nią nie przejąłem. Gdy świat wokół mnie tracił wyrazistość, a zapachy i dźwięki stawały się coraz bardziej przytłumione, ja myślałem tylko o jednym: skoro mam iść na dno, zamierzam pociągnąć za sobą Emily.

Emily

Przez lata wierzyłam, że moja matka nosi zbroję. Jednak w miarę upływu czasu zauważałam w jej stalowym pancerzu kolejne szczeliny i pęknięcia. Jej marzeniem było stać się wielką i zmieniać świat. Dorastając, wierzyłam, że osiągnęła obie te rzeczy. Teraz, kiedy jej nie ma, zastanawiam się, czy ona również w to wierzyła. I zadaję sobie pytanie: czy kazała mi gonić za wielkością z obawy, że jej własne osiągnięcia zostaną zapomniane?

fragment książki *Córka mojej matki*

Rozdział trzydziesty szósty

Z głębokiego snu wyrwał mnie dzwonek telefonu. Był poniedziałek rano, cztery dni po przyjęciu. Czułam się jak po zderzeniu z ciężarówką, a uczucie to pogłębiała liczba nieodebranych telefonów i e-maili, które ignorowałam, odkąd Jordan uciekła.

Po omacku przeszukałam torbę w poszukiwaniu telefonu. Przewijając listę wiadomości, dostrzegłam kilka e-maili od wydawcy.

Od: Nate.Clarkson@belvederepress.com
Do: Emily.Barlow@belvederepress.com
Do wiadomości: Tatiana.Harriman@belvederepress.com
Temat: Pilne

Emily:
Doszły mnie słuchy, że jest jakiś problem z maszynopisem *Córki mojej matki*. Przyjdź do mojego gabinetu, kiedy tylko pojawisz się w pracy.

Nate

Do diabła. Czy to możliwe, że Nate dowiedział się o ucieczce Jordan? Czy Tatiana wie?

Nie, to niemożliwe, pocieszałam się w duchu.

Uspokoiłam się. Może próbowali się ze mną skontaktować, żeby powiedzieć mi, że premiera książki została przesunięta, albo lepiej, że w ogóle nie zamierzają jej wydawać. I choć w to nie wierzyłam, modliłam się w duchu, żeby tak właśnie było.

Godzinę później minęłam pracowników ochrony i poszłam prosto do gabinetu Nate'a.

— Chciałeś mnie widzieć — rzuciłam, siląc się na swobodę.

Jednak cały mój spokój zniknął, gdy okazało się, że Nate nie jest sam. Przy oknie stała Tatiana. Jej zaciśnięte szczęki świadczyły o tym, jak bardzo jest zdenerwowana. Victoria siedziała w jednym ze skórzanych foteli i wyglądała na zadowoloną z siebie. Widząc mnie, wzięła fragment maszynopisu i nim potrząsnęła.

— To nazywasz książką? — zwróciła się do mnie. — Te pięćdziesiąt stron bzdur?

— Victorio — warknęła Tatiana.

— Chciałam tylko powiedzieć, że to jakieś kpiny.

Tatiana zmierzyła mnie lodowatym spojrzeniem.

— Jak to się stało? — spytała.

Starałam się uporządkować myśli.

— Byłabym wdzięczna, gdyby ktoś wytłumaczył mi, o co chodzi.

— Maszynopis, który mieliśmy dostać w ubiegły piątek, to katastrofa — wyjaśnił Nate. — Niektóre strony w ogóle nie trzymają się kupy. Choć to najmniejsze z naszych zmartwień. Takie rzeczy można poprawić. Największym problemem jest brakująca część książki.

— Skąd to masz? — spytałam ostrożnie.

Tatiana zerknęła na Victorię, która oblała się rumieńcem.

— Powiedziałaś, że został oddany — zwróciła się do niej.

— Jest poniedziałek! — odparła Victoria. — Powinien zostać oddany.

— W takim razie, skąd go masz? — Tatiana nie dawała za wygraną.

Victoria parsknęła.

— Leżał na stole w jednej z sypialni w mieszkaniu Emily. Miałam udawać, że go nie widzę? Zignorować go?

Kilka razy byłam w pokoju Jordan i nigdy nie widziałam ani jednej kartki. Wiedziałam też, że Jordan nie oddała Victorii maszynopisu. Żeby go znaleźć, Victoria musiała myszkować w moim mieszkaniu.

— Pokaż go.

Niechętnie podała mi maszynopis.

Nate przeczesał palcami włosy.

— To porażka.

Nie słuchałam go i jedna po drugiej przeglądałam kolejne kartki. Wstęp był genialny, jednak tuż po nim zaczynał się prawdziwy chaos. Paragrafy pełne niespójnych, niedokończonych zdań. Wyrwane z kontekstu uwagi typu: *wkleić opis*, albo *napisać, co wtedy myślała mama*. W każdym słowie słyszałam głos Jordan.

Tymczasem Nate nadal ględził tym swoim poważnym głosem:

— Nie powinniśmy byli szukać rozgłosu. Caldecote zawsze słynęło z dobrego smaku! Teraz wyjdziemy na głupków. W mediach już mówi się o książce, która osiem miesięcy przed planowaną premierą okazuje się katastrofą.

— Musimy ją wydać — dodała Victoria, która z trudem ukrywała zadowolenie. — Wszyscy na nas patrzą, Tatiano. Wszyscy patrzą na ciebie.

— Dość tego — przerwała jej Tatiana. Emanowała spokojem, wiedziałam jednak, że to cisza przed burzą.

Victoria się rozpromieniła.

— Wiem, jak to naprawić.

— Jak? — spytał Nate.

— Musimy szybko załatać dziurę w planie wydawniczym jakąś wyjątkową książką. Książką, która sprawi, że wszyscy zapomną o porażce Emily. — Urwała i wyprostowała się. — Mam taką książkę. Pospieszę ci na ratunek, Tatiano.

Tatiana zmrużyła oczy.

— Co to za książka? — spytał Nate.

— To historia miłosna z okresu wielkiego kryzysu. Coś między *Doktorem Żywago* i *Gronami gniewu*. Opowieść o nadziei i triumfie, która doda czytelnikom odwagi w tych trudnych czasach. Oparta jest na prawdziwej historii rodziców autorki.

Choć nie było to łatwe, musiałam przyznać, że przedstawiona propozycja miała swoje plusy. Teraz, kiedy nadarzyła się okazja, Victoria liczyła, że zainteresuje wydawnictwo wybraną przez siebie literaturą faktu, która odniesie sukces na miarę *Intencji Ruth*.

Czując, że dłużej tego nie zniosę, wyszłam z gabinetu, trzymając plik kartek z maszynopisem Jordan.

— Emily! — zawołała za mną Tatiana.

Nie zatrzymałam się jednak. Musiałam pomyśleć.

✠

Nazajutrz rano obudziłam się przerażona. Jednak nie dlatego, że śniłam o wypadku Sandy'ego czy wieczorze poprzedzającym jego śmierć. Dzień wcześniej chciałam, żeby Caldecote wstrzymało wydanie książki Jordan, tak jak chwilami miałam ochotę rzucić wszystko i wyprowadzić się z tego mieszkania. Jednak po przebudzeniu uświadomiłam sobie, że zaszłam już tak daleko, iż głupotą byłoby się teraz poddać.

Odrzuciłam kołdrę, założyłam buty do biegania i zaczęłam szukać odpowiednich rozwiązań.

Kiedy weszłam do kuchni, Einstein zamrugał i spojrzał na mnie z nieukrywaną frustracją i złością.

Przykucnęłam obok niego i podrapałam za uszami.

— Masz ochotę pobiegać?

Wyglądał na zmęczonego, jednak gdy dotknęłam jego nosa, nie był rozpalony.

Po krótkim spacerze odprowadziłam go na górę, a sama poszłam do parku. Nie przejmowałam się Maxem ani pełnymi troski wiadomościami, które zostawiał na automatycznej sekretarce. W ostatniej z nich mówił, że skoro chcę, żeby dał mi spokój, uszanuje moje życzenie. Nie chciałam tego, ale prawda była taka, że bez względu na to, czy pragnęłam z nim być, czy też nie, nasz związek nie miał przyszłości. Max był dwudziestosiedmioletnim byłym komandosem, kochał chodzić po górach i nie wiedział, co zrobić ze swoim życiem. Ja byłam trzydziestodwuletnią wdową, która wciąż nie doszła do siebie po stracie męża.

Wbiegłam na wysypaną żwirem ścieżkę i ruszyłam na północ. Zatraciłam się w rytmie biegania i zanim dotarłam na szczyt, w mojej głowie zaczął powstawać plan.

Godzinę później, gdy pojawiłam się w Caldecote, poszłam prosto do gabinetu Tatiany. W pokoju oprócz niej zastałam Nate'a, kierowniczkę działu sprzedaży i szefową działu produkcji. Dzięki temu nie musiałam ganiać od jednego działu do drugiego.

W gabinecie była również Victoria, jednak nie zaskoczyło mnie to ani nie onieśmieliło.

— Znalazłam rozwiązanie — oznajmiłam.

Nate ściągnął brwi.

— My też mamy rozwiązanie.

— Moją książkę! — pisnęła Victoria.

Wszyscy, łącznie z Nate'em, ją zignorowali.

Tatiana spojrzała na mnie.

— Co masz na myśli, Emily?

— Dajcie mi sześć tygodni — poprosiłam. — Sześć tygodni i obiecuję, że *Córka mojej matki* będzie gotowa.

— Jak masz zamiar to zrobić?

— To oczywiste, że twoja siostra nie potrafi pisać — skwitowała Victoria.

— Posłuchajcie, wszyscy zachwycali się wstępem, który jest fenomenalny. Ale Jordan nie dała rady. Nigdy wcześniej nie pisała. Jeśli będzie trzeba, zatrudnię kogoś, kto napisze to za nią. — Nie powiedziałam im o jednym małym problemie, a mianowicie o tym, że Jordan uciekła. — Tak czy inaczej, dopilnuję, by ta książka powstała.

Sądząc po ich minach, nie podzielali mojego entuzjazmu.

— Sytuacja jest nieciekawa — ciągnęłam. — Ludzie wiedzą o książce i jeśli usuniemy ją z planu wydawniczego, pomyślą, że jesteśmy niezdecydowani.

— I tak wyglądamy na niezdecydowanych — prychnęła Victoria. — Spójrzmy prawdzie w oczy, prezentujemy się kiepsko.

— Jeszcze nie. Nikt oprócz naszej szóstki nie wie, że książka jest daleka od ideału.

Victoria parsknęła.

Tymczasem ja mówiłam dalej, przez cały czas czując na sobie wzrok Tatiany.

— Pozwólcie, że to naprawię. Nikt nie musi wiedzieć, że wynikły jakieś problemy.

Nate miał ponurą minę. Victoria patrzyła na mnie, jakbym żyła złudzeniami.

— Możesz mi wierzyć albo nie, Victorio, ale to, że Tatiana czy nawet ja na tym stracimy, wcale ci nie pomoże.

— Nigdy nie powiedziałam...

Przerwałam jej.

— Wiemy, że Caldecote Press zależy na zdobyciu udziałów w rynku, a to oznacza, że przede wszystkim musimy zarabiać.

Nawet jeśli nikt nie powiedział tego otwarcie, świadczyło o tym pojawienie się Tatiany. Nie zaprzeczysz chyba, że *Intencje Ruth* odniosły sukces. Ale jeśli chodzi o ludzi z zewnątrz, obie wiemy, że prace nad wydaniem książki były w toku na długo przed tym, zanim Caldecote zatrudniło Tatianę. *Córka mojej matki* to pierwsza duża książka, która powstaje pod jej okiem. Jeśli nagle przyznamy się do porażki, podkopiemy wiarygodność Caldecote jako wydawnictwa, które potrafi przedefiniować swoją pozycję na rynku.

— Jedna książka nie zmieni wizerunku Caldecote — warknęła Victoria.

— To prawda, do tego potrzeba serii sukcesów. Ale takie komplikacje mogą istotnie wpłynąć na wizerunek wydawnictwa.

Nate nie wyglądał na szczęśliwego, ale nie zaprzeczył.

— Dajcie mi sześć tygodni, a pomogę Jordan dokończyć książkę — powtórzyłam. — Wszystko naprawię.

Tatiana w milczeniu spojrzała na kierowniczkę działu produkcji.

— Powiedz mi, Erin, czy jeśli przyspieszymy produkcję, damy radę dostarczyć na czas egzemplarze recenzyjne dla magazynów?

Erin wyglądała, jakby pospiesznie dokonywała w głowie obliczeń.

— Tak, ale to będzie kosztowne.

— A co ty o tym myślisz, Mercy? — spytała Tatiana.

Szefowa działu sprzedaży spojrzała na mnie i skinęła głową.

— Myślę, że powinniśmy się zgodzić. Jeśli ktoś to może zrobić, to tylko Emily.

Nate zacisnął usta.

— Wcale mi się to nie podoba.

Victoria się odprężyła, jakby ktoś zdjął jej z ramion ogromny ciężar.

— Ale wygląda na to, że nie mamy wyboru — dodał. — Masz rację, Emily, jeśli wszystko pójdzie jak należy, to może się udać.

Tatiana spojrzała na mnie.

— Dokończ tę książkę, Emily.

Einstein

Rozdział trzydziesty siódmy

Nikt nie był bardziej zaskoczony ode mnie, gdy Emily wróciła z pracy, niosąc pod pachą pudło ze swoimi rzeczami.

Próbowałem podnieść się z miejsca, w którym leżałem od kilku godzin, a może minut. Ostatnio coraz częściej traciłem poczucie czasu.

— Ha! — zaszczekałem i od razu zacząłem kasłać. — Wylali cię!

Nie spodziewałem się, że życie Emily tak szybko legnie w gruzach, ale nie ukrywam, że byłem z tego powodu bardzo zadowolony. Z każdą zjadliwą, pełną nienawiści myślą uczucie przemijania się nasilało. Wciąż jednak nie przywiązywałem wagi do chaosu, który oddziaływał na moje ciało i umysł.

— Dasz wiarę, E? — spytała podekscytowana.

Zesztywniałem, czułem, że jeży mi się sierść. Nie zachowywała się jak ktoś, kto właśnie stracił pracę.

— Do czasu, aż napiszę książkę, będę pracowała w domu!

— Co? Jak to możliwe?

— Przekonałam ich, że najlepiej będzie, jeśli zostanę w domu i będę na bieżąco redagowała maszynopis Jordan!

Otworzyłem pysk ze zdumienia. Emily się skrzywiła. Najwyraźniej nie musiałem jej przypominać, że Jordan uciekła. Zaraz jednak się rozchmurzyła.

— Wiem, że powinnam była im powiedzieć o Jordan, ale nie mogłam. Zapomnijmy o mnie, jednak gdyby mój idiotyczny pomysł z książką miał zrujnować Caldecote, nie darowałabym sobie tego.

Posłała mi drwiący uśmiech, który przypomniał mi dawną, pozornie nieśmiertelną Emily, pełną życia, energii i wiary w siebie. Zrozumiałem, że się pomyliłem, że moja żona wcale się nie poddała, a jej życie nie jest w rozsypce. Wręcz przeciwnie — oto powróciła dawna Emily.

Czułem, jak narasta we mnie złość.

— Poza tym, spójrz na to w ten sposób — ciągnęła. — Jeśli pomysł nie wypali, łatwiej im będzie zwolnić kogoś, kto przez ostatnie sześć tygodni nie pokazał się w pracy.

Nie tylko nie była załamana, ale ze zdwojoną energią zaczęła przeczesywać sypialnię Jordan.

— Na pewno zostawiła tu materiały do książki. — Odwróciła się i spojrzała na mnie. — Myślisz, że zabrała je ze sobą do dżungli?

Nie czekała jednak na odpowiedź.

— Nie, nie zrobiłaby tego. Po co jej pliki, skoro w dżungli nie ma komputera?

Niczym derwisz przetrząsała szuflady i szafę.

— Bingo! — krzyknęła, wirując po pokoju jak baletnica na wieczku pozytywki. Zupełnie jakby widmo katastrofy sprawiło, że zaczęła pracować na najwyższych obrotach.

Znalazła ogólny plan książki i prawie nieczytelne notatki. To jednak jej nie zniechęciło. Schowała zapiski Jordan do pudła z rzeczami, które przyniosła z pracy. Zaraz potem włączyła komputer i otworzyła plik zatytułowany *Córka mojej matki*. Siedząc za jej plecami i dysząc z wysiłku, z trudem dostrzegłem listę rozdziałów. Otworzyła jeden z nich.

— Niewiele tego, ale wystarczy, żebym mogła zacząć.

Wyłączyła komputer.

To wszystko? Ledwo zajrzała do pliku, a już wyłączyła komputer? Na jej miejscu nie tak zabrałbym się do oceny sytuacji. Ale co tam, im gorzej sobie radziła, tym bardziej byłem zadowolony.

Emily jednak wcale nie zamierzała kończyć. Po chwili wyłączyła z sieci komputer, klawiaturę, myszkę i twardy dysk.

Zaintrygowany poszedłem za nią do biblioteki.

— Nie możesz zagracić mojego biurka za pięć tysięcy dolarów! — warknąłem.

— Nie przejmuj się, nie zamierzam pracować w bibliotece.

To, co wydarzyło się w ciągu kolejnej godziny, było jeszcze gorsze. Emily przeniosła komputer i wszystkie materiały do mojego apartamentu na piętrze.

Moje mieszkanie, moje pieniądze, mój maraton, moje życie. A teraz jeszcze to? Byłem wściekły i nie zamierzałem tego ukrywać.

— Uspokój się, E, to tylko sześć tygodni. Żeby to zrobić, potrzebuję ciszy i spokoju.

— Jakbyśmy cierpieli na nadmiar gości — parsknąłem.

— Potrzebuję tego miejsca wyłącznie do pisania. — Spojrzała na mnie. — Zamierzam napisać tę książkę za Jordan i napiszę ją z jej punktu widzenia.

Jasne, to na pewno się sprawdzi.

— Wiem, że to nie będzie łatwe, ale właśnie dlatego jestem taka podekscytowana. Jestem podekscytowana, bo opowiem historię mojej matki i siostry, a przede wszystkim dlatego, że sama ją poznam.

Daruj sobie.

Emily nie zamierzała tracić czasu i zaraz po tym, jak zainstalowała w moim apartamencie centrum dowodzenia, zabrała się do pracy. Wykorzystała chaotyczne notatki Jordan, żeby stworzyć prawdziwy plan książki, ze szczegółowym opisem rozdziałów. Nigdy nie widziałem, jak pracuje, i nie interesowały mnie jej opowieści o pracy, ale nawet ja byłem pod wrażeniem oddania, z jakim wzięła się do roboty.

O dziwo, nie od razu zaczęła pisać. Zamiast tego dzwoniła i umawiała się na rozmowy, po których wracała do domu z zapiskami na temat matki.

Trwało to kilka dni, podczas których uczucie przemijania nieco zelżało. Mój stan nie polepszył się ani nie pogorszył i miałem niejasne wrażenie, że starzec przygląda mi się, jakby na coś czekał.

Kiedy Emily skończyła zbierać materiały, dosłownie rzuciła się w wir pracy. Pracowała bez wytchnienia rano i wieczorem. Nawet o drugiej w nocy słyszałem, jak wstaje i idzie na górę. Słyszałem ciche skrzypnięcie drzwi, stłumiony szmer komputera i niekończące się stukanie w klawiaturę.

Przez kolejne cztery tygodnie Emily pisała. Znalazła też czas, żeby spotkać się z jakimś prawnikiem w sprawie mieszkania. Kiedy wróciła, wiedziałem, że wieści, które usłyszała, nie były dobre. Ona jednak z determinacją pokiwała głową.

— Myślę, że się uda.

Emily i jej wiara.

Jeśli sądziła, że przekona mnie swoimi żarliwymi deklaracjami, była w błędzie. Dźwignąłem się z podłogi i wyszedłem z pokoju.

✠

Jedyną rzeczą, którą Emily robiła poza pisaniem, było bieganie. Pod tym względem była naprawdę nieugięta. No i musiałem przyznać, że wciąż mnie kochała.

Kiedy w końcu dotarło do niej, że coś jest ze mną nie tak, zabrała mnie do weterynarza. Lekarz uznał, że nic mi nie dolega, jednak kiedy rozmawiali na boku, stwierdził, że jestem wyraźnie przygnębiony. Po powrocie do domu Emily wykąpała mnie, przemawiając do mnie czule, choć nie ułatwiałem jej życia. Jeśli wcześniej byłem nieprzyjemny, teraz stałem się po prostu nie do zniesienia.

Warczałem i podgryzałem jej palce. Gdy zostawiła coś na wierzchu, niszczyłem to. Jej ulubione buty — pogryzione. Leżące na podłodze kartki — porwane na strzępy. Kiedy zatracała się w słowach, ja zaczynałem ujadać. Sikałem nawet na moje cenne podłogi.

Bez względu na to, co robiłem, każdego ranka przytulała mnie, a wieczorem przed pójściem spać całowała w czoło, jakby wierzyła, że swoją miłością wyleczy mnie z rzekomej depresji. Ja jednak byłem niewrażliwy na jej starania. Zmieniałem się, ale nie była to zmiana w kogoś wielkiego. Moje uczucia do Emily ewoluowały od niechęci do nienawiści. Nienawidziłem energii, która ją rozpierała, gardziłem siłą, z jaką podnosiła się po każdym upadku, irytowało mnie, gdy relaksowała się w wannie albo rozmawiała przez telefon.

Nie mogłem znieść tego, że pomimo stresu związanego z książką Jordan i problemów z mieszkaniem była szczęśliwa. To irytowało mnie najbardziej.

✠

W końcu nadszedł dzień, kiedy usłyszałem:

— Gotowe!

Wbrew sobie poczułem radosne podniecenie, choć nie miałem wystarczająco dużo siły, by wejść na górę. Do tego czasu nie próbowałem nawet wchodzić po schodach. Emily zbiegła na dół, uklękła przede mną i mnie uściskała.

— Udało się, E! Zrobiliśmy to!

Jak się okazało, wszyscy w Caldecote — przynajmniej wszyscy, którzy byli tam kimś — również byli podekscytowani. Nie minęło dużo czasu, a Emily dowiedziała się, że są zachwyceni maszynopisem. Domyśliłem się tego po kartkach z gratulacjami, bombonierkach i kwiatach, które jej przysyłano. Tatiana podarowała jej butelkę Dom Perignon. Dołączony do niej bilecik głosił: *Dla Jordan za cudowną książkę. I dla Emily za to, że uratowała sytuację.*

Widząc to, miałem ochotę krzyknąć: „Halo! Czy to przypadkiem nie Emily wpakowała cię w te tarapaty?".

Zostawiłem moją żonę sam na sam z jej radosnym nastrojem i przybity wróciłem do sypialni. Czy mi się to podobało, czy nie, Emily była uratowana. Czy mi się to podobało, czy nie, Emily uratowała się sama. Niewiele zrobiłem, żeby jej pomóc.

Jakby tego było mało, zbliżał się maraton.

Moja matka już dawno pogodziła się z moją śmiercią, a teraz Emily wracała do życia. Nie tylko odniosła sukces zawodowy i zamierzała wystartować w maratonie, ale odbudowywała swoje życie, podczas gdy Sandy Portman popadał w zapomnienie i obracał się w nicość.

Rozdział trzydziesty ósmy

Oddawszy maszynopis, Emily bez reszty poświęciła się przygotowaniom do maratonu. Dziwiło mnie, że wciąż jeszcze nie wróciła do wydawnictwa i pracowała w moim apartamencie. Najdziwniejsze jednak było to, że w naszym mieszkaniu pojawił się pewien reporter.

Emily oprowadziła go po domu. Mężczyzna przyglądał się moim zdjęciom, pytał o mnie — Sandy'ego — i interesował się fotografiami Jordan i Lillian Barlow. W końcu oboje wyszli.

Dzwoniła Tatiana, aż pewnego wieczoru przyszła z niezapowiedzianą wizytą.

— Nareszcie — powiedziała, wchodząc do holu, jakby mieszkanie należało do niej. — Wystawiasz na próbę moją cierpliwość, Emily. Doskonale się spisałaś, ale najwyższy czas wrócić do pracy.

Moja żona nie dała się zastraszyć.

— Pracuję nad czymś — odparła z entuzjazmem, który sprawił, że Tatiana spojrzała na nią zaciekawiona. — Poza tym w biurze nie mam zbyt dużo do roboty.

— I nie będziesz miała, dopóki nie wrócisz i nie weźmiesz na warsztat kolejnych książek.

Emily się skrzywiła.

— W twoich ustach brzmi to tak jałowo.

— Dobrze, ujmę to inaczej: musisz wrócić do wydawnictwa i rozpocząć pracę nad literaturą, która stanie się inspiracją dla mas. Lepiej?

Emily zachichotała.

— Tak, lepiej, ale w niedzielę jest maraton, a ja się do niego przygotowuję. Pozwól mi skończyć. W poniedziałek pojawię się w wydawnictwie.

✠

W dzień maratonu, wczesnym rankiem, zanim pojechała na linię startową na Staten Island, Emily włączyła telewizor.

— Pomyślałam, że może będziesz chciał obejrzeć — wyjaśniła.

Mimo wszystko naprawdę chciałem to zobaczyć.

Idąc do drzwi, uklękła przede mną i spojrzała na mnie z niepokojem.

— Nic ci nie będzie, E — szepnęła, choć wiedziałem, że się martwi.

Dobrze. Miałem nadzieję, że to popsuje jej bieg.

Transmisja z maratonu rozpoczęła się kilka godzin później. Żołądek podchodził mi do gardła, gdy z zazdrością patrzyłem na dziesiątki tysięcy biegaczy szykujących się do biegu przez pięć dzielnic Nowego Jorku. Jednak wyobraźcie sobie moje zdumienie, gdy na ekranie pojawiła się twarz Emily.

„W tym miejscu krzyżują się losy tysięcy ludzi, zaczął reporter. Tysiące ludzi przyjechało tu z różnych zakątków ziemi, by wziąć udział w jednym z największych maratonów świata. Emily Barlow Portman jest jedną z uczestniczek, ale jej wyjątkowa historia pozostanie z wami długo po tym, jak Maraton Nowojorski dobiegnie końca".

Na ekranie pojawił się materiał nagraniowy.

„Kiedy Emily Barlow zaczęła biegać, nie zamierzała brać udziału w maratonie".

„Mam psa, oznajmiła ze śmiechem. Einstein sprawił, że najpierw zaczęłam chodzić, a później biegać. Prawdę mówiąc, z początku szczerze nienawidziłam każdej minuty spędzonej w Central Parku. Chodzenie było w porządku, ale bieganie? — Skrzywiła się. — I wtedy stało się coś, co sprawiło, że z chęcią zaczęłam wychodzić z domu. Bieganie pozwalało mi oczyścić umysł i odnaleźć spokój".

„Emily nie wspomniała, że trzy miesiące przed tym, zanim zaczęła biegać, straciła męża".

„Sandy Portman miał trzydzieści osiem lat, mówiła Emily. Nie powinien odchodzić. Był mądry i zabawny. Jego śmierć to dla nas wielki cios".

Oszołomiony wpatrywałem się w ekran telewizora. Kiedy pojawiło się na nim moje zdjęcie, łzy napłynęły mi do oczu. Ach, jaki ja byłem przystojny i pełen życia.

Na ekranie ukazała się Dakota. Zobaczyłem Emily wychodzącą przez główną bramę i Johnny'ego, który uchylał przed nią kapelusza.

Jak to możliwe, że o niczym nie wiedziałem?

„Biegam w parku sześć razy w tygodniu, zwykle wczesnym rankiem, przed wyjściem do pracy. W weekendy biegam na dłuższych trasach".

W kolejnym ujęciu reporter miał na sobie strój do biegania i towarzyszył

Emily w drodze do parku. Kiedy zaczęła biec, biegł obok niej po wysypanej żwirem ścieżce. Kamerzysta odwalił kawał dobrej roboty, utrzymując obraz na tym samym poziomie.

„Mój mąż chciał wystartować w tym maratonie, ale nie miał takiej okazji. Biorę udział w tym wyścigu dla Sandy'ego, który nie zdążył spełnić swojego marzenia, i dla mojego psa Einsteina, który mnie ocalił, kiedy nie mogłam pogodzić się ze śmiercią męża".

Nie wierzyłem własnym uszom. Robi to dla mnie? Sandy'ego Portmana i psa Einsteina?

Na ekran wróciła relacja na żywo.

„Ludzie biegają z wielu powodów, ciągnął reporter otoczony tłumem gapiów. Emily Barlow biegnie dla mężczyzny, którego kochała, i psa, który ją uratował. Możliwe, że nie znajdzie się w czołówce, ale samo to, że stanęła dziś na linii startu, świadczy o tym, że wygrała coś więcej niż zwykły medal".

Jak sparaliżowany siedziałem przed telewizorem i godzina po godzinie oglądałem transmisję z maratonu. Od czasu do czasu na ekranie pojawiała się Emily. Widziałem ją na linii startu, na dziesiątym kilometrze i nieco później na szesnastym. Za każdym razem wyglądała wspaniale. Była silna. Patrząc na nią, nie mogłem powstrzymać uśmiechu.

Na dwudziestym czwartym kilometrze spojrzała w kamerę i pomachała. „Cześć, Einsteinie!"

Byłem pewny, że ludzie pokochają tę historię. Kobieta, która straciła męża, trenuje i spełnia jego marzenie. Nawet ja byłem wzruszony.

Jednak po trzydziestym drugim kilometrze wszystko się zmieniło. Trzydziesty kilometr jest murem, o który rozbija się wielu biegaczy, punktem, gdy ludzie osiągają granice swoich możliwości. W przypadku Emily było to widoczne jak na dłoni.

Pytania, które ludzie zadają sobie przy trzydziestym kilometrze brzmią: Czy dam radę biec dalej? Czy przekroczę granicę? Czy dam radę sięgnąć głębiej i znaleźć w sobie wystarczająco dużo siły?

Po tym, co widziałem na ekranie, Emily uderzyła w mur, a gdy sięgnęła w głąb siebie, nie znalazła niczego, co mogłoby jej pomóc.

— No, dalej, Emily! — szczekałem, gapiąc się w telewizor.

Ale ona mnie nie słyszała. Siedziała przygarbiona na krawężniku, kryjąc twarz w dłoniach. Gdy adrenalina przestała działać, dopadło ją zmęczenie i pojawiły się skurcze.

O dziwo, widok ten wcale mnie nie cieszył. Chciałem jej pomóc, ale nie wiedziałem jak. Zerwałem się z podłogi, chcąc przekazać jej resztki sił, które mi zostały, jednak ona wciąż się nie podnosiła.

Reporter, który towarzyszył jej na starcie i podczas biegu, pochylił się nad nią.

„Jak się trzymasz, Emily?"

— Chyba widzisz, że nie najlepiej, idioto! — warknąłem.

Po jej policzkach popłynęły łzy.

„Myślałam, że dam radę. Wierzyłam, że jeśli zrobię to dla Sandy'ego i Einsteina, będę mogła zacząć normalne życie. Nie tylko przetrwam, ale będę mogła dalej żyć". Podniosła wzrok i zamrugała, gdy uświadomiła sobie, że to na niej skupia się kamera. „Przepraszam", szepnęła.

— Dasz radę! — szczeknąłem. — Wstawaj! Idź, jeśli musisz! Tylko wstań!

Jednak w niebieskich oczach Emily czaił się ból. Trenując, nigdy nie byłem w stanie biec tak szybko jak ona, ale czytałem, że gdyby się uspokoić i oczyścić umysł, można pokonać ból i zamienić go w siłę napędową. Co z tego, skoro nie mogłem jej o tym powiedzieć.

Nagle doznałem olśnienia. Mogłem jej pomóc. Mogłem pomóc mojej żonie!

Zamarłem, zamknąłem oczy i się skupiłem. Tym razem nie krzyczałem ani nie złorzeczyłem.

— Starcze — szepnąłem — pomóż jej, proszę.

Jednak nic się nie wydarzyło. Powietrze wokół mnie pozostało nieruchome.

Odetchnąłem głęboko, nie zamierzałem dawać za wygraną.

— Proszę, pomóż jej. Nie dla mnie, nie dlatego, że biegnie dla mnie. Pomóż Emily, bo na to zasługuje.

Zamknąłem oczy i się modliłem. Nagle poczułem, że świat wokół mnie się zmienia. Otworzyłem oczy i spojrzałem na ekran, na Emily, która drgnęła. Wyprostowała się. Policzki miała mokre od łez, zdezorientowana ściągnęła brwi.

— No, dalej, Emily. Dasz radę — szepnąłem.

Widziałem innych biegaczy, którzy krzyczeli coś do niej, próbując podnieść ją na duchu. Ale Emily siedziała nieruchomo, pogrążona we własnej niedoli.

Nagle na ekranie telewizora pojawił się starzec, który podszedł i usiadł na krawężniku obok niej.

Emily

Lillian Barlow dla wielu — także dla mnie — była tajemnicą. Dopiero gdy zajrzałam pod powierzchnię, poznałam prawdę. Moja matka nie została w domu, żeby wychowywać córki i piec babeczki. Przestała pracować, ponieważ została odepchnięta przez ruch, który uznał, że jej dzikość kładzie się cieniem na tym wszystkim, co zrobiła dobrego. To, co niegdyś nazywano szaleństwami beztroskiej młodej dziewczyny, nagle stało się beztroską, która nie przystoi dojrzałej kobiecie. Kiedy włożyła garsonkę i sięgnęła po aktówkę, nikt nie wierzył, że ta arogancka wyzwolona kobieta potrafi się zmienić. Lillian Barlow żyła w przekonaniu, że wciąż jest kimś, kogo należy szanować i z kim należy się liczyć. Tym większe było jej zaskoczenie, gdy zrozumiała, że po latach cieszy się złą sławą, a świat zapomniał o jej dobrych uczynkach. Jak się okazało, była to jedyna rzecz, z którą nie mogła się pogodzić.

fragment książki *Córka mojej matki*

Rozdział trzydziesty dziewiąty

Nigdy w życiu nie czułam takiego bólu. Nie był to jednak ból fizyczny. Po skończeniu książki Jordan, kiedy trenowałam do maratonu, wierzyłam, że pogodziłam się ze swoim dawnym „ja". Biegając po Central Parku, myślałam o pracy, życiu i szczęściu. Byłam pewna, że gdy wbiegnę na metę, będę mogła zacząć wszystko od nowa. Jednak siedząc na krawężniku, czułam się, jakby fizyczna niemoc, która mnie ogarnęła, była symbolem czegoś większego i znacznie bardziej istotnego.

Może to z powodu zmęczenia, a może przez osłabione siły obronne organizmu, pomyślałam o matce. Z początku wierzyłam, że rozumiem jej motywację. Ale się myliłam. Gdyby nie książka, nie wiem, czy kiedykolwiek zrozumiałabym, że Lillian Barlow miała marzenia, których nie mogła zrealizować. Założyła organizację, która zyskała rozgłos dopiero po tym, jak moją matkę wypchnięto za drzwi — po części dlatego, że chciała widzieć świat innym, niż był w rzeczywistości, a po części dlatego, że miała w sobie niepokój, którego nie mogli załagodzić mężczyźni, dzieci ani to, o co walczyła. Moja matka zmarnowała więcej czasu, wściekając się na niesprawiedliwość świata, niż mogła spędzić, ciesząc się, że robi, co może, by z nią walczyć.

Kiepski sposób na życie.

Co takiego mieli w sobie niektórzy ludzie, co pozwalało im iść dalej i przetrwać nawet najbardziej ekstremalne sytuacje, podczas gdy inni spalali się i dawali za wygraną? Dlaczego, będąc dzieckiem, podnosiłam się po każdym upadku, a po śmierci

Sandy'ego nie mogłam dojść do siebie? I nawet jeśli nie byłam w stanie dokończyć wyścigu, dlaczego było to takie ważne?

Moje skołowane myśli uspokoiły się i poczułam, że ktoś siada obok mnie.

„Masz w sobie siłę".

Poczułam ciepło i pomyślałam, że ktoś zatrzymał się, by mi pomóc. Podniosłam głowę, ale w pobliżu nie było nikogo poza mijającymi mnie w biegu tysiącami ludzi.

„Wbiegłaś na szczyt wzgórza, kiedy myślałaś, że nie dasz rady. Myślałaś, że nigdy nie wrócisz na plażę po tym, jak o mało nie utonęłaś, a jednak następnego dnia znowu tam byłaś".

Powietrze uszło mi z płuc i zdezorientowana zmrużyłam oczy.

„I to, jak próbowałaś ocalić wasze małżeństwo, zamiast dać za wygraną. Za każdym razem, gdy napotykałaś problemy, podnosiłaś się i żyłaś dalej".

Słuchałam tych słów albo raczej je wyczuwałam. Nie byłam pewna.

„Pytanie nie brzmi, dlaczego nie jesteś wystarczająco silna, ale dlaczego wciąż w to wątpisz?".

Próbowałam zrozumieć, co się dzieje. Próbowałam zrozumieć te słowa.

„Wszystko przez to, że chcesz, żeby życie było tym, czym nie jest".

Zupełnie jak moja matka. Toczyła bitwy, których nie mogła wygrać. Jak Don Kichot walczący z wiatrakami.

Ukryłam twarz w dłoniach, świadoma prawdy bez względu na to, skąd pochodziła. Będąc w szkole, chciałam mieć matkę podobną do innych matek. Potrzebowałam ojca i białego płotu, nawet jeśli mama nie wiedziała, kim był mój ojciec, a na Manhattanie próżno było szukać czegokolwiek białego, zwłaszcza płotów. Chciałam, żeby Jordan była słodka i odpowiedzialna, a nie zbuntowana i dzika. Uczepiłam się Sandy'ego i przestałam dostrzegać rzeczywistość, ponieważ chciałam być jego pasją. Marzyłam o mężczyźnie, który będzie kochał mnie wiecznie. Pragnęłam żyć w baśniowym świecie tak bardzo, że nie potrafiłam przejrzeć na oczy i zobaczyć prawdy. Oczywiście, że byłam zła na Victorię, Tatianę, a nawet na samą siebie, ale nie chciałam przyznać, że byłam wściekła na matkę i Sandy'ego. Nie dlatego, że byli samolubni i mnie zdradzili, ale dlatego że żadne z nich

362

nie kochało mnie na tyle mocno, by spełnić moje największe marzenie. To, czy ukończę maraton, czy nie, niczego już nie zmieni.

Tatiana — podobnie jak niegdyś moja matka — zapytała mnie, co takiego ukrywam. Siedząc na krawężniku, uświadomiłam sobie, że nie ukrywam prawdy przed innymi ludźmi. Ukrywam ją przed sobą. Nie dopuszczam do siebie myśli, że mój idealnie skonstruowany świat jest w rzeczywistości domkiem z kart. Żadne listy i plany mnie nie ocalą. Mogę żyć, tylko jeśli pogodzę się z zawiłościami i komplikacjami życia.

Poczułam na ramionach ciepło, jakby ktoś mnie przytulił, i się rozpłakałam. Na trzydziestym drugim kilometrze czterdziestodwukilometrowego maratonu opłakiwałam matkę, Sandy'ego i małą dziewczynkę, która zmarnowała trzydzieści dwa lata życia, pragnąc czegoś, co nie istniało.

Nie wiem, jak długo siedziałam na krawężniku, ale nagle coś się zmieniło. Złość i smutek ustąpiły miejsca determinacji, która pomagała mi przetrwać najtrudniejsze momenty w życiu. Mogę tego dokonać. Mogę ukończyć ten bieg dla matki, dla Sandy'ego, a przede wszystkim dla siebie.

Poczułam się tak, jakby ktoś pomagał mi wstać, i dźwignęłam się z krawężnika. Rozgrzewając nogi, czułam, jak wraca mi energia. Kiedy zaczęłam biec, stojące wzdłuż ulicy tłumy eksplodowały radosną wrzawą.

Oczyściłam umysł. Skupiłam się wyłącznie na swoim ciele i pozwoliłam, by otaczający mnie świat na chwilę przestał istnieć. Z początku poruszałam się z trudem. Mimo to pokonałam ostatnią część Bronksu i w równym tempie wbiegłam na ostatni most prowadzący na Manhattan. Kiedy dotarłam do Piątej Alei, ogarnęło mnie radosne podniecenie, a skręcając do Central Parku, od wschodniej części, czułam się, jakbym dostała skrzydeł.

Drzewa były wspaniałe, liście zmieniły kolor. Gdy wybiegałam z parku, rozsadzała mnie energia. Biegłam w kierunku Central Park South, by zawrócić przy Columbus Circle i wbiec na ostatni odcinek maratonu. Ryk tłumów, które zgromadziły się przy ulicy, był ogłuszający, a energia ludzi opatulonych w kurtki i szaliki gnała nas do przodu. Wbiegałam na metę w euforii. Byłam niczym feniks, który odrodził się z popiołów.

Podbiegł do mnie reporter.

— Zrobiłaś to! — krzyknął, ściskając mnie. — Zrobiłaś to! Roześmiałam się, czując euforię i zmęczenie. Dokonałam tego, pokonałam dystans, o którym nie miał pojęcia.

Reporter odsunął się, robiąc miejsce kamerzyście. Kiedy zaczęli kręcić, zapytał mnie o wyścig, o moje lęki, chwilę zwątpienia i moment, w którym wzięłam się w garść i odzyskałam siły. Nagle się wyprostował i powiedział oficjalnym tonem:

— Słyszeliśmy, że kupiłaś pamiątkową tabliczkę, by umieścić ją na jednej z ławek nieopodal linii mety.

— Ach, tak! — Stres i zamieszanie spowodowały, że zupełnie zapomniałam, na co wydałam resztę pieniędzy, które Sandy ulokował na naszym wspólnym koncie.

Reporter towarzyszył mi, gdy szłam między uczestnikami maratonu i ochotnikami do zielonej ławki z niewielką tabliczką z nierdzewnej stali, która skupiała promienie słońca.

— *Pamięci Alexandra Sandy'ego Portmana, kochanego męża, syna i przyjaciela. Będzie nam ciebie brakowało* — przeczytał.

Napisałam *Córkę mojej matki*, by oddać cześć Lillian Barlow i mieć pewność, że świat o niej nie zapomni. Przebiegłam maraton i wykupiłam tabliczkę na ławce blisko mety, by mieć pewność, że świat nie zapomni Sandy'ego Portmana.

Nie wiem dlaczego, ale odwróciłam się do kamery.

— Kocham cię, Sandy. Nigdy cię nie zapomnę. Może teraz oboje znajdziemy spokój.

Einstein

Rozdział czterdziesty

Siedziałem przed telewizorem długo po tym, jak moja żona poświęciła mi ławkę w Central Parku. Próbowałem zrozumieć zmianę, jaka dokonała się głęboko w czymś, co zapewne było moją duszą. Z upływem czasu wszystko stało się jasne. Nie chciałem ukarać Emily za to, że żyła życiem, o którym sam marzyłem, ani za sukcesy, jakie odniosła, gdy mnie już nie było. Ja już ją ukarałem. Namówiłem ją, by zrezygnowała z mieszkania objętego kontrolą czynszów i nie przeniosłem na nią prawa własności mieszkania w Dakocie. Kazałem jej płacić za rzeczy, na które nie było ją stać, jakbym chciał udowodnić własnej żonie, że jest takim samym człowiekiem jak ja i że — tak jak ja — nie wytrzyma presji. Byłem płytki, dziecinny, nonszalancki i bezustannie igrałem z jej poczuciem bezpieczeństwa. Igrałem z jej sercem. Odrzuciłem wszystko, co chciała mi dać.

Co więcej, byłem zazdrosny o jej wiarę w rzeczy, których nie potrafiłem dostrzec ani zrozumieć.

Kiedy patrzyłem na nią, gdy tak siedziała na krawężniku, zrozumiałem, że bez względu na to, jak bardzo bała się życia, dotarła do punktu, w którym mogła zacząć wszystko od nowa. Obserwując ją dzień po dniu, uświadomiłem sobie, że będąc człowiekiem, poddawałem się z byle powodu. Nawet gdyby Sandy Portman nie złamał nogi, nie wystartowałby w maratonie. Zniechęcony wyczerpującymi treningami, wkrótce zastąpiłby jedno marzenie kolejnym.

Tak właśnie postępowałem. Niezależnie od tego, o co chodziło — sztukę, wioślarstwo, bieganie, nawet pracę w firmie — spodziewałem się, że czekające mnie wyzwania będą miłe, łatwe i przyjemne. Jeśli nie były, dawałem za wygraną.

Patrząc na ekran, zastanawiałem się, czy nie byłoby lepiej, gdyby ten

367

jej Bóg obdarzył mnie nie tylko marzeniami, ale także zapałem i wytrwałością. A może lepiej by było, gdybym w ogóle nie miał marzeń. Zawsze ktoś inny ponosił winę. Nigdy ja. Zacisnąłem powieki. Nagle pojąłem, że to również było moją słabością. Starzec miał rację, mówiąc, że za swoje wady winiłem każdego, tylko nie siebie. Chciałem dostawać wszystko na srebrnej tacy, a gdy miałem dość, wycofywałem się. Tak było w życiu. W pracy. Z Emily, kiedy byłem człowiekiem, i z Emily, kiedy byłem psem.

Wyszedłem na korytarz, by powitać Emily, gdy wróci do domu. Byłem cały obolały. To było coś więcej niż uczucie przemijania. Bolało mnie ciało i umysł.

Weszła otulona błyszczącą płachtą NRC, które rozdają na linii mety. Włosy miała potargane, ubrania sztywne od zaschniętego potu. Na szyi medal przyznawany tym, którzy ukończyli maraton. Nigdy nie wyglądała piękniej.

— Widziałeś mnie w telewizji? — spytała z uśmiechem. — Nie mogłam uwierzyć, gdy Hedda powiedziała, że załatwiła mi wywiad.

— Tak! — zaszczekałem.

— Widziałeś tabliczkę pamiątkową dla Sandy'ego?

— Tak!

Po tych dwóch energicznych szczeknięciach straciłem siły i zrozumiałem, że nadszedł czas.

Strach i rezygnacja sprawiły, że poczułem w żołądku bolesny ucisk. Emily została ocalona. Czy moja dzisiejsza pomoc wystarczy, bym został zbawiony? Czy może wciąż zrobiłem za mało?

Zadzwonił domofon i miałem niejasną świadomość, że ktoś wchodzi na górę. Kiedy Emily otworzyła drzwi, mój zamglony umysł rozjaśnił się na tyle, by zarejestrować, że otrzymała nakaz eksmisji.

Ponieważ Emily nie rozwiązała kwestii własności mieszkania w wyznaczonym czasie, miała trzy dni na opuszczenie mieszkania albo zostanie usunięta z niego siłą.

Przeczytała nakaz raz i drugi. Podeszła do mnie, usiadła na podłodze, oparła się plecami o ścianę i dotknęła mojej głowy jak jakiegoś talizmanu.

— Wiesz co, E? Wszystko jest dobrze. Damy sobie radę.

— Chcesz oddać mieszkanie?

Jak zawsze mnie zrozumiała.

— Spójrzmy prawdzie w oczy, E, to koniec. Ale to, że Sandy nie spełnił swojej obietnicy, nie znaczy, że... o mnie nie dbał. Nie dopuszczam do siebie myśli, że mogło być inaczej.

Położyła się na podłodze i westchnęła głęboko, jednak nie zamierzała się nad sobą rozczulać. Resztkami sił podczołgałem się do niej i przez chwilę leżeliśmy w korytarzu, stykając się głowami. Uśmiechnęła się do mnie.

— Zresztą kto potrzebuje bajecznego sześciopokojowego mieszkania z widokiem na Central Park?

Wyciągnąłem szyję i polizałem ją po policzku. Tylko w ten sposób mogłem ją pocałować.

Nie wiem, jak długo leżeliśmy na podłodze. Wiedziałem tylko, że odkąd obudziłem się w ciele Einsteina kilka miesięcy temu, wreszcie przejrzałem na oczy i ujrzałem prawdę o Sandym Portmanie. Po latach życia w zakłamaniu musiałem stać się psem, by zrozumieć, że nie miałem godności.

Wiedziałem również, że nadszedł czas, bym ocalił żonę i dał jej to, czego zawsze pragnęła. Dom. Bezpieczeństwo. Musiałem dotrzymać obietnicy.

Prawdę mówiąc, od początku domyślałem się, co powinienem zrobić. Odkąd obudziłem się w ciele Einsteina, wiedziałem, jak zmusić matkę, by zostawiła mieszkanie Emily. Wiedziałem, jak ocalić żonę.

Musiałem tylko wyjawić sekret Althei Portman.

Rozdział czterdziesty pierwszy

Nagły zastrzyk energii sprawił, że poderwałem się z podłogi. Szczeknięciem zmusiłem Emily, by poszła za mną na górę, do apartamentu, gdzie zamierzałem odkryć przed nią ostatni ze swoich schowków. Przyzwyczajona do tego, że pokazywałem jej rozmaite zakamarki, ruszyła za mną.

— O co chodzi, E? — spytała.

Nagle dopadły mnie wątpliwości. Zawahałem się, stojąc nad deską podłogową, pod którą ukryłem ostatni i najstarszy pamiętnik.

Wróciłem wspomnieniami do przeszłości. Pomyślałem o matce, jej śmiechu, farbach i płótnach. Nawet dziś zapach oleju lnianego sprawiał, że budziła się we mnie tęsknota za czymś, co utraciłem dawno temu.

Kiedy byłem dzieckiem, matka czuła dumę, że należała do świata mojego ojca, ale nie była jego częścią. Po ślubie nie przestała malować, stroniła od kobiet z towarzystwa i unikała obowiązków, które nakładało na nią bycie żoną. Z jakiegoś powodu jego świat widział w niej kogoś uroczego i oryginalnego. Zyskała rozgłos jako artystka i najważniejsi ludzie w mieście rywalizowali, by pojawić się na organizowanych przez nią przyjęciach. Jednak nikt nigdy nie widział jej prac.

Czyż nie tak to działa? Możesz sprawić, że wyobrażenia ludzi o tym, co robisz, będą większe od tego, co naprawdę potrafisz.

Moja matka nie miała o tym pojęcia i dała się ponieść nowo odkrytej popularności. A gdy uznała, że może umocnić pozycję, wystawiając swoje prace w jednej z najbardziej prestiżowych galerii, poruszyła niebo i ziemię, żeby tego dokonać, ignorując plotki, jakoby zawdzięczała wszystko wpływowemu mężowi.

Malowała tygodniami, sadzając mnie na drewnianych podłogach Dakoty z wałówką i farbkami. Słuchała Mozarta i Mahlera, rocka i bluesa. Ściany mieszkania wibrowały dźwiękiem. Gdy ojciec przychodził z niezapowiedzianą wizytą, znikali w jednym z pokoi, a gdy wychodzili, włosy matki były jeszcze bardziej potargane. Ojciec całował mnie w czoło i wychodził, zostawiając nas w naszym małym świecie.

Zadał sobie wiele trudu, by upewnić się, że wystawa mamy okaże się wielkim sukcesem. Kochał w niej to, że nie była jedną z tych bogatych ograniczonych osób, z którymi się wychowywał.

Tydzień przed otwarciem wystawy nastrój matki uległ zmianie. Profesor sztuki z Uniwersytetu Nowojorskiego chciał zobaczyć niektóre z jej prac. Leżałem na drewnianej podłodze wśród zapomnianych flamastrów i słuchałem słów typu: „amatorszczyzna", „malowane mechanicznie", „jakby wyszły spod pędzla studenta biznesu, który potrzebuje zaliczenia ze sztuki, żeby ukończyć szkołę". Potem zapadła długa cisza, którą przerwał nerwowy śmiech mojej matki.

— Głuptasie, to nie są obrazy, które zamierzam wystawić! Chciałam tylko zobaczyć, czy znasz się na sztuce!

Nie miałem pojęcia, o jakich innych obrazach mówi, ale nie odezwałem się ani słowem, a profesor o nic nie pytał.

W dniach poprzedzających wystawę przestaliśmy jeździć do Dakoty. Zamiast tego matka ubierała się elegancko i znikała na długie godziny, zostawiając mnie w domu. Wracała pod koniec dnia, zmęczona, pachnąca farbą i terpentyną, choć nic nie wskazywało na to, żeby cokolwiek malowała.

W dniu otwarcia wystawy była bardzo zdenerwowana. Ojciec podarował jej piękne szmaragdowe kolczyki, które przywodziły na myśl kryształowe żyrandole i pasowały do jej oczu.

— Brylanty są zbyt pospolite dla mojej żony — powiedział.

Ona jednak nie roześmiała się i nie obsypała go pocałunkami.

Wystawę okrzyknięto sukcesem. Tłumy wpadały w zachwyt, nawet krytycy chwalili obrazy mojej matki, przyznając pokornie, że były znacznie lepsze od tego, czego spodziewali się po żonie bogacza, jakim był mój ojciec. Stojąc przed płótnami w garniturku i eleganckiej muszce, nie wierzyłem własnym oczom. Obrazy, na które patrzyłem, nie wyszły spod pędzla mojej matki.

Nie mam pojęcia, skąd je wytrzasnęła. Pewnie od jakiegoś walczącego o uznanie artysty, który zgodził się zaprzedać duszę za pieniądze oferowane przez Altheę Portman. Dzień po wystawie ojciec zapytał ją o tajemnicze zniknięcie pięćdziesięciu tysięcy dolarów. Matka tłumaczyła się, mówiąc, że teraz, kiedy jest sławna, musi rozpocząć nowe życie, kupić ubrania. Ojciec i ja patrzyliśmy na nią z niedowierzaniem, jednak tylko ja znałem prawdę. W ogromnej szafie mojej matki nie było ani jednej nowej sukienki.

Kilka dni później mama „przeszła na emeryturę", tłumacząc, że chce pomagać tym, którzy pragną zaistnieć w świecie sztuki. Jasność opuściła moją matkę, a jej miejsce zajęła zimna surowość. Althea Portman stała się jednym z największych dobroczyńców nowojorskiego świata sztuki, kobietą, która zasiadała w komisjach i niczym baśniowa dobra wróżka służyła „profesjonalną" radą bogaczom, którzy chcieli powiększać swoje kolekcje. Czasami myślałem, że tak bardzo pragnęła sprawdzić się jako artystka, że naprawdę uwierzyła, iż ma talent.

Byłem przekonany, że gdyby teraz prawda wyszła na jaw, moja matka stałaby się obiektem kpin. Jednak Althea Portman nie zamierzała ryzykować, narażać na szwank reputacji, na której zbudowała całe swoje życie. Nie dla mieszkania, które nic dla niej nie znaczyło. Liczyłem na to i strzegłem jej tajemnicy na wypadek, gdyby kiedyś chciała mi zaszkodzić.

Nagle uświadomiłem sobie coś jeszcze. Czułem, jak nadzieja i radosne podniecenie opuszczają moje ciało. Jeśli pokażę Emily, gdzie schowałem pamiętnik, w którym spisałem tajemnicę mojej matki, po raz kolejny postąpię niehonorowo.

Będąc człowiekiem, nigdy się nad tym nie zastanawiałem, bo honor niewiele dla mnie znaczył.

Wydawało mi się, że otaczające mnie ściany drżą. Dlaczego nie? — pomyślałem. Nie znalazłem sposobu, by ocalić żonę. A przynajmniej takiego, który byłby honorowy. Zawiodłem. Jeśli teraz wykorzystam tajemnicę własnej matki i po raz kolejny postąpię niehonorowo, bezpowrotnie stracę szansę, by osiągnąć wymarzoną wielkość.

Miałem gonitwę myśli, jednak nie wiedziałem, jak inaczej pomóc Emily. Oddychałem z trudem i zrozumiałem, że mój czas się kończy. Jeśli chciałem, by moja żona zachowała mieszkanie, musiałem pokazać jej dziennik.

Czekałem, aż poczuję złość i będę mógł przekląć niesprawiedliwość, jaka mnie spotkała. Jednak złość nie nadeszła.

Stojąc nad wytartą drewnianą klepką, stwierdziłem ze zdumieniem, że to, co się ze mną stanie, jest bez znaczenia. Wyjawienie sekretu matki zrujnuje mnie i ostatecznie potwierdzi to, co już wiedziałem: ja, Sandy Portman, nigdy nie byłem honorowym graczem. Ale zamierzałem to zmienić, dając Emily to, na co zasłużyła.

Zaprowadziłem ją do deski podłogowej w lewym kącie pokoju. Nie wyglądała na zdziwioną i bez słowa wyciągnęła luźną klepkę.

Emily

Moja siostra Emily była uzależniona od ciężkiej pracy i wiary. Ja byłam uzależniona od zabawy i zastanawiania się nad tym, jak wybrnąć z kłopotów. Jak to możliwe, że nasza matka wydała na świat dwie tak różne istoty?

fragment książki Córka mojej matki

Rozdział czterdziesty drugi

Przeczytałam pamiętnik Sandy'ego, a kiedy dotarłam do końca, wiedziałam, że znalazłam sposób, by zatrzymać mieszkanie.

W poniedziałkowe przedpołudnie ciężko pracowałam, żeby zapiąć wszystko na ostatni guzik. Obiecałam Tatianie, że w poniedziałek wrócę do pracy. Jednak najpierw musiałam spotkać się z matką Sandy'ego.

Gdy zadzwoniłam do drzwi, minęła szesnasta. Ubrana w strój pokojówki dziewczyna oznajmiła, że pani domu nie może mnie przyjąć.

— Powiedz jej, że mam coś, co musi zobaczyć. Coś, co należało do jej syna.

Po kilku minutach ta sama pokojówka zaprowadziła mnie na trzecie piętro, do gabinetu Althei. Gdy weszłam, teściowa stała w oknie, spoglądając na widoczne w dole prywatne ogrody. Choć nie widziałam jej twarzy, wiedziałam, że coś się w niej zmieniło. Po raz pierwszy, odkąd poznałam Altheę Portman, wyglądała staro.

— W niedzielę — zaczęła bez zbędnych wstępów, wciąż wyglądając przez okno — zadzwonił do mnie przyjaciel i powiedział, żebym włączyła telewizor. Widziałam wywiad. Widziałam tabliczkę. *Kochany mąż, syn i przyjaciel.* — Zawahała się. — To miło z twojej strony, że pomyślałaś o mnie i ojcu Sandy'ego.

— Wiem, że go kochaliście.

— Zastanawiam się, czy on o tym wiedział. — Usłyszałam w jej głosie smutek, jakby właśnie przyznała się do porażki.

375

Odwróciła się od okna i spojrzała na mnie. — Czego chcesz? Rozumiem, że dostałaś nakaz eksmisji.

— Tak.

— Opuścisz mieszkanie, zanim funkcjonariusze usuną cię z niego siłą?

Nie odpowiedziałam, a Althea zmrużyła oczy, gdy wyciągnęłam w jej stronę oprawiony w niebieską skórę zeszyt.

— Co to?

— Sandy pisał pamiętnik.

Nie ruszyła się. Gdzieś w oddali zegar szafkowy wybił połowę godziny. Szesnasta trzydzieści. Wkrótce będę musiała iść do Caldecote.

— Właściwie było ich kilka. Ale myślę, że powinnaś zobaczyć właśnie ten.

Althea zawahała się, jednak podeszła do mnie i wzięła dziennik syna. Wypielęgnowanymi dłońmi otworzyła pierwszą stronę. W miarę jak przewracała kolejne kartki, jej twarz wyrażała rozmaite emocje. Patrząc na nią, czułam się jak intruz. W końcu odwróciłam wzrok.

— Zawsze zastanawiało mnie, czy znał prawdę — odezwała się.

Kiedy spojrzałam na nią, siedziała przy biurku. Wyglądała jeszcze starzej, niż kiedy weszłam do gabinetu.

— Rozumiem, że przyniosłaś to, żeby zmusić mnie, bym zostawiła ci mieszkanie. Jestem zaskoczona, Emily. Nie sądziłam, że potrafisz uciec się do szantażu. Ale dobrze. Nie zamierzam owijać w bawełnę: mieszkanie jest twoje.

— Nie rozumiesz mnie. Nie chcę tego mieszkania. Przyniosłam ten pamiętnik, żeby oddać ci go, zanim się wyprowadzę.

— Jak to?

— Nie mam zamiaru wykorzystać tych informacji. Daj mi tylko czas, żebym mogła znaleźć jakieś mieszkanie. Trzy dni to za krótko. Ale obiecuję, że wyprowadzę się do końca miesiąca.

Wyprostowała się i spojrzała na mnie podejrzliwie.

— Po tym wszystkim nie chcesz tego mieszkania?

Uśmiechnęłam się do niej, czując, jak ogarnia mnie błogi spokój.

— Nie w ten sposób. Nie chcę wymuszać niczego szantażem. Poza tym — wzruszyłam ramionami, gotowa pogodzić się z tym, o czym i tak obie wiedziałyśmy — nie stać mnie na nie. — Nagle zrozumiałam, że już go nie potrzebuję. Pragnęłam zamieszkać w Dakocie i tam zamieszkałam. Jednak tak jak w przypadku mojej matki i męża, nie mogłam oczekiwać, że eleganckie mieszkanie uzupełni baśniowy świat, o którym marzyłam.

Althea nie zamierzała mnie przekonywać, zresztą chyba nawet tego nie chciałam. Po raz pierwszy od wielu miesięcy — jeśli nie lat — poczułam się wolna.

Uśmiechnęłam się i chciałam wyjść, jednak mnie zatrzymała.

— Emily.

Chciała coś powiedzieć, ale się rozmyśliła.

— Coś się stało? — spytałam.

— Nie, nie. — Machnęła ręką, jakby chciała odpędzić natrętne myśli. — Wyślij mi rachunek za przeprowadzkę. Może dojdziemy do jakiejś finansowej ugody... za wszystko, co zrobiłaś w mieszkaniu.

Zabrzmiało to opryskliwie, jakby wcale nie chciała mi tego proponować, ale czuła, że ma wobec mnie dług, bo oddałam jej pamiętnik. Wiedziałam, że Althea Portman nigdy nie chciałaby być moją dłużniczką.

— Dziękuję, ale dam sobie radę.

Odwróciłam się.

— Ten pies — wypaliła. — Einstein. Wspomniałaś, że uwielbia Mozarta.

— Tak — odparłam ostrożnie.

— Powiedz mi, jak znalazłaś ten pamiętnik?

Zmrużyłam oczy, próbując skojarzyć fakty.

— Einstein zaprowadził mnie do skrytki.

— Tak jak pokazał mi miejsce, w którym Sandy pisał po ścianie.

— Tak. Zapomniałam o tym.

— To dziwne, ale nie mogę przestać o tym myśleć.

— Do czego zmierzasz, Altheo?

Bezmyślnie przerzucała kartki dziennika. Nagle wzdrygnęła się i zamknęła zeszyt.

— Do niczego. To mądry pies. Mądrzejszy od większości psów.

Uśmiechnęłam się.

— Tak, jest mądry. Potrafi być też czarujący, kiedy ma na to ochotę.

Jej kolejne słowa mnie zaskoczyły:

— Czujesz, że Sandy nie żyje?

— Słucham?

Zacisnęła usta, jednak nadal miała w oczach ten dziwny blask, gdy muskała dłonią złocone inkrustacje na okładce.

— Nie, nic. Chyba po prostu tęsknię za synem. Dziękuję, że przyniosłaś mi ten pamiętnik, Emily. Nie spiesz się z przeprowadzką.

✠

Byłam podekscytowana i podenerwowana, gdy wychodząc na Piątą Aleję, wyjęłam z torebki blackberry i wybrałam numer, którego bałam się, że nigdy nie wybiorę.

— Z Heddą Vendome, poproszę.

— Jest na spotkaniu. Kto dzwoni?

— Proszę jej przekazać, że dzwoni Emily Barlow.

Poproszono mnie, żebym zaczekała i spodziewałam się, że będę zmuszona zostawić wiadomość.

— Emily, kochanie, widziałam twój wywiad w telewizji.

— Dziękuję, że mi pomogłaś.

— Przecież jestem mistrzynią w skupianiu na sobie uwagi. Musisz wiedzieć, że wszyscy widzieli te rozmowę. Moja asystentka znalazła nawet fragmenty na tym śmiesznym, choć zadziwiająco uzależniającym YouTube. Moja droga, jesteś gwiazdą!

Uliczny zgiełk sprawiał, że ledwo ją słyszałam, kiedy oparłam się plecami o wapienną fasadę eleganckiego przedwojennego budynku. Subtelne ciepło późnojesiennego słońca wnikało w mury i ogrzewało moje plecy.

— Absolutną gwiazdą! I bardzo dobrze, bo byłaś niesamowita. Miła, zdeterminowana, no i to, jak rozkleiłaś się na chodniku. Inspirujące! Szkoda, że maraton nie zbiegł się w czasie z promocją książki o twojej matce. — Roześmiała się i zniżyła głos. — Słyszałam, że twoja siostra wyjechała bez pożegnania. Domyślam się, że sama dokończyłaś książkę.

— Skąd o tym wiesz? — Nie chciałam, żeby ktokolwiek wiedział, że to nie Jordan napisała *Córkę mojej matki*. Zadałam sobie wiele trudu, by napisać książkę z perspektywy Jordan i uczynić ją główną bohaterką.

— Nie martw się, nikomu nie powiem. Ale przejdźmy do rzeczy. Kiedy zaczniesz dla mnie pracować?

— Właściwie zastanawiałam się, czy mogłybyśmy umówić się na lunch. Jutro, jeśli możesz.

— Ha! Wiedziałam, że się zgodzisz. Spotkamy się w Michael's. Będziemy świętowały i negocjowały.

— Nie w Michael's, Heddo. Spotkajmy się w Westside Diner na rogu Broadway Street i Sześćdziesiątej Dziewiątej.

— Dobry Boże! Zapraszasz mnie na obiad?

Uśmiechnęłam się do telefonu.

— Oczekuję, że to ty zapłacisz.

Hedda się roześmiała.

— Jutro o dwunastej trzydzieści. Będę na pewno.

Rozłączyłam się i zatrzymałam taksówkę. Następny przystanek, Caldecote Press.

Rozdział czterdziesty trzeci

— Proszę zaczekać w gabinecie, pani Harriman zaraz przyjdzie.

Wszedłszy do narożnego biura Tatiany, podeszłam do rzędu okien z widokiem na wyrastające w centrum Manhattanu wieże ze stali i szkła. Dwie przecznice dalej, na północy, dostrzegłam widoczne zza budynków fragmenty Central Parku.

— Cóż za niespodzianka. — W drzwiach, ze skrzyżowanymi ramionami, stała Tatiana.

— Mówiłam, że dziś wpadnę.

— Liczyłam na to, że przyjdziesz z samego rana, usiądziesz za biurkiem i zaczniesz szukać idealnej książki, która zawojuje świat. — Podeszła do mnie i przyjrzała mi się. Zanim zdążyłam coś powiedzieć, dodała: — Zamiast tego przyszłaś, żeby powiedzieć mi, że odchodzisz.

Uśmiechnęłam się.

— Rzeczywiście.

Nie wyglądała na zadowoloną.

— Wiedziałam, że do tego dojdzie. Wiedziałam, że kiedy odzyskasz grunt pod nogami, będziesz chciała odejść. Ale pracować dla Heddy?

— Skąd wiesz?

— Naprawdę wierzysz, że Hedda jest jedyną osobą, która wie, co w trawie piszczy?

Roześmiałam się i pokręciłam głową.

— Chyba nie. Ale do twojej wiadomości: mam inne plany.

To ją zaskoczyło, lecz po chwili ona także się uśmiechnęła.

— Domyślam się, że Hedda o niczym nie wie.

— Jeszcze nie, ale się dowie. Jutro. Była przyjaciółką mojej matki. Chcę osobiście poinformować ją o swoich planach. Prawda jest taka, że pragnę zacząć wszystko od nowa i zobaczyć, dokąd mnie to zaprowadzi. Nie martw się, Jordan będzie promowała *Córkę mojej matki*. Dopilnuję tego. Ale to musi być jej książka, nie moja. Jako redaktorka będę rozmawiała, z kim tylko zechcesz. Ale muszę iść do przodu.

Nie odezwała się, po prostu stała, milcząc.

— Dziękuję, Tatiano. Dziękuję, że ze mną wytrzymałaś, że mnie motywowałaś.

Kiedy nie odpowiedziała, pokiwałam głową i ruszyłam do drzwi. Nagle się zatrzymałam.

— Muszę cię o coś zapytać.

Uniosła brew i spojrzała na mnie podejrzliwie.

— Dlaczego to robiłaś?

Zbyła pytanie machnięciem ręki.

— Nieważne. Nie miałam nic lepszego do roboty.

— Obie wiemy, że to nieprawda.

— Jesteś bardziej szczera, niż się tego spodziewałam.

— Skoro tak twierdzisz. Chciałam zapytać o coś jeszcze.

— Nie możemy po prostu się uściskać?

— I zapleść sobie wzajemnie warkoczy?

Roześmiała się.

— Dobrze, o co chodzi?

— Dlaczego zgodziłaś się wydać książkę mojej siostry, a kiedy okazała się porażką, pozwoliłaś mi ją poprawić?

— Caldecote Press nie mogło sobie pozwolić na...

— Tatiano, proszę, chcę poznać prawdę.

Zmrużyła oczy.

— Powiedziałam ci, znałam twoją matkę.

— Obie wiemy, że chodzi o coś więcej.

Zastanawiała się przez chwilę, po czym wzruszyła ramionami.

— W wieku dwudziestu lat byłam asystentką twojej matki w WomenFirst.

Spodziewałam się wszystkiego, ale nie czegoś takiego.

— Ty?!

— Tak, ja. Podobnie jak wiele młodych kobiet, byłam świeżo

po college'u i chciałam zmieniać świat. Pragnęłam zostać współczesną Glorią Steinem. I musisz wiedzieć, że byłam cholernie dobra w tym, co robiłam.

— Jakoś wcale mnie to nie dziwi.

Uśmiechnęła się, ale zaraz spoważniała.

— Pozwól, że coś wyjaśnię. Byłam dobra w tym, co robiłam, pod warunkiem że nie rozpaczałam po rozstaniu z jakimś chłopakiem. — Skrzywiła się. — Byłam typowym przykładem dziewczyny, która pakuje się w związki z nieodpowiednimi facetami. Pewnego dnia twoja matka wzięła mnie na stronę i powiedziała, że mam wszystko, czego potrzeba, żeby odnieść sukces, oprócz wiary w siebie. — Pokręciła głową. — Teraz, kiedy mówię to na głos, wiem, że chciała być miła i pomocna. Skończyło się jednak na tym, że kazała mi się rozchmurzyć i przestać tak nisko się cenić. Prawdę mówiąc, byłam na nią zła i odeszłam z pracy, traktując ją jak starą babę, która zapomniała, co to znaczy być młodym i mieszkać w mieście. Doszło do tego, że pewnego dnia znalazłam się między chłopakami a pracą. Siedziałam na ławce w Village, zagubiona, nie wiedząc, co począć ze swoim życiem. I wtedy przypomniałam sobie jej słowa.

Tatiana podeszła do okna i spojrzała z góry na świat, który od tamtej pory zdążyła zawojować.

— Wzięłam się w garść i oto jestem. — Odwróciła się do mnie. — Nie myślałam o twojej matce aż do dnia, gdy Charles Tisdale pokrótce opowiedział mi o pracownikach, o tym, kto za co odpowiada i kto jaki ma potencjał. Powiedział, że byłaś wschodzącą gwiazdą, ale nie potrafiłaś pozbierać się po śmierci męża. Podobno zaprzepaściłaś swoją karierę. To jego słowa, nie moje.

Skrzywiłam się, ale Tatiana nie zamierzała kończyć.

— Kiedy weszłam do sklepu i zobaczyłam cię z plastikowym pojemnikiem pełnym tłuczonych ziemniaków, nieuczesaną i zaniedbaną, zrozumiałam, że patrzę na siebie z czasów, kiedy samotna siedziałam na ławce. — Wzruszyła ramionami. — A ponieważ nie lubię nikomu matkować, postanowiłam cię zmotywować. *Córka mojej matki* była idealnym pretekstem, żeby ci pomóc... i dziwnym zrządzeniem losu podziękować twojej matce za to, co dla mnie zrobiła.

Patrzyłyśmy na siebie przez chwilę i tym razem naprawdę miałam ochotę ją uścisnąć.

— Nawet o tym nie myśl — uprzedziła mnie z uśmiechem. — Chcesz jeszcze o coś zapytać?

— Nie. Dziękuję, że powiedziałaś mi prawdę.

— Proszę bardzo.

Odwróciłam się, żeby wyjść.

— Emily.

Spojrzałam na nią.

— Nie mam wątpliwości, że cokolwiek postanowisz, twoja matka będzie z ciebie dumna.

Opuściłam Caldecote Press jak na skrzydłach. Zrozumiałam, że matka wykorzystała swoje życie najlepiej, jak mogła, szczególnie że żyła w świecie, który nie do końca ją rozumiał, albo którego ona nie potrafiła zrozumieć. Próbowała dokonać czegoś ważnego, ale w ostatecznym rozrachunku miała poczucie klęski. Nie była w stanie zobaczyć, co tak naprawdę osiągnęła, ale ja to widziałam. Widziałam to w Heddzie, która próbowała zmieniać świat swoimi książkami, w Tatianie, która dzięki Lillian Barlow stała się kimś więcej niż zależną od mężczyzn młodą kobietą. W Jordan, która pragnęła opowiedzieć historię naszej matki, a nawet w sobie. Żadna z nas nie dała się stłamsić otaczającej nas szarej rzeczywistości. Na swój sposób wszystkie byłyśmy wyjątkowe. Lillian Barlow zmieniła świat.

Teraz musiałam wykorzystać siłę, którą zawsze we mnie widziała, i zacząć wszystko od nowa.

✠

Kiedy wróciłam do domu, Einstein leżał w przedpokoju, ciężko dysząc.

— E?

Uklękłam obok niego i go pogłaskałam.

— Co się dzieje, piesku?

Zapiszczał, próbując się podnieść. Odkąd ze mną zamieszkał, stał się apodyktyczny i pełen życia. Szybko zapomniałam, że gdy znalazłam go w klinice, był stary, zmęczony i bardziej martwy niż żywy.

— Nic ci nie będzie, E. Nic nam nie będzie. Znajdę dla nas cudowne mieszkanie. Bez schodów i blisko parku. Zobaczysz, spodoba ci się.

Zesztywniał i zaskomlał.

— Tak, wiem, nic nie zastąpi Dakoty. Ale nie miałam zamiaru szantażować Althei. Jestem wystarczająco młoda, by zacząć wszystko od nowa.

Usiadłam obok niego na podłodze i uśmiechnęłam się smutno.

— No dobrze, mam trzydzieści dwa lata, ale nigdy nie jest za późno. Ty i ja, kolego. Emily i Einstein. Musisz tylko wytrzymać.

Sandy

Rozdział czterdziesty czwarty

Żal zabija, a wszystkie „co by było gdyby" zadają śmiertelne rany. Gdybym tylko przejrzał na oczy, kiedy byłem człowiekiem. Gdybym wtedy wiedział to, co wiem teraz, i potrafił żyć z godnością. Gdybym zrozumiał, że moja żona nie zatrzyma mieszkania, zanim odkryłem przed nią sekret mojej matki.

Czułem złość, kiedy dotarło do mnie, że żyłem bez honoru. Wszystko na nic. Jednak to uczucie nie trwało długo. Miałem niejasne wrażenie, że wszystko poszło jak należy. Zrobiłem, co mogłem, by pomóc Emily, i z każdym drżącym oddechem czułem, jak ulatuje ze mnie życie. Nie panikowałem. Pogodziłem się z myślą, że oto nadszedł mój koniec. Choć raz w życiu byłem gotowy ponieść konsekwencje swoich poczynań.

Z dala od miejskiego zgiełku, przed którym chroniły nas grube ściany Dakoty, oboje z Emily zdziwiliśmy się, gdy moja matka złożyła nam niezapowiedzianą wizytę.

— Pani Portman? — usłyszałem zdziwiony głos Emily, gdy otworzyła drzwi.

— Emily.

Matka nieproszona weszła do mieszkania. Zatrzymała się, widząc mnie leżącego na podłodze.

— Einsteinie — wymówiła moje imię.

Z trudem podniosłem głowę i przez chwilę węszyłem. Prawie nic nie widziałem i niemal straciłem węch. Mimo to wyczułem francuskie mydło, które tak bardzo lubiła, i ten zapach przyniósł mi ukojenie. Kiedy bezsilny opuściłem głowę, ukucnęła przy mnie.

Spojrzała na mnie i zmrużyła oczy. Nie pogłaskała mnie i nic nie powiedziała. Po chwili podniosła wzrok i spojrzała na Emily.

— Dla twojej wiadomości, nie kupiłam tych obrazów, żeby ocalić siebie — wyznała.

Emily wyglądała na zmieszaną.

— Tych, które trafiły na wystawę, tych, które nie były moje.

— Altheo, nie musisz się tłumaczyć.

— Ale chcę. — Wstała, by spojrzeć Emily w oczy. — Możesz mi wierzyć albo nie, ale nie zrobiłam tego, by oszczędzić sobie wstydu. Kupiłam je po to, żeby mój mąż nie musiał się wstydzić, gdyby krytycy zaczęli wieszać psy na kobiecie, której bronił przed przyjaciółmi i rodziną. Zrobiłam to, bo kochałam męża i syna. A robiąc to, zawarłam pakt z diabłem. Żeby dalej żyć, musiałam zrezygnować z jedynej rzeczy, która czyniła mnie tym, kim byłam, mojej sztuki. — Zawahała się. Jej zielone oczy błyszczały. — To sprawiło, że stałam się chłodna i bezlitosna. Wiem o tym.

Emily zrobiła krok do przodu, ale moja matka natychmiast uniosła brodę.

— Wiem, że to cię nie interesuje. Nie wiem nawet, czy powinno. Ale... — Pokiwała głową. — Chciałam, żebyś wiedziała.

Sięgnęła do torby i wyjęła jakieś dokumenty.

— Proszę. — Podała je Emily.

— Co to?

— Sama zobacz.

Kiedy Emily przeglądała papiery, matka skupiła całą swoją uwagę na mnie.

— Einsteinie — powtórzyła.

Nie było to pytanie. Miałem wrażenie, że powtarza moje imię jak mantrę, słowo, dzięki któremu miała nadzieję odnaleźć jakieś głębsze znaczenie.

Usłyszałem stłumiony jęk Emily.

— Chcesz oddać mi apartament na piętrze?

Nagły zastrzyk adrenaliny sprawił, że zdołałem unieść głowę.

— Tak — odrzekła moja matka.

— Nie rozumiem. Nie powiedziałabym nikomu o tym, co było w pamiętniku. Dlaczego to robisz?

— Jeśli mam być szczera, sama do końca nie wiem. Ale jeśli Sandy naprawdę obiecał ci to mieszkanie...

Serce waliło mi jak młotem, gdy matka spojrzała na mnie, pozwalając, by słowa zawisły w powietrzu.

— Jesteś dziwnym starym psem, Einsteinie — zwróciła się do mnie łagodnym cichym głosem. Znów przykucnęła. — Nie wiem, co o tobie myśleć. — Dotknęła mojej łapy wypielęgnowanymi palcami. — Ale sprawiasz, że mam ochotę wypełnić to, co mogło być ostatnią wolą mojego syna. Emily będzie stać na mieszkanie na piętrze.

Kiedy tylko powiedziała te słowa, oblała się rumieńcem i wyprostowała.

— Przez tę całą sytuację zachowuję się jak idiotka. Weź to mieszkanie, Emily. Przenieś swoje rzeczy na górę i miejmy to już za sobą. Pokryję koszty oddzielenia mieszkań, tak jak było na początku.

Wyszła równie niespodziewanie, jak się pojawiła, jakby nie mogła ani chwili dłużej obcować z czymś, czego nie rozumiała. Emily i ja byliśmy zaskoczeni. Wraz z jej wyjściem poczułem błogi spokój. Wiedziałem, że w pewnym stopniu dostrzegła we mnie swojego syna i postanowiła zrobić jedyną właściwą rzecz, żeby ocalić jego honor.

Czułem, jak zaskoczenie Emily zmienia się w niedowierzanie, i chciałem wstać, żeby pokazać jej, jak bardzo się cieszę. Jednak im silniejsza stawała się moja żona, tym bardziej opadałem z sił. Drżałem na całym ciele, czując, jak uchodzi ze mnie życie. Oddech miałem płytki, urywany.

— Och, E — jęknęła Emily. — Nie możesz odejść. Nie teraz. — Wzdrygnęła się. — Zadzwonię do weterynarza.

Resztkami sił złapałem zębami nogawkę jej spodni.

— Nie — warknąłem.

— Nie możesz się poddać, E.

Nie puściłem jej, dopóki nie wyczułem, że mnie rozumie.

Z cichym westchnieniem położyła się obok mnie na podłodze, a jej oczy zaszkliły się od łez, które potoczyły się po jej policzkach. Spróbowałem podczołgać się bliżej.

— Proszę, Einsteinie, pozwól mi zadzwonić do weterynarza.

Jednak żadne telefony nie miały sensu. W głębi duszy wiedziała o tym równie dobrze jak ja.

Ujęła w dłonie moją głowę.

— Kocham cię, E.

Rzeczywiście mnie kochała. Zawsze.

Wtedy zrozumiałem, że zanim opuszczę to ciało, muszę zrobić coś jeszcze.

Resztkami sił walczyłem z uczuciem przemijania. Słysząc w holu niewyraźny dźwięk, naprężyłem się i wydałem pełen bólu, żałosny skowyt.

— Einsteinie — szepnęła Emily.

Znowu zawyłem i ktoś zaczął walić do drzwi. Moja żona dźwignęła się z podłogi i je otworzyła.

— Wszystko w porządku? — usłyszałem głos Maxa.

— Mój Boże, to Einstein.

Max podszedł do miejsca, w którym leżałem, i położył rękę na moim boku. Wydawał się zaskoczony, kiedy spojrzeliśmy sobie w oczy. Przypuszczam, że zobaczył w moich oczach śmierć i wyczytał milczące przesłanie mojej duszy.

Kiedy polizałem jego dłoń, pochylił się nade mną.

— Już dobrze. Zaopiekuję się nią.

Zrobiłem, co mogłem, dla mojej żony i nadszedł moment, w którym na dobre zacząłem opuszczać ciało Einsteina.

Nie czułem bólu, tylko narastające poczucie straty, łagodną czystość, z którą nie chciałem się rozstawać. W pewnej chwili zadrżałem na myśl, że będąc psem, rozwinąłem pewną teorię: żeby godnie przeżyć swoje życie, potrzebujemy siły, która pozwoli nam przetrwać trudne chwile, cierpliwości, by podołać wyzwaniom, i odwagi, by stawić czoło lękom. Jako Sandy Portman zwalczałem lęk arogancją, gardziłem wyzwaniami, a w trudnych chwilach myślałem wyłącznie o sobie.

Moją największą ofiarą była Emily. Nie z powodu tych wszystkich strasznych rzeczy, które jej zrobiłem, ale dlatego, że rzuciłem jej wyzwanie, by mnie pokochała, a gdy to zrobiła, okazało się, że nie jestem gotowy na taki ogrom miłości, na uczucie tak głębokie i szczere, że nie miałem pojęcia, jak je odwzajemnić. Dlatego obszedłem się z nim tak obcesowo.

Ożeniłem się z nią, ponieważ w jej oczach widziałem mężczyznę, którym mógłbym się stać. Pragnąłem rozwodu, bo życie z nią sprawiło, że każdego dnia musiałem zmagać się z tym, kim naprawdę byłem: człowiekiem, który nie miał wystarczająco dużo siły, by ciężko pracować i wybić się ponad przeciętność.

W końcu zrozumiałem.

Serce Einsteina biło nierówno i poczułem, że zostało mi przebaczone, że byłem tym, kim byłem.

Zacząłem drżeć, jakby było mi zimno.

— Przyniosę koce. — Usłyszałem głos Maxa.

Nie potrzebowałem koców, ale cieszyłem się, że choć przez chwilę zostanę sam na sam z żoną. Emily głaskała mnie po boku, a w końcu ukryła twarz w mojej sierści. Po raz ostatni poczułem jej zapach, a gdy odetchnąłem, na dobre opuściłem ciało Einsteina.

Straciłem wzrok i węch. Nie widziałem świata, jednak nie panikowałem. Czekałem. Po jakimś czasie zmysły wróciły. Były inne, bardziej wyostrzone, a zarazem łagodniejsze, jakbym trafił do lepszego miejsca.

390

Kiedy opuściłem jego ciało, Einstein umarł.

— Żegnaj, E — szepnęła Emily. — Żegnaj, Sandy — dodała cicho.

Moja matka mogła coś podejrzewać, Emily wiedziała na pewno.

Po chwili pojawił się starzec. Tym razem nie czułem się niezręcznie w jego obecności.

— A więc udało ci się wszystko naprawić. Jestem pod wrażeniem — powiedział.

Roześmiałem się, czując, jak łzy napływają mi do oczu.

— Zakładam, że nie odejdę w zapomnienie.

Starzec parsknął.

— Nie, choć byłeś tego bliski jak żadna inna dusza. Na szczęście w porę się opanowałeś.

Ogarnęła mnie radość, jednak wciąż było we mnie coś z dawnego Sandy'ego.

— Masz szczęście. Ocaliłem ci tyłek i wiesz o tym.

— No cóż...

Roześmialiśmy się, a zaraz potem mignęły mi przed oczami fragmenty mojego życia. Sandy Portman jako dziecko malujące kolorowymi mazakami po ścianach Dakoty. Sandy Portman jako młody mężczyzna wprowadzający się do luksusowego wiekowego apartamentu. Sandy Portman przenoszący Emily przez próg w dniu ich ślubu. Jedno po drugim widziałem kolejne wydarzenia, kolejne zmarnowane okazje. Jednak nie czułem złości ani żalu. Miałem tylko przeczucie, że będę tęsknił za tym miejscem i swoim życiem.

— Tam, dokąd idziesz, spodoba ci się jeszcze bardziej — zapewnił staruszek.

Nie bałem się. Czułem ulgę i przepełniał mnie optymizm. O dziwo, byłem gotowy odejść.

Mój hologram odsunął się od Emily. Nagle moja żona wyprostowała się, jakby wyczuła moją obecność. Od dnia, w którym ją poznałem, pożądałem jej w niewytłumaczalny, pierwotny sposób. Pragnąłem jej i potrzebowałem. Teraz zrozumiałem, że po tym wszystkim, przez co przeszliśmy, zakochałem się w mojej żonie.

Klęcząc przed nią, wyciągnąłem rękę i przyciągnąłem Emily do siebie tak, że nasze usta prawie się dotykały.

— Kocham cię, Emily. Zawsze będę cię kochał.

Westchnęła głęboko i uśmiechnęła się przez łzy, pochylając w moją stronę.

— Wiem.

Wtedy je zobaczyłem. Samotne białe pióro, które wolno opadało ku ziemi. Byłem pewny, że Emily też je wyczuła. Tym razem nie wahałem się ani chwili i sięgnąłem po nie.

Spojrzałem pytająco na starca, a on się uśmiechnął.

— Tak, jest twoje.

Obejrzałem się za siebie tylko raz. Emily siedziała na podłodze, a po jej policzkach spływały łzy spokoju i smutku. Obok siedział Max, który trzymał w ramionach owinięte w koc ciało Einsteina. Nagle wszystko wokół mnie pomknęło do góry, a ja i starzec przeniknęliśmy przez ścianę.

Nie wróciłem do życia jako Sandy Portman. Nie odzyskałem swojego ciała. Ale pomogłem Emily. I będąc psem, choć raz w życiu zachowałem się jak prawdziwy mężczyzna.

Emily

Teraz rozumiem, że godząc się na to, byśmy były świadkami jej radości i błędów, moja matka dała Emily i mnie możliwość decydowania o nas samych. Wierzyłam, że Emily i ja nie miałyśmy ze sobą nic wspólnego, jednak odkryłam, że choć tak wiele nas różni, wciąż jesteśmy siostrami. Możemy zawsze na siebie liczyć, bo koniec końców obie jesteśmy córkami naszej matki.

fragment książki *Córka mojej matki*

Epilog

Nie mogę uwierzyć, że minął rok, odkąd straciłam Einsteina i odkąd naprawdę pożegnałam się z Sandym.

Tak, odnalazłam siebie, choć pod wieloma względami jestem teraz inna. Nie przypominam córki, która musiała zbyt szybko dorosnąć. Jestem inna od dziewczyny, która kochała młodszą siostrę i była o nią zazdrosna, i żony załamanej po tym, jak zdradził ją mąż. Moja siła nie polega już na tworzeniu list i planów.

Niemal każdego ranka wybiegam na wysypaną żwirem ścieżkę albo robię pętlę wokół górnej części parku. Czasami nawet piekę babeczki, ciasteczka i czekoladowe rogaliki, choć w bardziej rozsądnych ilościach. No i pracuję w mieszkaniu nad apartamentem, który niegdyś należał do Sandy'ego. Latem wypełniam pokój piwoniami, jesienią kolorowymi bukietami, a zimą zielonymi gałązkami. Mój nowy dom jest mały, ale idealnie pasuje do życia, które sobie stworzyłam.

Teraz rozumiem, że to o tym marzyłam, gdy wyobrażałam sobie siebie na szczycie wytwornego starego budynku.

Portmanowie zamknęli nasze mieszkanie i przykryli meble białymi prześcieradłami. Rzadko widuję Altheę. Ona, podobnie jak moja matka, poświęciła część siebie, by dopasować się do świata, który nie akceptował jej taką, jaka była, i stała się kimś, kim nigdy nie chciała być. Różniło je to, że Althea znalazła dla siebie odpowiednie miejsce. Moja matka nie miała tyle szczęścia. Nie wiem, czy podziwiam moją teściową, czy nienawidzę jej za to, że przetrwała tam, gdzie Lillian Barlow dała za wygraną.

Mimo iż nie potrafiłyśmy się dogadać, coś nas łączy: świadomość, że dostałyśmy drugą szansę, by pojednać się z Sandym. To ułatwia, a zarazem komplikuje pewne rzeczy, zwłaszcza że Althei trudno zaakceptować coś, co wydaje się niemożliwe. Rozumiem ją jednak. Trudno nam uwierzyć w cuda, dopóki nie staniemy się świadkami jednego z nich. Wówczas, cóż... życie się zmienia i człowiek nigdy już nie patrzy na świat tak jak kiedyś.

✠

Wchodzę do Meeker Books przy Columbus Avenue. Przed wejściem stoi tabliczka z moim zdjęciem i zdawkową informacją:

**Spotkanie autorskie
z Emily Barlow
autorką
*Przygód Einsteina,
czyli pieskiego życia w Dakocie***

Nie chciałam pisać i wciąż nie interesuje mnie pisanie książek dla dorosłych. Jednak gdy znalazłam pudełko czystych, uroczych, niebieskich zeszytów, które kiedyś należały do mojego męża, pomyślałam, że ilustrowana książka dla dzieci o przygodach psa Einsteina wcale nie jest takim złym pomysłem. Czułam, że powinnam napisać o moim psie i jego przygodach w domu podarowanym mi przez Sandy'ego. Opowieści o Einsteinie są prezentem, który podarowałam sama sobie.

Trzymam w ręku egzemplarz dużej cienkiej książki dla dzieci. Muskam palcami okładkę — małego białego psiaka patrzącego na spadające samotne białe piórko. Strony są pełne moich słów i ilustracji. Czy to kolejny dar od Sandy'ego? A może od mojej matki? Czy to następny cud podarowany mi przez niewidzialną rękę sterującą moim losem? Nie wiem i nie ma to dla mnie znaczenia. Wróciłam do życia na moich warunkach, z siłą, na którą zasłużyłam po tym wszystkim, co mnie spotkało. Towarzyszy mi mężczyzna, którego kocham czystą nieskomplikowaną miłością.

To Max. Kiedy go widzę, czuję radość.

Stoi przy tabliczce. Gdy mnie dostrzega, nie mówi ani słowa. Po prostu podchodzi i bierze mnie w ramiona.

— Jesteś. Czekałem na ciebie.

Rzeczywiście czekał. Cierpliwie i pokornie, chociaż wymykałam się mu przez kilka miesięcy. Dał mi przestrzeń, która była mi potrzebna, żebym mogła uporządkować swoje życie, ale gdy go potrzebowałam, był przy mnie.

On również pogodził się z samym sobą. Wrócił na Wall Street i pracuje w funduszu inwestującym w nowo powstałe przedsiębiorstwa, które chcą coś zmienić. Kiedy nie pracujemy i gdy nie gonią nas terminy, Max uczy mnie wspinaczki, a ja dzielę z nim prostą przyjemność czytania dobrej książki w przytulnej, spokojnej kafejce. Nie wiem, jak potoczą się nasze losy, ale patrzę w przyszłość z nadzieją i radością.

Bierze mnie za rękę i wchodzimy do uroczego sklepiku. Na tyłach księgarni czeka na mnie spory tłum czytelników, głównie dzieci, które przyszły z rodzicami. Pod ścianami stoją reporterzy i ludzie z rozmaitych wydawnictw. Droga słodka Birdie specjalnie na tę okazję upiekła ciastka i babeczki. Birdie, która jest stworzona do pieczenia, kochania i rozwiązywania rozmaitych problemów, mieszka blisko mnie.

Jeszcze nikt mnie nie zauważył, ale ponad głowami zgromadzonych gości widzę stół, na którym czekają setki egzemplarzy mojej książki.

Kiedy spotkałam się z Heddą i powiedziałam jej o pomyśle napisania serii książek o przygodach psa Einsteina, była oszołomiona. Zaraz jednak się otrząsnęła i niemal słyszałam, jak jej mózg pracuje na pełnych obrotach.

— To genialne! Oczywiście, że powinnaś pisać książki dla dzieci! Takie jak *Eloise z hotelu Plaza*! Tyle że twoim bohaterem będzie Einstein z luksusowej nowojorskiej kamienicy. Cudowny pomysł!

Kiedy książka wyszła z drukarni, Hedda natychmiast przysłała mi jeden egzemplarz, jednak widok *Przygód Einsteina* na sklepowych półkach niezmiennie mnie porusza.

Córka mojej matki już w pierwszym tygodniu znalazła się na liście bestsellerów. Jordan wróciła do Stanów i z chęcią ją promowała. Wiedziałam, że całe to zamieszanie wokół niej sprawia jej dużą przyjemność. Nie byłam zaskoczona, gdy ostatecznie oddała cały dochód z książki na pomoc kobietom w potrzebie. Nigdy nie kochałam jej bardziej.

Zapytana, o czym będzie kolejna książka, odpowiedziała, że nie zamierza pisać kolejnej książki. Słysząc to, roześmiałam się i ją uściskałam.

A Sandy?

Codziennie czuję jego obecność. Niemal słyszę, jak mówi: „Kocham cię, Emily. Zawsze będę cię kochał".

Nie pomyliłam się, gdy w niego uwierzyłam. Teraz rozumiem, że nie czuję się samotna, bo nie jestem samotna. Bez względu na to, jak potoczy się moje życie, mam pewność, że Sandy gdzieś tam jest.

Moi czytelnicy wreszcie mnie zauważają. Otacza mnie gromada dzieci, które chcą wiedzieć wszystko o Einsteinie, jego przygodach i sekretnych zakamarkach budynku, który w ich wyobraźni jest bardziej rzeczywisty niż prawdziwa Dakota, stojąca zaledwie kilka przecznic od księgarni.

Te dzieci i świat pokochały małego białego psa, który zachowuje się jak snob.

— Kto by pomyślał? — szepczę i niemal słyszę śmiech Sandy'ego.

DIABLICA NA BALU DEBIUTANTEK

Carlisle Wainwright Cushing, dwudziestoośmioletnia prawniczka mieszkająca w Bostonie, zostawia narzeczonego i powraca w rodzinne strony, do Willow Creek w Teksasie, by reprezentować matkę w jej najnowszej (piątej!) sprawie rozwodowej. Ridgely Wainwright, była Debiutantka Roku, potomkini założyciela Teksasu Sama Houstona, należy do miejscowej elity towarzyskiej i jest niewiarygodnie bogata. Na scenie gigantycznej awantury rodzinnej pojawia się reprezentujący drugą stronę konfliktu młody prawnik Jack Blair, dawny chłopak Carlisle, porzucony przez nią trzy lata wcześniej. W imieniu ojczyma dziewczyny domaga się od Ridgely gigantycznych alimentów. Problemy mnożą się same, a prawdziwą wisienką na torcie jest zbliżający się setny doroczny bal, sponsorowany przez Wainwrightów. Jak się okaże, przed rodziną i miłością płynącą z serca nie da się uciec...